宝贝回家

李西闽 著

湖南人民出版社

图书在版编目（CIP）数据

宝贝回家 / 李西闽著 . 一 长沙：湖南人民出版社，
2012.11
ISBN 978-7-5438-8785-5

Ⅰ . ①宝 … Ⅱ . ①李 … Ⅲ . ①长篇小说 – 中国 – 当代
Ⅳ . ① I247.5

中国版本图书馆 CIP 数据核字（2012）第 221144 号

宝贝回家

李西闽 / 著

出 版 人	谢清风
出 品 人	陈 垦
出 品 方	中南出版传媒集团股份有限公司
	上海浦睿文化传播有限公司
	上海市巨鹿路 417 号 703 室（200020）
责任编辑	夏新军
装帧设计	门乃婷工作室
出版发行	湖南人民出版社
	长沙市营盘东路 3 号（410005）
网 址	www.hnppp.com
经 销	湖南省新华书店
印 刷	北京鹏润伟业印刷有限公司
版 次	2013 年 1 月第 1 版第 1 次
开 本	32 开
印 张	10
字 数	150 千字
书 号	ISBN 978-7-5438-8785-5
定 价	28.00 元

序

李承鹏

2008 年 5 月 16 日那天，有人让我帮忙救助李西闽。四天前他在成都银厂沟一座房子里正写作，地震，就被埋在下面。我坚信这家伙死定了。四天，不被砸死也被饿死。出于朋友情谊，我还是准备帮忙找他……的尸体。

等他像一座移动的小山出现在我眼前，已是年底。在北京的一家夜店。他给我看了被钢筋穿过的胳膊，像两枚勋章。后来他就写了一本小说。我看过这本小说，准确地说听过这本小说，阅读字句时分明听到钢筋与他的骨头"咯咯"磨擦的钝钝的声音，其它细节，倒没法记清了。长期以来，我怀疑他的体内藏着一种很怪的东西，也许是海明威，也许是一个屠夫，也许他前世根本就是一枚混世的反王。自己对自己谋反，举着明晃晃的刀子，在漫天黄沙中冲向另一个自己，大喊"杀死李西闽"……

这情节是我从一部叫《敦煌》的片子里看到的，觉得安在他身上挺合适。这世上只有两种作家，一种欺骗别人，是优秀的谎言家；另一种是干掉自己，不想骗别人也不想骗自己，超越的办法只有甩开自己。李西闽是后一种，他总想干掉自己，不留后路。他想出各种坏办法，一会儿远行，到各个怪怪的地方，一会儿消失掉，一会儿说要自杀。我再一次见到他是在成都宽巷子，那晚在座有很多朋友，有诗人李亚伟，有一些漂亮姑娘，他突然站起来要走，说骨头疼得受不了……我陪着他在雨夜里走了一段路，才知道此时他正患严重的骨病。

我又听到钢筋和骨头"咯咯"磨擦的钝音。他上车走掉的时候，我甚至开始为他倒计时，虽然这很不地道。

可是他又活蹦乱跳地出现在我面前，像刚刚在地狱里打了一架，得胜归来。这一次是我们共同为玉树的一些老人张罗捐款。李西闽表现出他细腻的一面，提出很多好建议。人是矛盾的，我怀疑他是因为内心太细腻，才要表现粗猛的一面。

我没想到他的新小说是写失踪儿童的。这个难度很大。因为平时的新闻报道太多，不小心就会写成纪实报告文学，人物定位和故事推进也有很多难度，且触碰敏感话题。但他完成了，扣人心弦，人物做得也很活。技术不是最重要的，李西闽碰这个题材，是一件功德。种种原因，很长时间以来中国作家都在回避现实题材，以晦涩、玄虚、装神弄鬼为荣，这个国家的作家在现实中缺席了。这是世界上少见的现象，帝王相将、玄幻穿越、官场术成为文坛最畅销的渠道，即使在非洲这也很难想像。当然也有一些作家坚持书写现实，让现实在作者的骨头里穿行。

这世上没有不朽的著作，不朽只建立在某个时代忠实的瞬间。

文人相轻的现象很严重，比大街上女孩子看到另一个女孩子时的相轻还严重，女子之间不过撇撇嘴，说句"骚货""没品位"……文坛则要弄出更下作的事。其实写作不过是自我相悦的事，写出内心，映照出内心的世界，就很有品了。

李西闽是这样的作家。夜深人静的时候，他只是在写自己，坚强与细腻中，听钢筋和血肉互相绞杀的声音。

目 录

深夜，东莞。城乡结合部一间破旧的出租屋里，女人从噩梦中惊醒。

屋外风雨交加。雨声和风声异常地凄凉。女人血红的眼睛里充满了惊恐和无奈。她喃喃地说："小丽，你在哪里？小丽，你想念妈妈吗？小丽——"

漆黑的小屋里，只有她一个人。

没有人回答她。

屋外的风雨也不会回答她。

风雨不会明白一个母亲失去女儿后的痛苦和迷茫。女人浑身无力，多少个夜里，她就这样无力地躺在床上，痛苦地想念着女儿。黑暗之中的每分每秒都那么漫长，那是漫长的痛苦思念，刻骨铭心。她无法停止思念，就像她无法停止呼吸。只要生命尚存，思念就不会止息。女人渴望女儿归来，渴望在某个时刻，丈夫带着女儿出现在她面前，这种渴望同样刻骨铭心。

突然，她听到了孩子的啼哭。

她的心里一紧。

难道是女儿在哭？

女人的身体突然有了力量，从床上弹起来，喊叫着："小丽！小丽！"

那不是女儿的啼哭，而是窗外的一只猫在叫。她打开灯后，看到窗外的窗台上蹲着一只猫，它不停地叫唤，叫唤声就像是婴儿的啼哭。女人觉得猫也是个流落在外、无家可归的孩子，它那在灯光映照下闪亮的眼睛也充满了哀伤和悲恸。女人柔软的内心被它的目光击中，她打开窗，想把它抱进来，像抚慰女儿般抚慰它。可是，她刚刚伸出双手，猫就跳下了窗台，消失在浓重的夜色之中。

女人轻微地叹息。

她想，自己的女儿会不会像这只猫一样，在这个凄凉的风雨之夜，流落街头，无助地哭喊。

女人的心痛到了极点。

她又一次打开了衣柜，抱出一摞女儿穿过的衣服，放在床上。她坐在床边，拿起一条粉红色的连衣裙，抖开，放到鼻子下，使劲地抽动鼻子，想要闻到女儿身上的气息。然后把连衣裙重新叠好，放在一边；又拿起一件女儿睡觉时穿的小花背心，抖开，再放到鼻子底下嗅嗅，希望嗅出女儿的气味，嗅出那熟悉的体香……她把一件件女儿穿过的衣服抖开，放到鼻子底下嗅着，然后重新叠好，放在一边。女儿失踪之后，只要是想念女儿了，她就会做同样的事情，一次又一次，不厌其烦。

这是一个母亲思念女儿的独特方式。

这种方式残忍而又痛苦。

每次做这样的事情，她的泪水就会流出来，落在女儿的衣服上。那些衣服，沾满了母亲的泪水。每次到最后，她都会浑身抽搐，痛苦泣哭。今夜，也不例外。女儿失踪之后，她的泪水都流成了一条河，一条思念之河。

就在痛哭之际，她听到了敲门声。

她停住了抽泣，竖起了耳朵。

是的，是敲门声。

敲门声是那么地真切。

她跳下了床，朝门边扑过去。

她心想，一定是丈夫回来了，丈夫一直在外面寻找女儿，他一定是在这个风雨夜里，带着女儿回家了。女人觉得万分迫切，她迫切地想要用温暖的笑脸把丈夫和女儿迎进门，用满腔的爱恋抚慰丈夫和女儿受伤的心灵，同时也抚慰自己伤痕累累的心灵。

敲门声还在继续。

她调整好自己的情绪，脸上露出了久违的笑容，伸出手，打开了门。

门开了，一股凉风灌进来，她打了个寒噤。

门口哪有什么人，鬼影都不见一个，更不用说丈夫和女儿了。女人呆呆地站在那里，任凭带着雨星的夜风把她的头发吹乱。她的身心顷刻之间又陷入了一个巨大的冰窟，瑟瑟发抖。她已经记不清有多少个暗夜，她的耳朵产生了如此的幻听，而当她满怀希望地开门，结果却还是以失望告终。

久久地，她伫立在风中，等待着丈夫和女儿出现。

这种无边无际的等待，消耗着她憔悴的生命。

她喃喃地说："张森，小丽，你们快回来呀，我在这里等你们回来，会一直等下去，死也要等下去。"

许久，她才明白，在这个风雨夜中，她是等不来要等的人了，于是只好无奈地关上门。

关好门之后，她重新回到床上，拉灭了灯，黑暗潮水般将她淹没，她有溺水的感觉，窒息。她挣扎着从枕头底下摸出手机，用颤抖的手指，拨通了丈夫的手机。她朝着远方同样在暗夜中痛苦不堪的丈夫喊道："你什么时候把小丽带回来？我快崩溃了！快崩溃了——"

丈夫的声音也是那么地无力。

他只说了一句话："就是走遍天涯海角，我也会把女儿找回来！"

她挂了电话。

她在黑暗之中，睁大眼睛，想象着丈夫在陌生的城市里孤凄地寻找女儿的情景。就那样，她睁着眼睛到天明。女人不知道痛苦什么时候才有终点，她也不知道，天底下有多少父母像她一样，如此期待孩子的回归，期待用温暖和爱再次将亲生骨肉包裹……

第一章
一次改变命运的疏忽

1

人们往往把自己的际遇归结为运气，其实很多时候，一次小小的疏忽，就会改变你的命运。比如张森，他一转眼，就把自己五岁的女儿弄丢了。

2009 年春节将要临近时，张森和妻子胡秀梅准备带着女儿张小丽回安徽老家。他们已经在东莞打工十多年，有了十几万元积蓄。父母年纪大了，张森想用这十多万元回去在镇上开个小店，既能照顾父母，也可养家糊口；所以这次回老家后，就不想再出来打工。胡秀梅起初不同意，觉得在外面好，但是张森说服了她。要回老家，女儿张小丽特别高兴，她一直惦记着疼爱自己的爷爷奶奶，每当张森给父亲打电话时，她都要抢着和爷爷说话。张森对女儿说："等回老家了，你就可以天天和爷爷奶奶说话了。"

他们一家三口，踏上了归乡之路。

为避开春运高峰，他们提前几天就离开了东莞，来到广州火车站。火车站的人依然很多，卖票窗口排着长长的队。他们拎着大包小包，在火车站广场找了个比较空的地方落脚。张森要去排队买火车票，胡秀梅说让她去。张森没说什么，带着女儿坐在行李包上。这时，不远处，一对青年男女在说着话，女的边说话边用目光瞟张森父女。男的是个瘦高个，刀条脸；

女人矮胖，圆脸，左眼角有颗黑痣。

张森没有在意他们。他正和女儿说着话。

女儿总有问不完的问题。她说："爸爸，我们什么时候才能到家呀？"张森笑了笑说："还早着呢，如果你妈妈能够买到下午的火车票，那后天早上我们就可以到家了。"张小丽说："那么久呀？"张森说："还好，不算太久，以前火车还没有提速的时候，要更长的时间。"张小丽又说："爸爸，你不是说过，要带我坐飞机的嘛，怎么还是坐火车呢？"张森说："小丽，爸爸以后再带你坐飞机，我们现在要节省钱。"于是张小丽就不说话了，低下了头。张森把女儿抱在怀里，轻声："小丽乖，别生气，爸爸以后一定带你坐飞机。"张小丽突然抬起头，说："爸爸，你总是骗我！算了，我不生气了，等我长大了，赚了钱请你坐飞机吧。"

张森一阵心酸。

他也很想让女儿坐一次飞机，可钱是一滴血一滴汗换来的，实在不忍心这样花掉。

他长长地叹了口气。

女儿问道："爸爸，是不是我惹你生气了？"

张森抱着女儿，和她脸贴着脸，说："爸爸没有生气，小丽没有惹爸爸生气，是爸爸对不起你。"

"爸爸，我再不说坐飞机的事情了。"

张森心里很是难过，这些年，孩子跟着他们，吃了不少苦。女儿就是他们的命根，本来父母想让他们把小丽留在老家，可他们舍不得，就一直带着她。女儿给他带来了很多欢乐，每天沉重而又疲惫地回到出租屋里，只要一看到她童稚的笑脸和纯净的大眼睛，他的内心便有了安慰。

张小丽说："爸爸，我渴。"

张森看了看不远处的便利店，说："小丽，你想喝什么，爸爸满足你。"

"真的？"

张森点了点头，认真地说："真的。"

张小丽笑了，说想喝椰奶。

张森就让小丽在原地看着东西，自己去买椰奶。

张小丽叫爸爸快点回来。

张森说："小丽乖，坐在这里看好东西，我马上就回来。"

张小丽点了点头。

她那双水汪汪的大眼睛一直看着父亲。张森边走边回头看女儿，女儿也一直望着他。张森来到便利店，付钱时还回头看了一眼女儿，那时女儿还在。可是，当他买完东西，转过身往回走时，发现女儿不见了。他的心一沉，赶紧跑了过去。行李还在原地，小丽却无影无踪。

张森觉得一股热血冲上头，懵了。

过了一会儿，他才大声喊叫起来："小丽，小丽——"

广场上人来人往，没有人在意他的喊叫。张森觉得背脊发凉，浑身颤抖。他在广场上到处寻找女儿，找遍了每一个角落，也没有找到她。张森内心充满了焦虑、恐惧、紧张等混杂在一起的复杂情绪，脸色铁青，牙关打战，随便拦住一个人就问："师傅，你看到过一个扎着两条小辫子、眼睛大大的、穿着红色上衣的小女孩吗？"

被他拦住的人，大都摇摇头，匆匆而去。

有一个好心人停下脚步问："是你女儿吗？"

他说："是的是的。"

"那你怎么把女儿给弄丢了？"

"我只是去给她买了瓶饮料，一转眼就不见了。"

"对不起，我没有看见，你赶快去找吧；如果找不着，赶紧报案，现在人贩子可多了。"

听到"人贩子"这个词，他的脑袋"嗡"的一声响，像是突然挨了一闷棍。要是小丽被人贩子拐走了，那如何是好？他心里产生了一个侥幸的想法：小丽会不会到售票大厅去找她妈妈了？张森疯狂地跑向售票大厅。

他找到了胡秀梅，可是小丽根本就不在她身边。

胡秀梅还在那里排队，她的前面还有很多人。看到丈夫，胡秀梅说："你怎么来了，不好好看着东西。对了，小丽呢？"

张森焦急地问："小丽没有来找你吗？"

胡秀梅说："没有呀，小丽怎么了？"

"小丽不见了。"

胡秀梅脸色顿时变了，惊叫了声："啊——"

等张森把事情的经过简单地告诉她，胡秀梅突然扑到他面前，双手揪住他的衣服，嘶叫道："你混蛋，怎么不看住小丽，怎么不看住小丽！你怎么能够离开她，怎么能够——"

张森此时什么话也说不出来，泪水从脸上滑落。

胡秀梅继续嘶叫："混蛋！混蛋！要是找不到小丽，我和你没完——"

人们纷纷向他们投来复杂各异的目光。

排在胡秀梅身后的老者说："你们的孩子丢了，在这里叫唤有什么用？赶快去找呀！"

有人附和道："是呀，找人要紧，快报警吧。"

胡秀梅紧紧揪住丈夫衣服的双手突然松了下来，口中喃喃地说："对，找，找，报，报警——"

2

张小丽就那样丢了。

他们没有找回女儿，警察也没有帮他们找回女儿。张小丽就像是一滴水落进了茫茫大海，到哪里去找？张森夫妇没有回老家，他们留在了广州，在女儿没有找到之前，他们不会回去，不仅仅是因为无法对小丽的爷爷奶奶交代。对于在老家望眼欲穿等待他们回家的双亲，张森只能这样解释：工厂人手紧缺，又急着出货，不让辞工，过年恐怕就回不来了。张森夫妇在广州火车站附近的小旅馆住下，开始了艰难的寻女之路。

可是他们找遍了广州的每个角落，也没有找到女儿的踪影。张森也多次到报案的火车站派出所去询问，却每次都失望而归。

白天，张森夫妇分头去寻找女儿，晚上回到小旅馆里会合。

深夜，张森和胡秀梅无眠。

张森努力睁大眼睛，看着天花板，天花板上幻化出女儿的脸，女儿的大眼睛扑闪着，流着泪，仿佛在说："爸爸，我想你了，爸爸救我，快带我回家——"

他心如刀割。他喃喃地说："小丽，小丽，你在哪里——"

胡秀梅突然从床上坐起来，抓住张森的头发，发狂地嘶叫："都怪你，都怪你，小丽要是有个三长两短，我就不活了！"

张森紧紧地抱住妻子，沙哑着嗓子说："怪我！都怪我！我该死，我该死哇！我要是带小丽一起去买椰奶，她就不会丢了。"

胡秀梅的手从他的头发上滑落下来，她抽泣着，浑身颤抖。

张森咬着牙说："秀梅，我一定要找到小丽，就是倾家荡产也要把小丽找回来。"

胡秀梅哽咽地说："可是到哪里去找呀？"

张森说："一定会有办法的。"

是的，张森想了一个办法。

他找人制作了一个《寻人启事》，打印了三千份，夫妻俩分头在广州市四处张贴。因为《寻人启事》上留的是张森的手机号码，所以胡秀梅总是提醒丈夫，要把手机充好电，不能关机，不能漏过任何一个电话，每个来电都是一个希望。张森当然明白，所以就算是充电的时候，他也会守在旁边，生怕漏掉任何一个来电。晚上睡觉，他不仅要把手机放在枕头边上，而且还要把铃声调到最大，这样的话一有电话来，就是熟睡也会被吵醒。张森经常会被噩梦惊醒，梦见女儿一边哭喊着一边堕落深渊。往往当他大汗淋漓地醒过来时，会发现妻子也睁着惊恐的眼睛。他抱住妻子，而妻子只是机械般地重复着一句话："小丽在哪里？"

胡秀梅在张贴《寻人启事》时被城管抓住了。城管撕掉了她刚刚贴在一根电线杆上的《寻人启事》，还抢走了一摞还没有来得及贴的。

城管问："你为什么乱贴小广告？"

胡秀梅说："我这是《寻人启事》，不是小广告。我女儿丢了，贴个《寻人启事》也犯法？"

城管说："《寻人启事》也不能乱贴，款就不罚你的了，罚你把这条街上的小广告全部给我清除干净。"

胡秀梅的眼泪在眼眶里打转。

她想跑，跑不了，那几个城管围着她。

胡秀梅无奈，只得动手去撕那些小广告，小广告粘得死死的，撕不下来。一个胖城管递给她一把小铲刀，说："用铲刀铲吧。"

胡秀梅用铲刀铲着小广告，心里想着女儿，不禁泪下。

约摸过了半个多小时，胖城管对她说："把铲刀还我，你走吧。"

胡秀梅不相信他的话，呆呆地看着他。

胖城管说："你听到没有，把铲刀还我，快走吧，不要你干了。"

胡秀梅把铲刀递还给他，扭头就走，她还想回家去再取一些《寻人启事》，出来继续张贴。只要能够找回女儿，她什么也不怕。

胖城管朝着她背影说："去找家报纸登《寻人启事》吧，比你四处张贴有用。"

胡秀梅停住了脚步，回味着胖城管的话。

回到小旅馆，胡秀梅心力交瘁，她坐在椅子上，无所适从。过了会，张森推门进来。胡秀梅打起精神问："有人打电话来吗？"

张森摇了摇头，满脸沮丧。

胡秀梅说："这样四处张贴《寻人启事》，是不是没有用？"

"那还有什么更好的办法？"

"是不是到报社去登个《寻人启事》会好些？"

"报社?"

"如果登在报纸上,看到的人会更多,而且也更可信。"

张森想了想,说:"你说的有道理!我怎么没有想到。对了,找哪家报纸登呢?"

胡秀梅说:"我们到报刊亭去问问,那张报纸卖得多,就找那家报纸登,你看怎么样?"

张森说:"好,那我们走吧!"

3

张森夫妇在当地发行量最大的报纸登出了《寻人启事》。这报纸的确有影响力,登出《寻人启事》的当天,张森的手机就快被打爆了。他有点惊喜,感觉女儿很快会被找到,虽然大部分电话都是热心市民打来安慰他的。也有一个人打电话来,让他们去看一个女孩,于是他们兴冲冲去了,结果发现那女孩不是小丽。

这个夜晚,他们都没有合眼。

他们什么话也没有说,忐忑的内心都充满了某种希望。

午夜时分,张森的手机铃声又一次响起。

胡秀梅猛地坐起来,说:"快接!"

张森接通了手机,说:"喂,喂——"

手机里传来阴沉沉的声音:"你是不是叫张森?"

张森心里十分紧张,焦急地说:"是,是,我就是张森。"

还是那阴沉沉的声音:"你的女儿是不是叫张小丽?"

张森拿着手机的手在颤抖:"是,是,我女儿叫张小丽。"

"她是不是在火车站跑丢了?"

"是,是的,你,你知道小丽的消息吗?"

"知道。"

"真的？"

"真的。"

"她在哪里？"

"在我这里。"

"你是谁？你在哪里？"

"你别管我是谁，反正你的女儿张小丽在我手里。你如果想要回你的女儿，明天上午带两万块钱，到花都汽车站来。11点整，你在花都汽车站门口等我，我会给你电话。对了，告诉你，如果想要你的女儿，就最好不要把这件事情告诉任何人，包括警察。明天上午11点整，花都汽车站，记住没有？"

"记住了，记住了。"

对方挂了电话。

张森把情况告诉了妻子。

张森说："怎么办？"

胡秀梅说："还能怎么办？明天我们取两万块钱出来，去花都换回小丽。"

张森说："那些钱是准备用来回家做生意的，能动吗？"

胡秀梅急了，大声说："你不是说，倾家荡产都要找回小丽吗？怎么现在又心疼钱了？张森，我告诉你，就是把那十几万块钱全部给他，只要能够换回小丽，我也愿意，我也不会心疼，没有什么东西比小丽更重要！钱没有了，我们可以再赚，要是小丽找不回来，留下那些钱有什么用！"

张森说："我听你的，明天我就去花都。"

"我跟你一块去！"

"好吧。"

这一夜，他们都没有合眼，辗转反侧到天明。

第二天，张森和胡秀梅取了钱就往花都赶。一路上，张森死死地抱住装着两万块钱现款的包，生怕被人偷走。他们提前近一个小时来到花都汽车站外面。他们坐在汽车站外面台阶的一角，等待手机铃声响起。张森神色慌乱，内心忐忑不安。胡秀梅的身体也时不时颤抖，她的内心同样忐忑不安。

胡秀梅轻声说："那人会不会骗我们？"

张森说："应该不会吧。"

其实，他心里也没有底。

11点整，张森的手机响了。张森接通电话，听到了那个阴沉的声音。

"你还想不想要孩子了？"

张森说："想呀，想呀。"

"那你为什么不一个人来？"

显然，那人在看着张森，所以知道他和妻子一起前来。张森左顾右盼，寻找着打电话的人，可他什么都没有发现。

张森说："她是我老婆，她也希望尽快看到小丽，所以一起来了。我们没有和任何人说，真的。"

那人冷笑了一声，说："量你们也不敢。这样吧，你看到汽车站对面的来福超市了吗？"

张森的目光落在了来福超市的招牌上，说："看到了。"

那人又说："你看到来福超市外面街边的垃圾桶了吗？"

张森的心提到了嗓子眼，说："小丽在垃圾桶里？"

那人说："胡说八道！怎么能把人放到垃圾桶里。小丽就在你们附近了，只要你把钱放进来福超市旁边的垃圾桶里，然后回到你现在的位置，再过五分钟，小丽就会走到你们的面前。"

张森说："你不会骗我吧？"

那人说："你要女儿，我图个钱，我骗你干什么？你要是想要回女儿，就赶快按我的话去做，我只给你十分钟的时间，十分钟以后，你要是没有把钱放进垃圾桶里，你也不要想再见到小丽了。"

说完，那人就把电话挂了。

胡秀梅说："张森，快把钱放到垃圾桶里去，快去呀——"

张森还是有点迟疑，他拿不准那人的真实性。胡秀梅突然站起来，一把夺过他手中的包，急匆匆地向来福超市走去。张森想，这样也好，自己可以一直盯着那个垃圾桶，看到底谁会从垃圾桶里取走钱，就算那人是骗子，也可以找到他。胡秀梅把用报纸包好的两万块钱悄悄地塞进了垃圾桶，然后跑回了张森身边。

他们期待着女儿的出现。

时间一分一秒地流逝。

这十分钟对他们而言，如此漫长。

他们的内心，都在承受着煎熬。他们不知道女儿会从哪个方向走来，在等待的过程中，他们左顾右盼，都希望在第一时间看到女儿的身影。在这个过程中，他们忽略了那个垃圾桶，他们也根本就没有看清，究竟是谁从垃圾桶里取走了他们的血汗钱。十分钟过去了，二十分钟过去了，半小时过去了……他们终究没等到女儿的出现。张森在痛苦的煎熬中得出了结论：他们受骗了。

胡秀梅喃喃地说："小丽，小丽，你怎么还没有出现呢？"

她有些痴呆了。

张森对她怒吼道："小丽今天不会出现了，我们上当受骗了！"

说完，张森朝来福超市狂奔过去。

他扑在垃圾桶上，双手在垃圾桶里寻找着什么。可是那两万元钱已经被人取走了。他觉得热血不停地往头上冲，头颅似乎要炸掉。他拿起手机，慌乱地回拨骗子的电话，那电话已经没有人接了。报警后，经过查证，才知道骗子是用电话亭里的电话和他们联系的。骗子永远也不会接他的电话了。他站在垃圾桶旁边，浑身颤抖，突然歇斯底里地号叫起来，他的脸扭曲了，涨成了猪肝色。路人纷纷投来怪异的目光。他们不清楚这个两眼血红的汉子为何号叫，但从那凄厉的号叫声中，都能感受到他内心的痛苦和愤怒。可没有人会在乎张森的痛苦和愤怒，他停止号叫后，匆匆走向还坐在台阶上等待女儿的妻子，像一条狼狈不堪的流浪狗。明晃晃的太阳依旧挂在天上，无视人间的苦痛。

他站在妻子面前，无奈而又悲凉地说："秀梅，走吧，小丽不会出现了。"

胡秀梅的眼泪流淌下来，哽咽地说："让我再等等，再等等，也许她还在路上。"

4

过几天就过年了，张小丽还是没有音讯。那两天的热闹过后，也没什么人打电话来了。他们去了几趟火车站派出所，派出所民警总是十分无奈地告诉他们，张小丽还是没有着落。胡秀梅在痛苦和思念中，病倒了。开始是发烧，烧得迷迷糊糊的她不停地喊着女儿的名字。张森赶紧把妻子送到了医院。退烧后，他们回到了小旅馆。胡秀梅倒在床上，面色寡淡，闭着眼睛，什么话也不说，也不肯吃东西。张森守着妻子，不知道如何是好。要不是他一时疏忽，小丽也不会丢；如果小丽没有丢，此时他们一家应该正在老家欢乐地准备过年。世界上没有后悔药可吃，张森无论怎么自责，都无法挽回这样残酷的现实：小丽丢了。

张森没有想到，胡秀梅病倒在床上时，会有一个陌生人打电话给他。

打电话给他的人自称王标，家住郑州，知道张小丽的下落。王标说他看到了张森在报纸上刊登的《寻人启事》，突然想到一个邻居家里新来了一个女孩子，那女孩子和《寻人启事》上张小丽的照片十分相像，特别是那双水灵灵的大眼睛。王标还说，女孩子到邻居家后，他经常可以听到她凄凉的哭声。他邻居好像是个人贩子，也许女孩就是邻居拐来的，他十分同情那女孩，她只要哭，邻居就对她又打又骂。王标让张森赶紧去郑州，他会带张森去认人，如果真的是张小丽，那就太好不过了。张森因为被欺骗过，所以对王标的话心存疑惑。王标仿佛看出了他的心思，诚恳地说只是想帮他，也想让那女孩摆脱苦海，自己不要他任何报酬，要是等邻居把女孩卖掉，就晚了，谁知道人贩子会把女孩卖到哪里去。

王标把自己的手机号码留给了张森，让张森到了郑州便和他联系，他还可以去火车站接张森。

想到小丽的哭声，想到她充满恐惧的眼睛，张森受不了了。

哪怕王标真的是骗子，他也要去看个究竟。

胡秀梅也支持他去，哪怕只有万分之一的希望，也不能放弃。

张森让胡秀梅在旅馆里等他，自己买了张站票，踏上了开往郑州的列车。因为春运，列车上人挤人，他找了个门边的角落，猫在那里一动不动。上车前，他给王标打了个电话，王标热情地说会到火车站接他，他心里有了些许安慰。他希望王标是个好人，要是能够找到女儿，妻子的病马上就会好，他们一家回老家还可以赶得上过年。想着一家老小团圆的情景，张森心里十分难过，那也许只是个美好的幻想。可正是这一线渺茫的希望才支撑着张森度过漫长无聊而又艰难的旅程。

到达郑州，已是深夜。

张森拖着又麻又酸的双腿走出车站，发现接站的人群中有个人高举的牌子上写着他的名字。看到自己的名字，他的心顿时温暖起来，仿佛一个无依无靠的人有了朋友。他走上前，笑着说："请问，你是王标兄？"

举牌子的人是个瘦高个的男子，戴着鸭舌帽，帽檐压得很低，看不清他整张脸。他说："你是张森？"

张森点了点头。

瘦高个热情地说："太好了，火车没有晚点，快走吧。"

张森跟在他后面。

瘦高个边走边说："我是王哥的朋友，他让我来接你，他在家里等着你呢，王哥可是热心人，王哥和我说了你的事情，真希望他邻居的那个女孩就是你的女儿。"

张森听了他的话，像是吃了定心丸，心中的那些顾虑顿时烟消云散。

他相信自己真的碰上好人了。

瘦高个把他带到了一辆破旧的面包车跟前，拉开了车门，笑着说："兄弟，上车吧，他们会把你带到王标家的，我就不陪你去了，我还有事情要办。"

张森上车后，瘦高个就离开了。

车开动了，驰出了火车站停车场。

司机也戴着鸭舌帽。

张森只能看到他的后脑勺。

他发现车的后排坐着两个人，他正想扭头和后面的人打招呼，突然，他的脑袋挨了沉重的一击，便昏了过去。

这种结果不是张森想要的，可是，他的确被绑架了。他醒来时，发现自己双手被反绑，嘴里塞着毛巾，被关在一间空房间里，房间里什么家什也没有，斑驳肮脏的墙壁诉说着房屋的老旧。张森背靠墙，坐在地上，房间里有股难闻的怪味，地板也很脏，四处散落着破报纸和老鼠屎。他的头很痛，像是要裂开。他的记忆还停留在上车的时候，现在他知道自己又上当了，浑身发冷，牙关打战。不仅女儿断然不可能在此行中找回，就连他的生命也受到了威胁，不知道还能不能活着回去和妻子相见。想起病倒在小旅馆里望眼欲穿的妻子和不知在何方遭罪的女儿，张森只能感叹命运的残酷。

他流下了泪水。

张森越想越伤感，号也号不出来，只能挣扎着，绝望地挣扎着。

那个自称王标的人想要干什么？

为什么要给可怜的他设下如此恶毒的圈套？

他是个老实巴交的男人，只晓得靠自己的血汗谋生，只晓得对自己的亲人好，可是，他此时却陷入了如此可怕的境地。

但是这可怕的境地是他自己造成的，因为他没有看好自己的孩子。

丢失女儿是他厄运的开始。

过了好大一会儿，他听到了脚步声。

好几个人的脚步声纷沓而至。

门开了，进来了三个人。

他们高矮不一，穿着也不尽相同，唯一相同的是，他们都戴着鸭舌帽，蒙着脸，只露出眼睛。

一个矮胖子走到他面前，蹲了下来，他说："张森，对不起，把你关在这里，让你吃苦了。"

他听出来了，说话的人就是给他打电话的那个自称为王标的人。

张森说不出话来，无望地挣扎着。

王标说："别动，动了也没有用。你放心，我们不会要你的命，我们只求财，不害命。我也无奈，因为赌博，欠下了一屁股债，债主天天追着我要债，马上就过年了，我要是还不了债，就完了，他们会要了我的命。我上有老下有小，我要是完了，我家里人也完了。我只是想问你借点钱，就把你骗来了。"

张森想说话，却说不出来。

王标真是猪狗不如的混账东西，你就是死，也不能害人哪！而且害张森这样的人，他的孩子丢了，妻子还躺在广州的小旅馆里，有家难归，承受着巨大苦痛，你居然还忍心向他下毒手，简直不是人。

王标说："我知道你恨我，甚至想把我杀了。没有办法，我都把你人弄过来了，已经无法收手了，只有把事情继续做下去；就是天打五雷轰，我也必须这样做了，我回不了头了，张森兄弟，请你原谅我。我发誓，等以后有钱了，我一定还给你，而且我还会四处去打探你女儿的消息，但是这些都建立在一点上，就是我必须渡过难关。现在，我们已经捆绑在一起了，你跑也跑不掉了。如果你在出发前就识破了我的计划，我肯定不会再给你打电话；可是你还是相信我，并且来到了郑州，这就等于猪把自己送到了虎口，老虎哪有不吃之理。你的银行卡已经在我手上了，我只要你告诉我银行卡的密码，我取到钱一定放你走，绝不食言。你要是不告诉我密码，就算我饶了你，我身后站着的人也饶不了你，他们都是我的债主派来的，拿不到钱，他们是不会善罢甘休的，不光要我的命，你的命也难保。兄弟，留得青山在，不怕没柴烧，只要人活着，什么都有可能，可人要是一命呜呼了，那就什么也没有了。你要是同意把钱给我，就点点头，我把毛巾从你嘴巴上拿开，你告诉我密码，我们取到钱，立马就放你走，绝不食言。怎么样？你愿意把密码告诉我吗？"

张森的双眼充满了惊恐，他朝站在王标身后的两个蒙面人看了看，那两人的眼睛直勾勾地瞪着他，透出冷漠的杀气。他想起了妻子，也想起了小丽，于是颤抖地点了点头。

王标笑出了声，虽然看不到他的脸，张森却可以感觉到他脸上表现出来的得意。

王标一把扯下了堵住张森嘴巴的毛巾。

张森长长地呼出了一口气。

他的第一句话就是："我饿坏了，能不能给我吃点东西？"

王标说："对不起，你一下火车就被弄到这里来，现在都快天亮了，想必你在火车上也没有吃东西，一定是很饿了，我早就应该让你吃点东西的。不过，你都饿到现在了，也不差一时一刻，你把密码告诉我，我就去给你弄吃的。"

张森闭上了眼睛，大口地喘着粗气。

他此时的情绪十分复杂。

面对这个恶棍，张森不知道说什么才好。

王标笑着说："兄弟，说吧，把密码说出来，说出来我马上去给你买吃的，门口的包子铺每天早上5点钟就开门，这里的包子可好吃了，皮薄馅多，咬上一口，满嘴流油，香气扑鼻。说吧，说出来你就可以吃到喷香的包子了。"

他的话对饥寒交迫的张森来说，是残酷的诱惑，比打他骂他还残忍。

王标说："快把密码说出来吧！你也饿得快不行了，我身后的人也忍耐得差不多了。"

张森颤抖着说出了一串数字。

王标用手机记下了密码，笑着离开了房间，另外两人也离开了房间。

张森喊道："给我包子——"

没有人理会他，他瘫在那里，大口地喘着粗气。

他想，自己会不会饿死在这里？

过了不知道多久，他在睡梦中闻到了一股香味。张森睁开了眼睛，看见一个蒙面人端着一盘包子蹲在他面前。蒙面人一声不吭。那香喷喷的包子惹得张森口水直流，他说："给我松绑，让我吃包子。"蒙面人一手端着盘子，另外一只手拿起一个包子塞进了张森的嘴巴。张森饿极了，很快地咽下嘴巴里的包子，又张开嘴巴，蒙面人又往他嘴巴里塞包子……那盘包子很快就进入了张森的肚子，蒙面人拿起一瓶矿泉水，喂给他喝。

张森吃饱饭，打了个响亮的饱嗝。

接着，他说："你们真的不会杀我？"

蒙面人还是一声不吭，然后站起来，离开了房间。

张森听到房门关上的声音，觉得自己被隔离在了另外一个世界。

他喃喃地说："秀梅，我对不起你；小丽，我对不起你。我活着还有什么意思？"

张森心里记挂着她们。

如果能够找回小丽，吃点苦受点骗又算得了什么。他多么想见到小丽，把她搂在怀里，和她说说话。她的声音是天使才有的声音，会让他忘记痛苦，忘记人间所有的无奈与不平。可是，女儿在哪里？她是不是真的被人贩子抓走了，是不是被卖掉了，卖到他永远也找不到的地方了？她是不是在挨饿，或者挨打挨骂？她是不是身上伤痕累累，她是不是在伤心地哭？她是不是在呼喊着爸爸妈妈？

张森不忍心女儿在苦海里沉浮。

如果可以换回女儿，就是死，又何妨？张森泪流满面。

每天，那个蒙面人会给他吃一盘包子，给他喝瓶矿泉水。拉屎拉尿都在房间里，蒙面人会把屎盆子倒掉，他仿佛就是张森的仆人。张森和他说话，他从不理会，也不说一句话，张森觉得他是个哑巴。

尽管每天有包子吃，有水喝，张森还是很快消瘦下去，变得蓬头垢面，满脸脏污。他被关在这个破旧的房间里，就像是坐牢，而且还担心着他们会不会杀了自己灭口，内心还挂念着妻子，担心着女儿的安危……他承受着肉体和精神的双重折磨，过着非人的生活。

张森被关第七天的晚上，那个自称王标的人来了，带着两个蒙面人，他自己也蒙着脸，根本不想让张森看到真面目。他把那张银行卡放回了张森的口袋，笑着说："兄弟，谢谢你的钱，钱我都取出来了，也还上款了，你也该上路了。"

张森睁大惊恐的眼睛，说："你，你，你想怎么样？"

王标笑了，笑得很大声。

笑完，他说："兄弟，放心吧，我说过的，我们图财不害命，只要你走了后当作什么事情也没有发生，你会安全地回家，可以重新去寻找你的女儿。说实在话，我也很同情你，如果在郑州发现了你女儿，我一定会保护好她，让你把她带回家。我理解你的痛苦，我也是个父亲，我清楚一个父亲对儿女的感情。好了，我不多说什么废话了，走吧。"

这时，后面的两个蒙面人走过来，把他拉起来，给他带上了黑头套，他什么也看不见了。张森被他们架着，走出了房间。他觉得他们架着自己下楼，好像是下了六层楼，然后走出了楼门，他可以感受到街上鲜活的流动的空气，可以听到街上车水马龙的声音。他被推上了车，也许就是当时来接他的那辆破旧的面包车。他们要把自己带到哪里去？尽管王标说了不会杀死他，张森还是提心吊胆，内心充满了恐惧和绝望。

车开了约摸半个多小时，停了下来。张森觉得他们在给自己松绑，是的，真的是在松绑。他的手脚都麻木了，一下子放松，还有点不适应。王标取下了他的头套，递给他一张火车票，说："我说过了，不害你的命，你回广州的火车票都给你买好了，车半小时后开，快下车去赶火车吧。"
说完王标还把手机还给了他。

一个蒙面人打开了车门，另外一个蒙面人把他推下了车。

那辆破旧的面包车很快就开走了，消失在郑州的夜色之中。

他就站在郑州火车站广场的边上。

看着人山人海的广场，他怒吼了一声，然后朝火车站走去。他不知道，
在这个夜晚，还有谁像他一样被骗，被绑架？还有谁，在丢失自己的骨肉？
无论如何，他依然觉得自己是幸运的，没有被杀死，就像那个所谓的王标
说的一样，他还可以回去和妻子团聚，还可以继续去寻找自己的女儿。他
咬着牙对自己说，无论走遍天涯海角，无论历尽千辛万苦，一定要找回小丽。

5

张森和胡秀梅离开了广州，回到了东莞。

胡秀梅回工厂上班了，她说要赚钱让张森去寻找女儿。张森从郑州回
来后，她没有责备丈夫，而是心疼丈夫。很多时候，女人比男人坚强。当
张森见到她，泪流满面地哽咽着说不出话来的时候，胡秀梅抱住了他，安
慰他。她说，钱没了不要紧，人不能垮，要好好活着，才能找到小丽。

张森也找了份临时工的工作。

这样，只要一有小丽的消息，他就可以随时动身。

除夕夜，胡秀梅还在加班，过年这几天加班，可以拿双份的工资。张
森买了些酒菜，等待妻子回来吃年夜饭。等待的过程中，他自然会想起小丽，
她的音容笑貌仿佛就在眼前。他拿起小丽和自己的合影，那是他带她到公
园里玩时拍的照片，他抱着小丽，小丽的笑脸就像是一朵花儿。张森伸出手，
抚摸照片中小丽的脸，冰凉的照片没有温度，真实的小丽此时又在哪里？

在这万家团圆的夜晚，张森体味不到天伦之乐，有的只是彻骨之痛。

这时，安徽老家的弟弟打来了电话。

弟弟说："哥，你不是说好带嫂嫂和小丽一起回家过年的吗，怎么突然就不回来了？"

张森忍住内心的痛苦，说："本来想回去了，厂里的活太多，老板让我们留下来帮他，他平常对我们很好，不能扔下厂里的活不管。你在家里，好好照顾爸妈，告诉他们，我们一切都很好，不要挂念。"

弟弟说："爸妈的身体比以前好些了，你放心，我会照顾好他们的。你们在外面也要保重。本来我想，你们要是回来，我就把对象带回家给你们看看的，遗憾的是你们没有回来。对了，爸妈都很想念你们；尤其想念小丽，他们本来准备了很多好吃的东西等你们回来吃，结果空欢喜一场，爸还有些不高兴呢。"

张森说："你好好对爸说，我也很想念家里人，有时间一定会回去的。告诉爸，下次回去，一定多住段时间，好好陪陪他。"

弟弟说："爸想让你把小丽送回来在老家上学，一来老人欢喜和孩子在一起，二来也给你们减轻些负担，你们考虑一下吧，小丽也很快就要上小学了。"

张森强忍住自己的情绪，强装笑脸，他笑着说："好的，我会考虑的。"

弟弟说："爸妈就在旁边，他们想和小丽说话。"

张森说："秀梅带小丽出去了，和工友们一起过年，一会我也要去。就让我和爸妈说几句吧。"

其实，他也不知道怎么对父母亲说。他不能告诉他们小丽丢失的事情，如果把此事告诉他们，这个年他们就不要想过好了。他一直想，如果能够找到小丽，找到后再说就没有什么问题了，找不到的话，那就以后再找恰当的时机说。在电话里，张森可以感受到父母的关爱和情感，也可以感受到家乡过年的喜庆氛围，还能听到鞭炮的声音。挂了电话，张森怔怔地坐在那里，脑海中一片混沌。

外面同样有鞭炮声传来，窗外还有焰火炸出美丽的烟花。而这些仿佛都离他很远,离他们这个小家很远。这是个残缺的小家,充满了哀伤和无奈。

胡秀梅回来时,已经深夜了。

张森趴在饭桌上睡着了,他的手上还拿着女儿的照片。

胡秀梅从他手中取出那张照片,凝视着,不一会儿,就泪如雨下,抽泣起来。胡秀梅的抽泣声吵醒了张森。张森站起来,说:“秀梅,回来了,我赶紧给你热菜去。”说着,就把桌子上的菜端进了厨房。

胡秀梅说:“张森,别弄了,我不想吃,吃不下,而且我在厂里吃过晚饭的。”

张森说:“今天过年,团圆饭一定要吃的,现在都什么时候了,你也该饿了。”

胡秀梅说:“人都不齐,团什么圆?”

张森听了她的话,呆立在那里。

胡秀梅没有再说什么,躺到床上去了。

张森清楚胡秀梅心中的哀伤,他也没有说什么,有时话说多了反而会让对方更加不快。他觉得自己饿了,也该饿了,他不是铁打的,无论怎么样,总得吃饭。热好菜,他独自坐在饭桌前,叹了口气,吃喝起来。他心里和妻子一样难过,妻子选择沉默地睡去,而他选择用酒菜填塞自己的胃,缓解自己的情绪。其实那些酒菜什么味道,他根本就没有品尝出来,吃什么都一样,没有区别。

突然,胡秀梅从床上弹起来,瞪着眼睛喊叫道:“你吃东西能不能够小声点?还让不让人睡觉了?”

这样的情况,已经发生过很多次。胡秀梅总是会突然爆发,利用各种借口爆发。张森理解她,一般在她爆发时,他都不吭气。事后,胡秀梅会和他道歉,他也不会怪妻子,况且女儿是他弄丢的,妻子朝他发再大的火,无论怎么埋怨,他也应该受着。

也许是喝了酒的缘故,张森也上了火,他大声说:“我怎么大声了?你睡你的觉,我吃我的东西,又怎么碍着你了!”

胡秀梅说："你成天就知道吃喝，你管过女儿的死活吗？她现在在哪里，你知道吗？你怎么不去找？女儿现在不知生死，你吃得舒服吗？喝得有意思吗？"

张森浑身发抖。他什么话都说不出来了。

胡秀梅的话击中了他的软肋，他还能说什么？张森愤怒地把酒瓶子砸在地上，怒视着胡秀梅。

胡秀梅冲到他面前，指着他的鼻子说："你还有种了！本事没有，脾气倒越来越大了，砸呀，把家里的一切都砸了，这日子不过了！"

张森瞪着她。

胡秀梅说："你有种去把小丽找回来，朝我狠什么！"

张森终于爆发，号叫道："你别逼我，别逼我！你以为我好受吗？我成天像个罪人一样过日子，找不到小丽，我心疼得流血！今天是大年夜，我一直等着你回来，希望能够相互安慰，希望能够一起面对。可是，你一回来就不给我好脸色看。我是什么？我是什么东西？我容易吗？我难道不想找回小丽吗？"

胡秀梅哭喊道："你去找呀，现在就去找呀——"

张森说："我去！我去！马上就去——"

胡秀梅忍不住号啕大哭。

张森打开门，气呼呼地扬长而去。

外面，很多人家开始开门放鞭炮了了。张森没有准备鞭炮，也没有准备烟花。放在往年，他会买些烟花，放给小丽看，小丽可喜欢烟花了。走在冷风中，张森想象着小丽看到烟花在空中绚烂绽放后欢乐地跳跃的样子，就异常难过，仿佛有无数只蜈蚣在撕咬他的心脏。

今夜，所有的喜庆和欢乐都是别人的，和他无关，也和胡秀梅无关，更和小丽无关。

6

2010 年 7 月的一天。胡秀梅的一个工友从湖南回来，给她带了一块腊肉。那块腊肉是用报纸包着放在塑料袋里的。回到家后，胡秀梅把腊肉挂起来，把包腊肉的报纸放在了桌子上。就是因为这张报纸，张森得到了女儿的消息。

张森回家的时候，胡秀梅正在厨房里做饭。

他走到厨房门口，对妻子说："我回来了。"

胡秀梅冷冷地说："回来就回来，没有必要向我报告。"

张森没说什么，自从女儿丢了之后，他已经习惯了妻子的各种冷言冷语。妻子骂他损他，甚至是打他，他都可以忍受。可是，有一点他无法忍受。作为男人，他也有性冲动，在某些夜里，当他企图做些什么事情时，就会被胡秀梅一脚踢下床。胡秀梅扔过来一句话："找到小丽再考虑这事吧，在找到小丽之前，我没有兴趣做这事。"这话让他瘫软，让他觉得生不如死。他会用拳头拼命砸自己的头，恨不得把自己砸死。

张森坐在饭桌旁，随手拿起了那张包腊肉的《XXX 报》。

在第二版的社会新闻栏目里，他看到了一幅照片。

张森愣愣地看着这张照片。

过了好大一会，他大喊道："秀梅，秀梅，我找到小丽了——"

胡秀梅没有激动，而是从厨房里扔出来冷冷的一句话："别做梦了！"

张森拿着报纸冲进厨房，指着报纸上的照片，说："你看，你看，这是不是小丽？你看那脸蛋，你看那眼睛——"

胡秀梅张大了嘴巴，照片上的那个女孩的确是小丽，小丽是她亲生女儿，一看就可以肯定。

照片里的小丽抱着一摞报纸，在街头向路人兜售，她的脸上没有笑容，那双大眼睛仿佛蒙上了一层迷雾，失去了往昔的天真烂漫。照片旁的文字介绍说，这个女孩每天在街头卖报，应该引起社会的重视，究竟是谁会忍心让自己的孩子做这样的事？

张森说："我马上走，我要去长沙找回小丽。"

胡秀梅流着泪说："我也去，我也去——"

张森说："还是我一个人去吧，放心，我一定会把小丽找回来的。"

胡秀梅把银行卡给了张森，说："这几个月我们赚的钱全部在这里，你带上，一定要小心，别再被人骗了，要注意安全，这世界乱糟糟的，我都害怕。"

张森说："我不会再被骗了，等着我的好消息吧。"

连夜，张森带着那张报纸，踏上了开往长沙的列车。

长沙对张森来说，是个陌生的地方。初来乍到，还是有些忐忑，可是想到女儿，他就无所畏惧了，况且，像在郑州那样的事情都经历过了，还有什么可怕的。他来到照片中的那条街上，寻找着女儿。一连找了两天，也没有见到小丽的踪影。他拿着那张报纸，到处询问路人。有的说没有看见，有的说前几天见过。有一个好心的路人问他："这个女孩是你什么人？"张森说："是我女儿，春节前在广州火车站丢失的。"他说："那肯定是被人贩子卖了，报纸都登了这事，恐怕她现在是不会上街卖报了，长沙那么大，你要找到孩子，就像大海捞针，我给你出个主意吧，你就拿着这报纸，去找报社记者，让他们给你写篇文章，发动大家帮你找，这样或许能够尽快找到你女儿。"张森听了连声说谢谢。

张森来到了报社门口，迟疑着，不敢迈出那一步。

他不知道自己在胆怯什么。

张森心里在骂自己，你他妈的就这点出息，进去呀，找记者，把一切都告诉他们！为了小丽，你有什么不敢做的事情！

他鼓足了勇气，正要走进报社，这时，从报社里走出来一个胖乎乎的矮个男子。他看了张森一眼，停下了脚步，问他找谁。男子眼镜片后的眼睛透出一股锐利的光芒，让张森刚刚树立起来的信心又受到了打击，他吞吞吐吐地说："我，我找记者。"男子笑了，温和地说："你是不是来爆料的？别害怕，我就是记者，有什么事情可以和我说。"张森说："我要寻找我丢失的女儿，你们报纸登了她的照片，她就在长沙，可是我无法找到她。"记者说："你有那张报纸吗？让我看看。"张森从包里拿出报纸递给他，说："我女儿就是照片里这个卖报纸的女孩。"记者叹了口气，说："走，我们找个地方聊聊。"

记者把他带到了报社旁边的一个咖啡馆，张森小心翼翼地坐在他的对面。记者笑着说："喝点什么？"张森从来没有喝过咖啡，摇了摇头说："什么也不喝，我不渴。"记者说："没有关系的，喝点什么吧。"张森说："随便，随便。"于是记者点了两杯蓝山咖啡，然后和他交谈起来。记者边喝着咖啡，边听着张森的讲述，同时做着笔记。他们在一起聊了两个多小时，张森瘦削苍白的脸在讲述的过程中一会儿变红，一会儿变青，他的额头上冒出了汗珠，眼泪也一次次情不自禁地滑落。记者的眼睛里充满了同情和忧伤。他们聊完后，记者喝掉了两杯咖啡，而张森面前的那杯咖啡还满满的，一口未动。

第二天，《XXX报》就发表了记者写的文章《一个父亲的寻女之路》。

这个世界热情和冷漠总是并存的，文章见报后就开始有不少热心的长沙人帮助张森寻找孩子。

可是，一个月过去了，张小丽还是杳无音讯。

也许，她早就离开了长沙，被卖到别的地方去了。

那些人贩子不是傻瓜，也许当他们一看到张小丽的照片登上报纸后，就把她藏起来了，不会让她在长沙再次露面。

那张照片的摄影师王子证实了这一点。

王子是个女大学生，喜欢拍照。那天，她看到街头有个小女孩在卖报，就拍下了这张照片，发给了报社，没想到就被刊登出来了。照片发表后，王子又去找那个卖报的小女孩，却怎么也找不到了，她知道这小女孩一定有蹊跷。果然，她是个被拐卖的孩子。当王子见到张森时，她说："你怎么那么不小心，不看好自己的孩子呢？"张森羞愧难当，痛苦不堪，无言以对。王子见他如此，也于心不忍，当她得知张森为了找女儿，十几年的积蓄都被骗光，现在为了省钱找女儿，每天晚上都露宿街头时，就动了恻隐之心，把他带回了家。

王子对父亲说："爸，我们家还有间空房，就让他住吧。"

王子的父亲也是善良的人，毫不犹豫地同意了女儿的提议。

王子替张森担忧，也替张小丽担忧。

她说："当时我看到她时，心里像是被刀扎了一下，疼痛极了。我想，她爸爸妈妈怎么忍心让这么小的一个姑娘出来卖报。我拍完照片，走到她面前，她抬头望着我，眼神迷离地求我买她的报纸，还说，如果报纸卖不掉，回去会挨打的，还会饿肚子。我不忍心，买了份报纸。"

张森听着她的话，觉得万箭穿心。

王子说："张森，一定要找到小丽，我也会帮你的。"

张森哽咽地说："谢谢，谢谢。"

王子不可能和他一样到处寻找张小丽，她只能用自己的方式帮助他。王子在自己的微博上号召网友帮张森寻找女儿小丽。王子还给张森注册了一个微博，让他把自己的情况和联系方式写成文字，发在微博上，让更多的人关注他，帮助他寻找爱女。张森异常感动。

过了几天，张森离开了长沙，到别的城市去寻找女儿了。

每当看到街上那些要钱的孩子，张森就会自然而然地想起女儿。他不知道女儿现在是不是在另外一个城市里卖报，或者被逼去讨钱，也许还做着更加苦难的事情。他不敢多想，想多了脑袋会炸掉。在找到孩子之前，他不想回东莞去了，他要一直寻找，去每个省每个城市寻找，直到找到小丽为止！他知道，小丽在等待和期盼，希望爸爸突然出现在她面前，把她带回温暖的家。胡秀梅也同意他这样做，她说每个月的工资发了，都会打到他的银行卡上，让他安心寻找女儿。

7

2012 年 3 月 6 日，正在福建厦门寻找女儿的张森接到了一个电话，让他赶快上网看一张网友随手拍的照片，确认一下照片里的乞讨女孩是不是他女儿张小丽。给他打电话的人叫朱文远，是个网络打拐的志愿者，网名叫"奔跑的猪"。

张森赶紧找了家网吧，登陆了微博。

张森看到了朱文远 @ 给他看的那条微博，照片上的女孩子坐在地铁口要钱，尽管孩子在长大，和三年前相比有了变化，可是那模样还在，特别是那双眼睛，他只要一看就知道是自己的女儿，这是一个父亲的直觉。

他马上打通了朱文远的电话，焦急地说："阿猪，我看到照片了，是我女儿，是我女儿！"

朱文远说："那你赶快到上海来，发这条微博的网友就在上海，他在上班路上看到就拍下来了，我看着有点像你女儿，就告诉你了。不啰唆了，我问问那网友，是在哪个地铁口拍的，我马上过去看看，如果还在，我先把人看好，你赶快过来！"

张森说："好，好，我马上过来！"

坐火车到上海要十多个小时，况且现在这个时候不一定有车，他查了一下飞机航班，发现两小时之后有一班飞上海的飞机。他没有什么可犹豫的了，直接前往机场，乘坐这班飞机赶往上海。

两年多来，他跑遍了中国的十几个省市，到哪里都省吃俭用，把自己弄得灰头土脸，像个乞丐一样，不要说坐飞机了，就是坐地铁都是十分奢侈的事情。可是这回，他顾不了许多了，他要坐一回飞机。在往机场赶的路上，他打了个电话给妻子。听到女儿又有消息了，胡秀梅在电话里哭了，她边哭边说："张森，我不管你坐什么去，哪怕是坐火箭也得赶快去，你不要管钱的事情，我做牛做马也要供你去找女儿！"

妻子的话让他感伤，说实在话，他已经没有眼泪了，都流干了。

他长长地叹了口气。

三年来，张森经历了很多艰难困苦，面对所有肉体和精神的折磨，他都咬着牙一步步走过来，只要能够找到女儿，一切他都可以承受。离开长沙之后，他一直没有女儿确切的消息，很多时候都是捕风捉影。不过就算是捕风捉影，他也不会放过任何一点机会。现在，他知道女儿在上海，他希望这次能够找到她，把她带回家，给她温暖和爱。也只有女儿，才能让他找回温暖和爱。他期待着。

可是，他能够找回女儿吗？

第二章

肉体和心灵的伤疤

1

李妙说她和父亲有仇，谁能相信？李妙自己相信。

父亲是个酒鬼，喝醉后就打母亲，也打她。她们最终忍受不了他的暴力，离开了他。她恨父亲，母亲和他离婚之后，她就和他没有来往。她不想见到那个恶棍，永远也不想见到，尽管他是她的父亲。

要不是父亲，她四岁那年就不会被人贩子拐走，她的人生就不会留下惨痛的记忆。

就算当她从警校毕业后当了一名警察，只要想起那段往事，就会有溺水的感觉，拼命渴望抓住一根救命稻草。

醉酒的父亲就是一头野兽，他抓住母亲的头发，把她的头往墙上撞。母亲哀叫着，仿佛是待宰的羔羊。年幼的李妙抓住父亲的衣尾，哭喊道："爸爸，爸爸，你别再打妈妈，别再打妈妈了。"

父亲飞起一脚踢开她，继续对母亲施暴。

母亲痛苦之中，也没有忘记女儿，她哭喊道："小妙，你走开，走开——"她害怕女儿受到伤害。

李妙哭着走出了家门，她要去找舅舅，只有舅舅才能制止父亲对母亲的残暴行为。

可是，李妙迷路了，她找不到舅舅的家。

天黑了，她还在街上边哭边寻找舅舅的家。

这时，一个中年妇女走过来，问她："小妹妹，你为什么哭呀？"

她说："我找不到舅舅家了。"

中年妇女说："小妹妹，你舅舅叫什么名字？"

李妙说："我舅舅叫王强。"

中年妇女说："那你叫什么名字呢？"

她说："我叫李妙。"

中年妇女说："喔，小妹妹不哭，不哭，我带你去找舅舅。"

李妙说："你知道我舅舅吗？"

中年妇女笑着说："知道，怎么会不知道呢？你舅舅和我是同事。"

李妙说："你也在纸厂上班？"

中年妇女说："小妙真聪明，你舅舅经常说起你来，说你聪明又漂亮。好了，不哭了，我带你去找你舅舅。"

她掏出纸巾，给李妙擦去泪水。

李妙说："阿姨，你赶快带我去找舅舅吧，妈妈快要被爸爸打死了。"

中年妇女一副非常吃惊的样子："啊，你爸爸打你妈妈呀？"

李妙说："是的，爸爸喝醉酒了就打我妈妈，阿姨，快带我去找舅舅吧。"

中年妇女说："好，好，我马上带你去找舅舅。"

她抱起了李妙，朝火车站方向走去。

走了会，中年妇女说："小妙渴了吧？"

李妙点了点头。

中年妇女说："阿姨知道你渴了，哭了那么久，一定渴了。阿姨先给你喝点水，再带你去找舅舅，好吗？"

李妙点了点头。

中年妇女把她放下来，从包里取出一瓶水，给她喝。李妙的确渴了，大口地喝着水。喝完水，李妙说："阿姨，水好甜。"中年妇女笑着说："阿姨的水里放了糖的，当然甜哪，小妙要是喜欢，阿姨以后多给你喝。好了，我赶快带你去找舅舅吧，让他赶快去救你妈妈。"她抱起李妙，脸上露出了莫测的笑容。

不一会，李妙就趴在她的肩膀上昏睡过去。

中年妇女来到了火车站，买了去广州的火车票，抱着昏睡不醒的李妙在候车室里等车。

在别人的眼里，她们俨然是对母女，她把李妙抱在怀里，仿佛慈母抱着自己的女儿。她还和坐在旁边的旅客搭讪，说女儿她爸爸在广州当军官，要带她去部队探亲，女儿兴奋，昨天一个晚上都没有好好睡觉，现在却困了。旅客还夸她女儿长得好看。她还说，女儿爸爸长得帅，女儿像爸爸。旅客们相信了她的话，也没有人会怀疑她。谁能想到这个中年妇女就是个人贩子。列车来了之后，中年妇女就抱着李妙上了火车。当列车离开这个赣南小城时，中年妇女长长地舒出了一口气，脸上浮起一丝得意的笑容。

李妙醒过来时，人已经在广州了，那个中年妇女也不见了。

她发现自己在一间肮脏的小屋里，一个胡子拉碴的男子用怪异的目光瞪着自己。李妙看到这张陌生的脸，吓得大哭起来。胡子骂道："哭个鸟，别哭，给老子憋回去！"李妙听了他的话，哭得更厉害了，边哭边喊："妈妈，妈妈——"

胡子把她提溜起来，朝她脸上搧了一巴掌，恶狠狠地说："再哭，再哭打死你！"

这时，一个小男孩走过来，说："小妹妹，别哭了，再哭，爸爸真的会打死你的。"

从那时开始，李妙的噩梦就开始了。

白天，那个小男孩带她出去讨钱。小男孩叫旺旺。旺旺不是胡子的儿子，像她一样，都是被拐卖来的，胡子让他们都叫他爸爸。他们在街上要钱的时候，胡子就在不远处监视他们，他们想跑也跑不掉的。旺旺被他打怕了，打傻了，根本就没有跑的念头。胡子收拾他们的手段十分邪恶，如果这天要的钱少，晚上就没有饭吃；没饭吃也不算什么，胡子还用锥子扎他们的屁股，扎得他们惨叫、鲜血淋漓。没几天，李妙也怕了，哭都不敢哭了，因为只要她哭，胡子就会变着法子折磨她。

打骂和用锥子扎到后来也不算什么了。

丧心病狂的胡子竟然把李妙的腿掰成脱臼，让她的腿看起来像断了一样，然后在火车站广场要钱。

眼泪汪汪的李妙看着一个个往她面前扔钱的人，充满了恐惧，疼痛折磨着她。旺旺在一旁哭着给人磕头，连声说："我爸爸妈妈车祸死了，我妹妹也断了腿，叔叔阿姨们行行好，给点钱，给我妹妹治伤吧，妹妹要残废了，我怎么对得起死去的爸爸妈妈——"

旺旺的哭叫，吸引了不少人往他们面前扔钱。

这样，他们要的钱就多了起来。

晚上，回到那肮脏的小房间里，胡子再把李妙的腿掰回正常的状态。李妙疼痛极了，喊叫起来。胡子说："喊个屁，你再喊，老子干脆把你腿弄断，让你变成真正的残疾人，免得老子每天掰来掰去。"李妙只好忍着，不敢叫喊了，眼泪在眼眶里打转，心里喊着妈妈。她妈妈在干什么，有没有被父亲打死，有没有找她，李妙一无所知。她开始仇恨自己的父亲，如果不是他，她就不会被人贩子拐卖，父亲是罪魁祸首。

胡子给他们泡方便面吃。

方便面已经是很好的食物了，他们狼吞虎咽地吃着。

胡子自己却在吃烧鹅，还喝着小酒。

喝得开心了，他就会往他们的碗里扔烧鹅骨头，仿佛是对他们的奖励。

旺旺啃着骨头，一副很幸福的样子，乖巧地说："谢谢爸爸。"

李妙没有啃骨头，因为那实在没有什么好啃的了，她低着头，吃着面。

她的态度让胡子生气，他从李妙手中夺过碗，重重地放在桌子上，说："贱骨头，给你烧鹅吃，也不晓得感谢一句，老子养着你们容易吗？"

李妙以为他又要用锥子扎自己，缩在角落里，大气都不敢出。

胡子奖励了旺旺一块肉。

旺旺说："爸爸，给妹妹也吃块肉吧。"

胡子喝了口酒，说："好好吃你的肉，别多管闲事，再啰唆，你也不要吃了，贱骨头！"

旺旺不敢再说什么了。

胡子喝酒后，很容易就入睡了。听着他山响的呼噜声，李妙怎么也无法进入梦乡，她想妈妈，想舅舅，她真希望妈妈和舅舅神奇地出现在自己面前，想着想着，泪水就流淌下来，她不敢哭出声，怕吵醒胡子，那样她又会经历一次灾难般的折磨。她用被子蒙住头，让泪水肆意流淌，多少个漆黑的夜晚，她躲在被窝里默默流泪。就在她哭得累了，迷迷糊糊要睡去时，一只手伸进了被窝，一块烧鹅肉塞进了她的嘴巴。她听见旺旺轻微的声音。旺旺说："妹妹，别说话，轻轻吃，吃完就睡觉。"

李妙觉得那烧鹅肉好香呀。

她把烧鹅肉含在嘴里，不忍心一下子吞食掉。

她竟然含着那块烧鹅肉沉沉地睡去。

她怎么也没有想到，这又是一个残酷之夜。

胡子半夜酒醒，饿了，起来吃东西。这混蛋竟然发现吃剩下的烧鹅肉少了一块，气得把旺旺从被窝里提溜出来，吼叫道："小兔崽子，是不是你偷吃了老子的烧鹅肉？"

旺旺惊醒，说"没有，没有，我没有偷吃烧鹅肉，是不是被老鼠偷吃了。"

胡子给了他一巴掌，说："去你妈的老鼠。"

他放了旺旺，走到李妙的小床边，掀开了被子。李妙睡得很死，可以看出她眼角的泪痕和她鼓鼓的腮帮子，那是因为她还含着那块烧鹅肉。胡子一把把她拎起来，李妙吓醒，一张嘴巴，那块还没有被嚼烂的烧鹅肉脱口而出，落在被子上。胡子恶狠狠地说："原来是你偷吃我的烧鹅肉！"

他取来锥子，把李妙屁股朝上按在床上，褪下她的裤子，尖锐的锥子戳进了李妙的屁股。那是怎么样的疼痛？李妙挣扎着，翘起头，疼痛得喊都喊不出来，只是张大嘴巴，五官扭曲，连惊恐的眼神也被撕裂。胡子拔出锥子，血便像泉水一样冒出来。胡子不解恨，又一锥子扎下去，然后又拔起来……他一连扎了十几下，每个伤口都是一个泉眼，冒出血红的泉水。旺旺在一旁吓得浑身颤抖，目光惊恐地闪烁着。他想说是自己偷的烧鹅肉，可是不敢，他害怕锥子扎进自己的屁股，对那种难以忍受的疼痛，他有深刻体会。

李妙在极度的痛苦中度过了这个漫长的夜晚。

天一亮，胡子又把她的腿弄脱臼了。

胡子将李妙扔在火车站广场，躲到一边去了。

旺旺看着脸色苍白的李妙，轻声说："妹妹，对不起，都怪我。"

李妙什么也没有说，只是咬着牙，她心里想着妈妈和舅舅，她多么希望妈妈和舅舅出现在自己的面前，把自己带回家呀。

胡子这个恶人，不会把买来的孩子长时间放在自己身边，他害怕这些孩子长大会反叛。所以，每次买来孩子，不超过两年，就会把他们卖掉，然后再去买别的孩子替他讨钱。

李妙在被拐卖的孩子中，还算是比较幸运的，胡子在卖她的时候被抓住了，警察把她从魔鬼的手掌中解救了出来。旺旺就没有那么幸运，他比她早些被卖到别人手中。李妙不会忘记旺旺离开时的眼神，那是一双含着泪、茫然无助的双眼。李妙记住了他那双眼睛，她也从他的眼神中看到了自己。胡子被警察铐走时，她扑上去，抓住胡子的手，狠狠地咬了一口，要不是警察让她松口，她会从胡子手上咬下一块肉来。

2

今天是母亲生日。

她一下班就到蛋糕店里取定好的蛋糕，然后骑着自行车回家。一进家门，她就闻到了香味，香味是从厨房里传来的。舅舅在客厅里看电视，见她回来，笑着说："小妙回来了。"李妙把蛋糕放在桌子上，说："我舅妈呢？"舅舅指了指厨房，说："在厨房和你妈妈一起烧菜呢。"李妙走进厨房，说："妈妈，舅妈，我回来了。"舅妈说："出去陪你舅舅聊天吧，这里用不着你。"母亲也说："是呀，去陪你舅舅吧。"

　　她回到了客厅，和舅舅说话。

　　她和舅舅谈表弟的事情，表弟在外地上大学。

　　其实，李妙还是喜欢在厨房里，看着母亲烧菜，母亲烧菜的样子会让她感动。自从小时候被解救之后，她只要一回家，就喜欢呆在厨房里，看着母亲烧菜。她害怕离开母亲，害怕看不到母亲烧菜的样子，害怕闻不到母亲烧菜的香味。她心灵的创伤只有母亲才能抚慰。

　　每年母亲过生日，舅舅和舅妈都会来。

　　他们的感情很好。

　　他们在一起时，不会提李妙小时候的事情，也不会提起李妙父亲。

　　可是，这天，舅舅提起了李妙父亲。

　　给李妙母亲过完生日，他们就在客厅里聊天。不知怎么，舅舅就说到了李妙的父亲。李妙根本就不想记起这个称为父亲的人，在她心里，父亲和胡子没有什么两样，都是人间恶魔。

　　舅舅告诉了李妙一件事情，父亲得了绝症。

　　他说："小妙，你妈妈不好和你说，就由我来说。你应该去看看他，毕竟他是你的亲生父亲，这么多年来孤苦一人，如今又得了绝症，他想见见你。"

　　李妙说："他死了才好，他不是我爸。不是，我和他没有任何关系，不要再说了，我不会去看他的。"

　　说完，李妙气呼呼地走进了自己的卧室，重重地关上门。

　　舅舅和舅妈也觉得无趣，走了。

母亲一个人坐在客厅里，唉声叹气。

李妙想起刚刚被解救回家时的情景，内心涌起了强烈的仇恨。

当时是舅舅和母亲去广州领她回来的。她以为再也见不到妈妈和舅舅，见到亲人后，小李妙哭得像泪人一样。母亲也哭，舅舅也流泪，三个人抱在一起，又悲又喜。母亲说，再也不会让她丢失了，此生，她会用命来保护女儿。如果父亲和母亲一起去接她，她或许会改变对他的印象，问题是他没有来。不但没有来，还在她和母亲回家的那个晚上，又对母亲施暴。他还是在喝酒，喝醉了打母亲。李妙忍无可忍，拿起菜刀要砍父亲。父亲一脚踢掉她手中的菜刀，一把抓过她，狠狠地给了她一巴掌，骂道："你回来干什么，回来干什么，养你有什么用！"这时，历来都忍辱负重的母亲像只愤怒的母豹朝他扑过去，号叫着："放开我女儿，你再敢动她一根手指头，我就和你拼命！"李妙被母亲护在怀里，母女俩的目光中都充满了熊熊燃烧的怒火。父亲吼叫着，伸出手要抓李妙，母亲推开李妙，扑上去，在他头脸上抓挠。母亲的反抗让父亲泄了气，他带着满脸的伤痕逃出了家。母亲抱着李妙，说："小妙，从今天起，谁也不能欺负你，谁欺负你，我就和他拼命。"李妙依偎在母亲怀里，感受到了巨大的幸福。尽管如此，父亲还是对她们母女恶语相向，忍不住就动手，可是他每次动手，都不像从前那样能占到便宜了；相反的，他得到的是母女俩的奋起反抗，结果他自己也会被弄得伤痕累累。他经常一个人喝完酒干号，说自己无后了。多年后，李妙才知道，父亲打母亲，而且恨她，就是因为李妙不是男孩，如果李妙是男孩，命运就会被改变。父亲和她们注定是要分开的，为了让李妙健康成长，摆脱他带来的梦魇，母亲和他离婚了。搬走的那天，父亲沮丧地坐在沙发上，默默地抽烟，什么也没有说。母亲拉着女儿的手，头也不回地走出门。李妙觉得那天的阳光特别灿烂，空气特别清新，一切都美好起来。她心想，母亲和自己解放了，再也不会受到父亲那个恶棍的欺凌了，她永远也不想再见他一面，他在她心里已经死了。

现在，他想见她一面。

她想不出来他为什么会提这个要求，内心根本就无法接受这个要求。

她不晓得母亲是怎么想的，她想出去问问母亲，可是她迈不出那一步，她不想再提起父亲，提起这个差点就将她一生毁灭的父亲。

3

李妙在市公安局打拐办工作。

她从小就痛恨人贩子，她觉得这个工作最适合自己，每抓住一个人贩子，或者解救出一个被拐孩童，对她来说都是一次复仇。

她恨不得将天下所有的人贩子都绳之以法。

这天一上班，打拐办主任召开了一个会，布置抓捕钟秀珍的任务。钟秀珍是公安部通缉的人贩子。他们接到消息，钟秀珍有可能潜回赣南，因为她儿子死了。钟秀珍的家在龙西县河田乡的牛蛋村，那是赣南偏远的山区。李妙和同事罗小武被派去牛蛋村，如果发现钟秀珍，立即实施抓捕。

为了不打草惊蛇，罗小武开着自己的私家车，带着李妙进入了山区，而且，他们穿的是便装。这是 2011 年的冬天，山区里出奇地冷，他们都穿着羽绒服。

罗小武比李妙年长几岁，一直都是干打拐这行，特别有经验，他经常夸口说，他一眼就可以在人群中发现人贩子的脸。开始李妙不相信，认为他是吹牛。有一次，她和罗小武去办案，他们在火车站候车室转了圈，罗小武就告诉她，那个戴黑色太阳帽的男子是人贩子。李妙说："罗哥，你就吹吧，我怎么看不出他是人贩子？"罗小武笑着说："他脸上没有写'人贩子'这三个字，但是他的眼神告诉我，他就是人贩子。"李妙说："我看他的眼神也很正常呀，没有什么特别。"罗小武说："小妙，学着点，你看，他看对面那个抱着孩子的女人的眼神，完全和正常人不一样，兴奋而又贪婪，还有些不安。"李妙观察了会儿，果然那人不停地用目光审视对面抱着孩子的女人。那女人除了怀里抱着孩子，没有其他同伴。罗小武说："他要开始行动了。"他的话刚刚说完，男子就站起来，走过去，在女人旁边的空位置上坐下来，他左顾右盼了一会，然后就和女人搭讪。女人开始对他有点提防的样子，渐渐地他们有说有笑起来。因为离得比较远，李妙听不见他们在说什么，但她可以肯定，该男子搭讪的技巧一流，估计是个泡妞高手。罗小武说："这家伙不是在泡妞，泡妞的话，泡的对象不正确。他不可能找个长相一般，而且是孩子的妈妈来泡，他的目标是女人的孩子。"李妙觉得罗小武说得有些道理，但心里却还有些狐疑。过了会，男子递给女子一瓶矿泉水，女子竟然接过去喝，一点警惕性都没有。女子喝水时，李妙突然想起小时候中年妇女给自己喝水的情景，她想，那妇女会不会昏睡过去？罗小武笑着说："小妙，好戏马上要开始了，准备抓人。"又过了会，女人把孩子交给了男人，他们笑着说话。女人把孩子交给男子后，就朝厕所走去。男子的目光一直追着她的背影。女子走进厕所后，男子抱着孩子匆匆朝门外走去。罗小武说："小妙，动手！"他们朝男子追过去。男子抱着孩子准备上一辆桑塔纳轿车，没有想到被扑过来的罗小武他们抓住。李妙想的没错，人贩子递给女人喝的矿泉水的确有问题，只不过，水里没有蒙汗药，而是放了催尿剂。从那以后，李妙就相信罗小武的能力了。两年多来，她跟着罗小武学到了很多东西，渐渐成为了打拐的熟手。

去山区的路上，罗小武问李妙："小妙，你说，这次我们能够抓到钟秀珍吗？"

李妙说："只要她回来，就一定能够抓到。"

罗小武说："不要太自信哟，这家伙是公安部通缉的惯犯，那么长时间都没有抓到，一定有她厉害的地方，我们还是小心为好，千万不能大意，一个微小的纰漏，就有可能让她逃脱。"

李妙说："罗哥，我知道了。"

一路山清水秀。

进入山区后，风光就更好了。李妙降下了车窗玻璃，清新凛冽的空气扑面而来，她说："山里的空气真好。"

罗小武笑着说："你不冷哪？"

李妙说："不冷，舒服。"

罗小武说："你不冷，我冷。"

李妙把车窗玻璃升起来，目不转睛地看着窗外的美丽山色。可以看得出来，这里虽然山好水好，却比较贫困，看那些房子就可以感觉到，沿途村落，大都是老房子。牛蛋村座落在一个山坳里，一条小河从山村外流过。如果是游客来到此处，会惊喜地认为这是个世外桃源，可是李妙此刻无心体味乡村的风情，她心里只有一件事情，就是抓住钟秀珍。

他们把车停在村外的一片林子里，然后走着进了村。

村口的小河边，有几个妇女在洗衣服。

李妙对罗小武说："我过去和她们了解些情况。"

罗小武笑了笑说："去吧，别暴露自己的身份。"

李妙说："放心吧。"

罗小武站在一棵樟树下抽烟，目光往村里巡视。

李妙来到那些洗衣服的妇女旁边，和她们攀谈起来。那些妇女的手冻得通红，脸也冻得通红。她们十分好客，争相和她说话，对她一点戒心都没有，这是李妙没有想到的。这里的人如此淳朴热情，怎么会出钟秀珍这样罪大恶极的人贩子呢？李妙百思不得其解。

她们东拉西扯了会儿，李妙就切入了正题。

她说："你们村里是不是有个叫钟秀珍的人？"

提到钟秀珍，村妇们变了脸色，七嘴八舌地数落起来。

村妇甲说："她是我们村余老三的儿媳妇，那是个鬼呀！不是人。要是人，就不会干那龌龊的事情，连我们本村的孩子都敢拐卖，你说她还是人吗？余老三也不是东西，纵容她干伤天害理的事情，我说过，会有报应的。"

村妇乙说："真是现世报，看，早几年，她老公得癌死了，前几天，十岁的儿子好好的，从树上掉下来，摔死了。"

村妇丙说："可怜那孩子，长得眉清目秀，人又聪明，年年在学堂里考第一，而且和他们一家人都不一样，十分有礼貌，喜欢帮助人做事，可是就这样不明不白死了。"

村妇丁说："都是钟秀珍那鬼女子造的孽呀！她要不做那些恶事，她儿子怎么会死？人哪，不能丧天良。"

……

李妙说："她儿子死了，她有没有回来？"

村妇甲说："她还敢回来呀？看村里人不把她绑了送派出所去。我看哪，她这辈子都不敢回来了。"

村妇乙说："是呀，她哪还敢回来！看来，她是要死在外头了。"

村妇丙说："也不一定，他们家的房门一天到晚关着，就是晚上偷偷回来，我们也不晓得，我们不可能到她家去查呀！况且，现在还有谁愿意踏进她的家门？都怕沾上倒霉气。"

村妇丁说："她就是回来，也不敢露面的。听说外头的警察在抓她呢，也不晓得抓住了没有。要是抓住了，可能会被枪毙的，这些年，也不晓得她拐卖了多少孩子。余水水总是说，见到她，要活剥了她的皮，他家孩子被她拐走，到现在都没有回来。"

……

李妙回到了罗小武身边，把获得的情况告诉了他。

罗小武问："你认为她会不会回来？"

李妙说："我不敢肯定。"

罗小武说："走吧，我想她不会回来了。"

李妙说："就这样空手回去？"

罗小武说："那你说呢？"

李妙说："我看还是等等看，到了晚上再说。"

罗小武说："好吧，听你一回。"

他们回到了车上，一直到天黑。

黑夜来临，山风呼啸，天寒地冻。村里不时传来几声狗吠，然后又沉寂下来。村里人家很早就关上了家门，整个山村静悄悄的。他们悄悄埋伏在余老三的家门口。罗小武在她耳边说："你到后门去守着，再晚点我进去。"李妙就摸到后门去了。后门外面有间茅厕，也许是余老三家的茅厕。村里的人家，除了几栋新楼房外，其他老房子里面都没有厕所，厕所都在室外。茅厕散发出阵阵恶臭，随风飘散。李妙觉得恶心，但是没有办法，她还是忍耐着坚守住岗位，这种臭味比起童年在广州吃的苦头，根本算不上什么。李妙从门缝里看进去，里面漆黑一片，什么也看不见，余老三家竟然没有开灯。是不是钟秀珍潜回来了，怕被人发现，所以不敢开灯。李妙想着这种可能性，真想马上冲进去，看个究竟。她很难想象自己抓住钟秀珍后会不会失控。有次，她抓住了一个人贩子，差点没有把他打死；她还因此受了处分，差点被开掉。她一见到人贩子，内心的仇恨就会发酵，每次她都需要把自己发酵的情绪压下去，以免做出不符合自己警察身份的举动。她的职责是把人贩子送上审判席，而不是亲手毁灭他们。

不知过了多久，李妙打着寒战，天的确太冷，夜越深，就越寒冷，她的脚也有些麻木了，余老三家里还是没有什么响动，罗小武也还没有采取行动。干这行，不光危险，还要吃苦；但是危险也好，苦头也好，李妙没放在心上，她没有那么崇高，只是觉得应该对得起这个职业，还有一点，那就是对人贩子本能的仇恨。

就在李妙耐心地蹲守时，她听到了脚步声。

脚步声是从余老三屋里传出来的。

李妙目不转睛地盯着余家后门。

如果是钟秀珍出来，她会在第一时间扑上去，按倒她。

门"吱呀"一声开了，一个打着手电的人匆匆走出来，她看清楚了，这个人不是钟秀珍，而是个老头。李妙知道，此人就是钟秀珍的公公余老三。李妙埋伏在那里，没有动，她要的是钟秀珍，而不是余老三。余老三出来后，没有关上门，而是进了茅厕。她听到老头子哼哼唧唧的声音，还有屎落入茅坑的声音，从他进入茅厕后传出的声音判断，老头子是在拉稀。李妙觉得有点恶心。

突然，她听到老头子发出了一声惊叫，然后是"扑通"一声，接着传来老头救命的呼喊。

李妙说了声："不好！"

她冲过去，踢开茅厕的木门，手电射进茅坑里，发现老头掉进了茅坑，在茅坑里扑腾，被他身体搅动的茅坑散发出浓烈的恶臭。她自己没有办法救起老头，说："余老三，你坚持一会儿，我去找人。"

李妙找来了罗小武。

救人要紧，其他管不了那么多了。

怎么才能把余老三从茅坑里弄上来？罗小武想出了个办法，他找来了一根竹竿，伸到茅坑里，冻得浑身发抖而又惊恐万状的余老三抓住了那竹竿，然后罗小武和李妙把他拉了起来。余老三从茅坑里爬上来后，就往村外的小河边跑。李妙不知道他要干什么。罗小武说他是要到小河里把自己洗干净。果然，余老三顾不得寒冷跳进河里，洗干净了才上岸跑回家。

余老三穿好衣服，哆嗦着走到厅堂上，对坐在那里的罗小武和李妙连声说："谢谢，谢谢你们，你们是我的救命恩人。"

感谢完后，他满脸狐疑："你们不是本地人，怎么会在我家门口？"

罗小武直说了："我们是警察，来找钟秀珍的。"

余老三的脸色顿时变了："啊……啊……她……她没有回来……"

李妙说："真的没有回来？"

余老三说："真……真的没有回来。你们知道吗？我也恨她，要不是她，我孙子也不会被人害死。造孽呀，这不是让我断子绝孙了吗？都怪她呀！这个害人精，我希望你们抓住她，枪毙她！她死了我都不会去给她收尸的，直接喂野狗算了。"

罗小武说："你说你孙子是被人害死的？"

说到孙子，余老三老泪纵横地说："那年，我儿子得了癌症，钟秀珍说到外面去打工赚钱给他治病，没有想到她会去做人贩子。的确，她是拿回了不少钱，可那钱是伤天害理得来的，这样的钱能够治好我儿子吗？不能哪！我儿子死了，那时我还不晓得她在外面干那龌龊事，我还挺同情她的，她还年轻，我还让她改嫁。她也说得很好，在我孙儿没长大成人前，她是不会考虑改嫁的问题的，她还是要出外打工，把儿子抚养大。她说的话让我十分感动，在她临走前，我还杀了只鸡给她吃，想想她一个人在外头也不容易。谁知道，她竟然把余水水的儿子给拐走了，有人看到她带着余水水儿子离开牛蛋村。余水水报了警，警察到现在也没有破案，余水水的儿子也一直没回来。如果你们早点抓住她，救回余水水的儿子，我孙子就不会死。"

　　李妙说："为什么这样讲？"

　　余老三抹了把泪，说："你想想，如果你儿子被人拐走了，会怎么样？余水水儿子被拐走后，他脾气一天比一天大，天天到我家来找我要人。他儿子又不是我拐走的，我也不晓得钟秀珍在哪里，我怎么还他儿子。他逼我给钟秀珍打电话，只要她能把他儿子带回来，这事就算了。可我根本就不晓得钟秀珍的电话，她好像是有个手机，可是她从来没有告诉过我她的手机号码。余水水以为我故意不打电话，就把我的头按在地上，骂我老乌龟。我是老乌龟，我没有能耐，儿子得癌症也拿不出钱给他治病，还要等儿媳妇出去拐卖孩子赚钱，我死的心都有了。我孙子见他这样对待我，拿着柴刀要砍他。他放开了我，指着我孙子说，如果他儿子回不来，就杀了我孙子。"

　　罗小武沉默不语，只是注视着余老三。

　　李妙说："你的意思是余水水害死了你孙子？"

　　余老三说："不是他是谁，他去找过他儿子，没有找到。他每天喝酒，喝完酒就到我家门口，咒骂，还让我孙子出去，他要弄死我孙子。我只好把门关上，不敢让他进来，也怕孙子出去真被他弄死。我不敢和他吵，我晓得我们对不起他，他怎么骂都无所谓。我和我孙子两个人在村里人面前都抬不起头。我鼓励我孙子，让他好好读书，以后考上大学离开这里，就再也不要回来了，我一条老命留在这里，死就死了。可万万没有想到，他真的对我孙子下了毒手。村里人把我孙子抬回来时，他已经断气了。我问，这是怎么了，这是怎么了？村里人说，他从树上掉下来摔死了。我说，他怎么好好的会爬到树上去？村里人说，不晓得。村里人走了。剩下我和我孙子的尸体，我哭都哭不出来哪！你们晓得白发人送黑发人的滋味吗？我送走了儿子，又要送孙子去阴曹地府，我生不如死呀！我断定，我孙子一定是被余水水害死的，就在他死的前一天傍晚，他放学回家后告诉我说，余水水把他堵在路上，问他妈妈的情况。我孙子说不晓得她在哪里，余水水就咬牙切齿，说要杀了我孙子。我孙子很乖的，他不可能平白无故一个人爬到树上去，怎么会莫名其妙从树上掉下来摔死呢？我孙子死得好惨哪，谁给他伸冤？我晓得，钟秀珍做了猪狗不如的事情，可是和我孙子有什么关系，怎么就要了他的命呢，怎么就要了他的命呢？你们说她会因为儿子死了回来，她敢回来吗？她要是回来，余水水不把她剁了喂狗？我倒希望她这个恶人回来，她要早回来，我孙子就不会死了。况且，她根本就不晓得她儿子已经死了，我不晓得她的电话，想告诉她都找不到人。她每次寄钱回来的地址都不一样，鬼知道她在哪里。说实在话，我不要她的钱供养我孙子，我不要，我这把老骨头还活着一天，就会想办法让他读书，只要我还有一口气，就不会饿着他。我不要那害人精的钱，她的钱脏哪，脏哪！我们受用不起，受用不起。现在，两条命都没了，都是她害的哪！"

李妙心里十分难受，她看了看罗小武。

罗小武叹了口气，说："余老三，你怀疑是余水水害死了你孙子，这个情况我们会向领导反映，会给你一个说法。如果真是他害死你孙子，那他逃脱不了法律的制裁。我相信你的话，钟秀珍如果回来，请你一定要和我们联系。"

余老三点了点头。

罗小武递给他一张卡片，说："这上面有我的手机号码。"

余老三接过卡片，说："放心，害人精只要回来，我保证给你们打电话，她该死，该死！"

罗小武对李妙说："小妙，我们走吧。"

李妙说："好吧。"

4

母亲面对她总是欲言又止。

她知道母亲想说什么。

"你是想让我去见他一面？"

母亲叹了口气。

李妙说："你想去看他就去看吧，我不会阻拦你；可是要我去，我办不到，真的办不到。这么多年了，我无法原谅他。说实话，我也曾经试图原谅他，毕竟我身上流着他的血；可我办不到，他就是我的噩梦，一生的噩梦。妈，你应该理解我。"

母亲说："小妙，我理解你，什么也别说了，我理解。他快死了，只想见你最后一面，我想他这个要求也不过分，我才让你舅舅和你说的。既然你这样，就当作我们什么都没说过，没有人可以强求你去见他的，小妙。"

李妙说："妈，别提他了好吗？我不想再撕开心中的伤疤。"

母亲说："对不起，小妙，我不该提他的，对不起。"

李妙说："妈，你没有什么对不起我的，是我对不起你，让你为难了。"

母亲不说话了，回她房间去了。

李妙心里特别难过，她不愿意见到母亲伤感。

童年的创伤的确还在她的灵魂深处，无法消除。李妙一直不敢恋爱，就和童年创伤有关。她喜欢中学的一个同学，他是个中学老师，他也喜欢她。可是她不仅不敢对他表白，就连他主动向她示爱，也被她拒绝。她身上有不能示人的伤疤，那就是当年被胡子用锥子钻了之后留下的疤痕，满屁股都是，像莲蓬头一样。李妙也不敢去游泳，生怕被别人看见，甚至连她自己也害怕看到，那些疤痕让她恐惧和羞耻。多少年过去了，她只要触碰到那些疤痕，那些疤痕就会发出绝望的尖叫。

她也从来不敢向任何人提起那些疤痕。

她觉得没有人会真正理解自己，包括母亲。

这些疤痕的罪魁祸首就是父亲和人贩子。

每当她想起自己的爱恋之人时，她就会对自己说，忘记他吧，忘记！她想自己一生就一个人过了，虽然这念头会让她伤感。对于一个毁了自己一生的人，他有什么资格让她去见最后一面？李妙想不通，他那么残忍地对待自己和母亲，究竟有没有想过后果？这一切都是他自己造成的，所有的苦果必须由他自己吞食，没有人可以解救他。

5

半夜时分，李妙从噩梦中惊醒。

她梦见一个男孩，在山林里奔跑，叫着她的名字，追赶着她。他浑身是血，当他追到她身后时，那男孩把她扑倒在地。男孩喊叫着她的名字，央求着她带他离开这片山林。她从地上爬起来，愣愣地看着哭泣的男孩。她问他："你是谁？"男孩伤心地说："你怎么把我忘了，怎么把我忘了？"她又说："你到底是谁？"男孩号啕大哭，凄厉的哭声在山林里回荡。山林里弥漫起浓重的黑雾。男孩突然拉起她的手，说："快跑，他们要来了，他们要来了！"黑雾将他们笼罩。他们还没有跑出山林，就听到鬼魅般的狞笑。黑雾散去，他们被很多人围住了，那些人中有把她拐走的中年妇女，有胡子，还有很多人贩子，他们手中都拿着锥子。他们逼过来，李妙和男孩无处可逃。胡子一把抓住了她，锥子扎进了她屁股，她痛苦地尖叫……

噩梦中惊醒的李妙浑身冷汗，睡衣都湿透了。

她从床上爬起来，出了房间，走进了卫生间。

李妙把卫生间的门反锁上，脱掉了湿漉漉的睡衣，打开淋浴，冲洗身上的汗水。在冲洗的过程中，她在想着梦中的那个男孩是谁，是旺旺吗？有点像，又不像，她心里一直记着旺旺这个小哥哥，他后来被卖到哪里去了，命运如何，她一无所知。她想到了另外一个男童，那是被她解救出来的一个被拐孩子。

那男孩叫宋晖，六岁，他妈妈带他去超市买东西，他就在超市里乱跑。他妈妈在找需要的东西，没有想到儿子会有什么危险，儿子淘气，每次带他到超市，他都跑来跑去。等她买完东西，寻找儿子时，才发现儿子不见了。她问超市的女收银员，收银员说："他跟一个中年男子走了，是他爸爸吧？"她慌乱地说："不可能，不可能是他爸爸，他爸爸出差了，根本就不在家。"女收银员说："那我就不清楚了，反正他们很亲热的样子。"她心里顿时冰凉，放下东西就追了出去。她焦急地在街上寻找儿子，可是，怎么也找不到了。无奈之下，她报了警。

要不是李妙抓住了那个人贩子，人贩子供出了宋晖的去向，也许那女人一辈子都找不到孩子了。宋晖被卖到闽南的一个山村里，买宋晖的那家人没有儿子，买他来当儿子养。宋晖到那人家之后，就是不说话，成天瞪着眼睛。那人家有两个女儿，两个女儿都比宋晖大。夫妻俩把宋晖买进家门后，对他特别好，两个女儿十分妒忌，经常在大人不在家的时候欺负他，还威胁他不能告状。六岁的宋晖已经有了主意，他不哭不闹，也不说话，随时伺机逃跑。终于有一天，他找到了机会，逃了出去。他不敢走大路，怕被抓回去，而是走进了山林，他想得十分简单，只要走出山林，就可以逃出山外。结果，他在山林里迷路了。天黑了也没有走出山林。他独自在山林里摸索，漆黑一片的山林里仿佛埋藏了许多妖魔鬼怪，他害怕极了，忍不住大哭起来。那对夫妻回家后，不见了宋晖，着急了，便发动全村人到处寻找。最后，他们举着火把，在山林里找到了宋晖，宋晖蹲在一棵树下抽泣。

回到家后，男人十分光火，用藤条抽打他，边打边说，老子花了几万块钱，就买了你这条养不熟的狗，看你还敢再逃，下次再逃，就打断你的腿！从那以后，他们全家人都提防他，生怕他再逃跑。有人对男人说："你买的孩子太大了，养不熟的，迟早会跑的。"男人说："只要不让他逃跑，时间长了，他会忘记生身父母的，我有信心。"既然他这么说，别人也就没有什么好说的了。

当他们下地劳作，而两个女儿也不在家的时候，男人就用锁链锁住宋辉的脚，把锁链的另外一头拴在柱子上。宋辉就像是一条被锁住的狗，既逃不了，也无法活动。每到这时，他就会哭出声，喊着："爸爸，妈妈，快来救我——"

可是他爸爸妈妈听不见宋晖的呼喊和哭泣。

村里人也不会在乎他的呼喊和哭泣。

李妙和罗小武在当地派出所民警的陪同下，来到那闽南山村解救宋晖。那男人死活不让他们把宋晖带走，他手里提着菜刀，大声吼叫说谁敢把孩子带走，他就砍死谁。村里人也帮着他，不让他们带走宋晖。男人说宋晖是他花钱买来的，要带走可以，必须还他几万块钱。村里人就帮腔，说他赚几万块钱多么不容易。任当地派出所的民警苦口婆心地做工作，男人就是不答应。

要不是宋晖挣脱了束缚，疯狂地跑到李妙面前，要带走他还真不容易。

李妙抱起宋晖就跑到警车旁边，钻进了警车。

罗小武和当地派出所民警掩护，让警车顺利开走了。

在回去的火车上，宋晖一直抱着李妙不放，生怕被抓回去。李妙深知他内心的恐惧，也一直抱着他。他睡着后，还抱着他。罗小武说："小妙，你这样太累了，把他放下来吧。"李妙说："我不累，就让我抱着他吧，这样他会有安全感。"罗小武说："小妙，你以后要是有孩子了，你孩子一定会很幸福的。"李妙脸红了，说："我不会结婚的。"罗小武说："别瞎说，刑警队很多年轻小伙子都很喜欢你，我看在他们中间挑个得了，我可以给你牵线搭桥。"李妙沉下脸说："罗哥，你别再提这事情了，否则我和你翻脸。"罗小武说："好了，好了，我不提了，好心不得好报。"李妙不和他说话了，罗小武倒头便睡。

夜里，宋晖在李妙怀抱里沉睡，说着梦话："爸爸妈妈，快救我，快救我——"

他从噩梦中惊醒，双手紧紧地搂着李妙的脖子。

李妙轻柔地说："别怕，别怕，阿姨带你回家，天亮后，你就可以见到爸爸妈妈了。"

宋晖说："阿姨，你说的是真的？"

李妙说："阿姨从来不骗人，天亮后，我们就会送你回家，爸爸妈妈在家里等着你呢。"

宋晖趴在她怀里，一动不动。

李妙叹了口气。

……

李妙洗完澡，换上干净的睡衣，觉得清爽了许多。她打开卫生间的门，发现母亲站在外面。

李妙说："妈，你怎么还不睡。"

母亲说："你是不是又做噩梦了？"

李妙说："妈，我是大人了，你别担心我了，好不好？"

母亲说："再大，你也还是我女儿，我不担心你谁担心你。我晓得你又做噩梦了。你小时候只要做噩梦，就会浑身冷汗，我就会给你冲个热水澡，哄你重新入睡。小妙，不要想太多了，妈妈晓得，是我让你做的噩梦，妈妈再不会说什么了，你不愿意做的事情，妈妈从来不会强迫你的。"

李妙眼睛潮湿了，说："妈，不怪你，真的不怪你，快去睡吧。"

母亲说："好吧，你也睡去，明天还要上班呢。"

李妙说："嗯，我马上睡。"

母亲期期艾艾地回房间去了，望着她清瘦的背影，李妙有流泪的冲动。她很清楚，如果不是因为自己，母亲不会和父亲离婚。母亲和父亲有过一段恩爱的时光，那是在她出生前的事情，而父亲酗酒，是在她出生之后的事情。她弄不明白的是，为什么父亲非要母亲为他生个儿子。母亲为了她，没有再婚，生怕继父对她不好，再给她的心灵留下创伤。李妙之所以害怕结婚，父母的离婚也是一个重要的原因。

回到房间，躺在床上，她试图想点父亲的好处，可是一点都想不起来，满脑子都是他醉酒后残暴的形象。

她用被子蒙住头，想喊又喊不出来。

那是一个将要死去的人，是和她有血缘关系的人，一个她称为父亲的人，难道真的不能原谅他？难道真的要让他此生最后的愿望都不能实现？

可是，李妙的确找不到原谅他的理由。

6

李妙要和罗小武一起去上海出差。

他们得到消息，钟秀珍曾经和一个上海籍的男子姘居在一起，那上海籍男子也可能是个人贩子。如果能够找到那上海籍男子，也许就可以抓住罪大恶极的钟秀珍。李妙心想，无论如何，都要抓住她，不仅仅是为了那些被拐卖的孩子，还有她自己心中的仇恨。

临走时，她回家收拾行李。

母亲不在家。

李妙拨通了母亲的手机，说："妈，你在哪里？"

母亲脱口而出："我在医院。"

李妙心里咯噔了一下，焦虑地说："妈，你怎么在医院，是不是生病了？"

母亲突然改口说："不，不，我不在医院，我在商场买东西，你放心，我没有病，真的没有病。"

李妙松了口气说："妈，我要去上海出差，马上就走，来不及和你告别了，你一个人在家要注意身体。"

母亲说："你要出差？"

李妙说："是的。"

母亲说："去多长时间？"

李妙说："说不准多长时间，我办完事情马上就回来，你不要担心。"

母亲叹了口气："小妙，要注意安全，记住妈妈的话，早点回来。"

李妙说："放心吧，妈妈。"

这时，她听到电话那头有人在叫医生。她明白了什么，说："妈，你骗我，你的确在医院，告诉我，你到底怎么了？"

母亲无语了。

李妙突然反应过来，她知道母亲为什么在医院了。

是因为父亲。

李妙说："妈，我知道你在他那里。"

母亲喃喃地说："他很可怜的，原谅我，小妙。"

李妙说："妈，你想做什么就做什么吧，我没有权利干涉你，那是你的自由。"

挂了电话，李妙呆在那里，好大一阵缓不过神来。

第三章

那是有预谋的诱拐

1

　　杨光明每天早上六点钟会准时醒来，醒来后的第一个动作是伸出手摸摸旁边。旁边空空的，没有别人，他妻子和儿子都不在，心里就会升起一股凄凉，然后怒火就会在他体内燃烧。他从床上爬起来，环顾着乱糟糟如狗窝的房间，气不打一处来，他咬牙切齿地说："王八蛋，被我抓住，我非杀了你不可。"

　　他脸也不洗，牙也不刷，将一把尖刀放进包里，就匆匆出了门。

　　他来到一个幼儿园外面，躲在一棵树下，看着那些送孩子上学的人以及周边走动的路人。他希望发现那张邪恶的脸。只要那张邪恶的脸一出现，他就会扑过去，掏出包里锋利的尖刀，将他捅死。是的，将他捅死，毫不手软。

　　他点燃一根烟，狠狠吸了一口，猛地吐出一股浓烟。

　　突然，两个男子从他背后扑过来，分别扭住了他的左右手。

　　一个保安走过来，将他嘴巴上叼着的烟取下来，扔在地上，说："你是什么人？"

　　杨光明说："放开我，我是什么人关你们鸟事！"

保安说："怎么不关我事？好几个家长反映，你在这里呆了十来天了，孩子们上学和放学的时间你都躲在这里，为了孩子们的安全，我们必须搞清楚你的身份和你在这里观察的目的。"

杨光明挣扎着，说："放开我，混蛋，放开我，我不是坏人。"

他越是挣扎，他的手被扭得越紧，他感觉到了疼痛。

扭着他左右手的人是两个家长，就是他们发现杨光明异常的。他们想，一个人连续十来天在这里偷偷摸摸地看着那些孩子上学和放学，肯定是图谋不轨。

一个家长说："保安，你看看他的包里有什么东西，硬硬的。"

保安打开了他背着的帆布包，发现里面有把尖刀，大惊失色，喊叫道："刀，是刀，尖刀！"

另外一个家长说："这家伙肯定是变态，想杀小孩，保安，赶快报警。"

保安从杨光明包里取出那把雪亮的尖刀，说："好，我去门房打电话。"

杨光明怒吼道："你们这些混蛋，我怎么会杀孩子，我要杀的是人贩子，快放了我！放了我！"

那两个家长死死地按住他，生怕一松手就让他逃脱。

围上来很多人，大部分都是幼儿园孩子们的家长。他们七嘴八舌地说着什么，有人义愤填膺，有人感到恐惧，有人冷眼相待。

有人说："这家伙看上去就不正常，头发也不梳，眼角还有眼屎，一定是没有洗脸；你看他穿的衣服，脏兮兮的，有一年没洗了吧？这样的疯子最可怕了，要不是及早发现，他要真杀了孩子，那就惨了。"

有人说："现在的人都怎么了，动不动就要杀孩子，有种去杀贪官污吏呀！妈的，我真想打死他，这样的人留着也是浪费资源。"

有人说："太可怕了，太可怕了，那尖刀要是捅在孩子身上，孩子哪有活路呀。"

……

有人冲上去要打他，保安拦住了，说："大家别动手，等警察来了，交给他们处理吧。"

面对围观人群的指责和怒骂，杨光明什么话也说不出来，牙咬得嘎嘎作响。他心里充满了仇恨，对人贩子的仇恨，对这些无端指责他的人的仇恨。他知道，这个时候，自己说什么也没有用，所以干脆什么也不说。他的脸涨成猪肝色，眼睛血红，像要吃人的狼。

过了会，鸣着警笛的警车开过来了。

从车上走下来三个警察，人们让开，警察走到杨光明面前，说："怎么回事？"

保安指着杨光明说："我们怀疑这个人要杀孩子。"

领头的那个警察说："你有什么证据说他要杀孩子？"

保安把尖刀递给那警察，说："这是从他包里搜出来的，不想杀孩子，带着刀跑幼儿园门口来干什么，而且这十来天他都在这里。"

警察说："放开他。"

那两个家长松开了手，杨光明突然大吼道："你们这些混蛋，老子带刀怎么了？老子的孩子被人贩子拐卖了，我杀人贩子不行吗？！啊，你们说，你们的孩子要是被人贩子拐走，你们想不想杀他！我要是变态，要是杀孩子，能等到今天吗？！"

警察冷冷地对他说："别吼了，跟我们回派出所说吧。"

杨光明说："去就去，我怕什么。"

警察让他上了警车，然后对大家说："散了吧，散了吧。"

大家陆陆续续地离开。

保安和那两个家长站在那里，面面相觑。

他们看着警车开走。

保安说："也许他说的是真的，我们这样对待他，是不是太过分了？"

一个家长说："有什么过分的，不怕一万只怕万一，他真要是个杀孩子的变态，要是杀了我们的孩子呢，那一切都晚了。"

另外一个家长说："我看这人挺可怜的，可是他为什么要到幼儿园门口来等人贩子呢？"

这个问题也是警察要问杨光明的。

杨光明说："你们知道吗？我儿子就是在幼儿园外面被人骗走的，我想那个人贩子一定还会在幼儿园外面骗孩子，所以我就在幼儿园外守着他。我是说过，我见到他，就要杀死他！我找他五年了，我都找遍这个城市的所有幼儿园了，你们知道我心里的痛苦和愤怒吗！"

警察说："谁能证明你的儿子被人贩子拐走了？而且是在幼儿园外被人贩子拐走的。"

杨光明大声说："这还用证明吗？还用证明吗？我们小区谁不知道我的儿子被人贩子拐走了？"

警察说："你别大喊大叫，冷静点。"

杨光明说："好，好，我冷静，冷静！问题是，我冷静得下来吗？你们不是要证明吗？你们打个电话给樟树街派出所的张所长，你问他知不知道我杨光明的事情，他会告诉你一切。我儿子被拐后，是在他那里报的案，五年了，我儿子是死是活，一点音讯都没有，你说说，我能冷静吗？现在，还有人把我当成杀孩子的变态，你说，我冷静得了吗？"

……

杨光明的尖刀被没收了，被警察教育了一番，放了出来。他站在派出所的门口，抬头看了看高远的天空，天空乌云翻滚，像是暴雨将要来临。无论是天气变好还是变坏，杨光明都会想起儿子杨思奇。他担心儿子会被日晒雨淋，会在寒风中发抖，会在酷热中中暑。杨光明咬着呀，心里说，我一定要杀了他，杀了他！杨光明恨透了那个人贩子，是人贩子把他好好的一个家毁了。他还要去弄把尖刀。

2

2007 年 5 月 28 日，对杨光明而言，是个黑色的日子。

那天下午，杨光明迟了十分钟去幼儿园接三岁的儿子杨思奇，就出事了。为什么他会迟十来分钟，因为他画一幅儿童小说的插画忘记了时间。他是个自由职业者，以前是出版公司的美术编辑。儿子杨思奇降生后，他就辞了职，在家里为出版社、出版公司设计封面和画插画，这样就能工作和带孩子两不误；而且他发现，赚的钱不比上班少。那本儿童小说的插画，对他来说不是什么难事，可他十分认真地去对待，也许是因为自己有孩子的缘故。他记得当时画的那幅画，是讲一个孩子站在小河边和青蛙对话的故事，他把那孩子当成自己的儿子来画了，入了迷。画完这幅画，他才发现该去接孩子了，而且晚了十分钟。

以前也出现过这种情况，一般晚去十几二十分钟也不算什么。

他抱着侥幸的心理来到了幼儿园。

幼儿园门口的保安告诉他，杨思奇已经被人接走了。

他找到了幼儿园老师胡敏。

胡敏是个年轻的姑娘，笑起来特别甜美，杨思奇经常跟杨光明说，胡老师可好了。急得满头大汗的杨光明找到胡敏时，她正准备下班回家。胡敏见他着急的样子，说："思奇爸爸，你怎么了？"

杨光明说："思奇被谁接走了？"

胡敏笑着说："是个瘦高个男子，刀条脸，眼眶很深，脸黑黑的，留着小胡子，是他接走了思奇。他说是你的好朋友，还说你忙，是你让他来接你的。我问他，思奇爸爸叫什么名字，他也说得出来，还说你是个画家，他还有你的手机号码。所以我就信了，让他把孩子接走了。"

杨光明听完胡敏的话，站在那里，懵了。

他觉得天旋地转。

胡敏见状，也着急了，说："杨先生，难道他不是你朋友？"

杨光明火气很大，说："我哪里有这样的朋友！你怎么能够把孩子交给他！"

胡敏脸色凄惶，知道自己犯了大错，喃喃地说："那怎么办，那怎么办？"

杨光明说："快去找呀，还能怎么办！"

杨光明冲出了幼儿园，站在街上，茫然四顾，他该到哪里去找儿子？难道那拐走儿子的人会在街上大摇大摆，等着他去要回儿子？

胡敏哭了，流着泪跟在她后面。

他回过头，看着流泪的胡敏说："你哭什么哭，我儿子要找不回来，唯你是问！"

胡敏说："我真不知道他是骗子。"

杨光明说："你不知道，难道我知道？我儿子不见了，你逃脱得了干系？"

胡敏吓得脸色苍白，不知如何是好。

杨光明没有任何办法，只好到附近的樟树街派出所报了警。

胡敏和他一起去了派出所。

在派出所做笔录时，警察问杨光明："你真的不认识骗走你孩子的那个人？在此之前从来没见过他？"

杨光明有苦难言，像吞了死苍蝇那么难受。

他摇了摇头。

真实的状况是，他的确见过那个小胡子男人。

大约是在十天前，杨光明提前了十多分钟到幼儿园门口，等儿子放学。幼儿园门口聚集着很多等待接孩子的家长，闹哄哄的。必须要等到时间了，保安才会把大门打开，让家长进去接孩子。杨光明不喜欢和那些家长凑在一起，就独自站在马路对面的一棵树下抽烟。

这时，一个瘦高个男子走过来，右手的食指和中指间夹着根香烟。他走到杨光明面前，笑着说："先生，借个火。"

杨光明拿出火机，给他点燃了香烟。

瘦高个说："你也是来接孩子的？"

杨光明说："是的，是的，你呢？"

瘦高个说："我也是。"

杨光明是个开朗的人，喜欢聊天，他说："你孩子多大了，上什么班？"

瘦高个说："我女儿六岁了，上大班。"

杨光明说："那下半年就该上小学了。"

瘦高个说："是呀，正犯愁呢，现在要找个好的学校真难。"

杨光明说："其实，孩子上什么学校倒无所谓，重要的是他能否好好学习。我就没考虑那么多，他该上什么学校就上什么学校。"

瘦高个说："你孩子多大了？男孩？"

杨光明笑了笑说："男孩，才三岁，小班。"

瘦高个笑了："我说嘛，你儿子离上小学还早呢，你当然不担心。到时候，你就该紧张了。之前我也这么想，也觉得无所谓，现在看很多家长托人找门路要进好学校，我就有点慌了，总不能让孩子到很差的学校去吧。"

杨光明笑着说："我还真不会紧张，车到山前必有路嘛。"

瘦高个说："你的心态真好，不知道先生是干什么工作的？"

杨光明说："自由职业，在家画画图什么的。"

瘦高个说："那你是个画家了。画家好呀，赚钱多，又有社会地位，我最佩服你这样的人。"

听着这话，杨光明特别受用，笑着说："其实也没有你说的那么神了，干什么不都是为了养家糊口么。对了，你干什么工作？"

瘦高个说："说了那么长时间，我们都还不知道对方的名字，我叫高亮，是做装修的。"

说着，高亮递上了一张名片。

杨光明接过名片，看了看，得知他是某装修公司的经理。他说："我叫杨光明，没有名片，留个手机号码给你吧。"

高亮说："好，好，以后要是有装修的客户需要买画，就找你了。"

杨光明说："没有问题。"

这时，幼儿园的门开了。

杨光明说："那我先去接孩子了，你还得等会儿。"

高亮说："去吧，去吧，抽时间我请你喝酒。"

杨光明说："好，没有问题。"

幼儿园的孩子放学是分时段的，小班的要比中班的孩子提前十分钟放学。杨光明接到儿子出来时，高亮还站在那里。高亮见到杨思奇说："好帅的小男孩。"杨光明听他夸自己儿子，心里乐开了花，对儿子说："思奇，快叫高叔叔。"杨思奇愣是不叫。高亮说："杨思奇，名字也取得好，不愧是文化人。"杨光明说："这孩子没有礼貌，高兄别见怪。"高亮说："哪里话，孩子和我不熟，这是正常的。我那女儿也是，见到生人就躲。"

回家路上，杨光明对儿子说："以后不能这样没礼貌，明白吗？"

杨思奇说："爸爸，我看他像坏人。"

杨光明说："别乱说，叔叔怎么会是坏人。"

杨思奇说："就像坏人，像蓝精灵里的格格巫。"

杨光明笑了，孩子的话他没有往心里去。

一连几天，他都会碰到高亮，他们就站在那棵树下，抽烟，聊天，俨然像一对好朋友了。高亮还给杨思奇买棒棒糖什么的。吃着高亮的棒棒糖，杨思奇挺开心的。父亲问儿子："高叔叔是坏人吗？"杨思奇笑着说："不像了。"

杨光明怎么也没有想到，就是这个好人高亮，拐走了他的儿子。看来，他是有预谋的，盯上杨光明了，杨光明晚去了十几分钟，他就把杨思奇骗走了。据胡敏说，他去接杨思奇时，手中拿着一根棒棒糖。

杨光明后悔已经来不及了。

他自己的疏忽，导致人贩子趁虚而入，拐走了他的儿子。

这个世界还有什么人可以相信？

3

杨光明的妻子叶芝是个柔弱的女人，长着一颗玻璃心，经不起任何打击，他一直呵护她。回到家里，他不敢把儿子被拐的事情告诉她。叶芝问他，儿子呢？杨光明装出若无其事的样子，说："儿子今天晚上不回家了，到他的同学家里玩。"叶芝说："那怎么能行，他才是个三岁的孩子，这不给人家添麻烦嘛，快去把他接回来。"杨光明觉得自己编的谎言经不起推敲，但还是死撑着，说："就让孩子玩吧，他同学的家长人很好的，说了不会有问题。"叶芝不干了："不行，不行，还是得把思奇接回家来，你去不去？你不去我去，告诉我地址。"

杨光明无奈，又不敢告诉妻子真相，只好装模作样地走出了家门。

他在街上漫无目的地走着，内心如焚。

杨光明从裤兜里掏出手机，又一次拨打高亮的手机，该手机已经停机。如果能够拨通高亮的手机，杨光明会对他说，只要还回儿子，出多少钱都可以。问题是，不光打不通他的手机，他名片上公司的地址也是假的，根本就没有这个公司和地址。

那么，高亮的名字是真的吗？

如果是真的，派出所一定能够查出来，这对找到他有很大的帮助。

杨光明觉得自己不应该隐瞒真相，这样对他一点好处也没有，反而帮了高亮。

想到这里，他打了辆的士，直奔派出所。

他对警察说完真相，满脸通红，像个做错了事情的孩子。

警察说："你下午就应该说的，这么重要的信息怎么可以隐瞒呢？如果这个人真叫高亮，那么因为你的隐瞒，给了他充分逃脱的时间。你这个人也是，怎么能够轻易地相信别人，把自己的信息透露给别人，这不给犯罪分子可趁之机吗？你等于把自己脱光了，暴露在他的面前，你不吃亏谁吃亏？那么大的人，也不长点心眼。"

杨光明说："警察同志，我错了，麻烦你查查这个人吧，看他住在哪里，我担心我儿子哪！他要是有个闪失，那可如何是好。"

警察说："现在担心有什么用？等着，我们查查这个人的信息。"

杨光明如坐针毡，浑身冒汗。

这个时候，叶芝打来电话，问他人接到哪里去了，怎么还不赶快回家。他小声地说："马上回来，马上回来。"

挂了电话，杨光明脑袋充血，异常沉重，两耳"嗡嗡"作响。

半小时后，警察出来了。

杨光明站起来，问道："怎么样？"

警察说："经查，本市叫高亮的有十三个人，经过我们分析排查，没有一个人和你们所描述的男子相似，可以断定，那男子的姓名也是假的。想想，他要拐骗你的孩子，可能留下真实姓名给你吗？不是自找死路么。"

杨光明说："警察同志，求你了，一定要找回我的儿子。"

警察说："我们会尽力的，我们会向全市发《寻人启事》，并追缉那个人贩子。"

杨光明说："谢谢你们了，谢谢你们了。"

警察说："说实话，我十分同情你，我也是父亲，可以体会到你的痛苦，人贩子的确可恶，我们也深恶痛绝。你回去吧，有消息我们会通知你的。"

杨光明离开派出所，突然觉得特别绝望。

以前在电视上看到别人的孩子被拐骗的新闻，叶芝说要当心自己的孩子，他还有点不以为然，认为这样的事情不可能发生在自己身上，如今，儿子真实地被拐了，他才知道问题的严重。

他的手机响了，叶芝又来电话了。

杨光明没有接，按掉了电话。

叶芝又打过来，他又按掉。叶芝不依不饶地打，他不依不饶地按掉。最后，他把手机关了。他颓然地坐在街边的水泥边缘上，双手抱着头，痛哭流涕。杨光明不知道回家怎么和妻子说，骗是骗不过去了，说实话后会发生什么事情，他一无所知。他用拳头砸着自己的脑袋，吼叫道："都怪我呀，都怪我呀，我怎么如此幼稚，活生生钻进人贩子的圈套，我该死呀，真该死呀！"

一个扫马路的环卫工人走过来，好心地对他说："先生，别太伤心了，有什么问题解决不了的呢？回家去吧，已经很晚了。"

杨光明站起来，不分青红皂白地朝他吼叫道："关你屁事，滚！"

环卫工人没有再理他，只是默默地扫着马路。

杨光明走上回家之路。

他边走边喊叫："思奇，你在哪里？思奇，跟爸爸回家——"

环卫工人回过头来，看了看他的背影，轻声说："这人挺可怜的，是什么事情把他逼成这样？"

他打开了家门。

叶芝坐在客厅沙发上，盯着满头大汗走进来的杨光明。

她站起来，惊讶地问："思奇呢？"

杨光明站住了，一动不动。

叶芝走到他面前，双手抓住了他的肩膀，使劲地晃动，声嘶力竭地说："思奇呢？你说话呀，思奇呢？"

杨光明的嘴唇颤动着，什么话也说不出来。

叶芝继续喊叫道："杨光明，你说话呀！哑巴啦！说话呀，思奇呢？"

杨光明终于说出了口："思奇他……他被人贩子拐走了。"

叶芝说："你说什么！你再说一遍！"

杨光明说："思奇被人贩子拐走了。"

叶芝松开抓住他双肩的手，握紧双拳，使劲地捶打丈夫的胸膛，口里不停地说："你骗我，骗我，思奇怎么会被人拐走，怎么会！你不是说他去同学家玩了吗？你告诉我，他是不是在同学家睡了，是不是？你不接我的电话是怕我责怪你让思奇在同学家睡，是不是？你说呀，是不是？"

杨光明的泪水流了出来，说："他真的被人拐走了，思奇没有去同学家，这是我骗你的。我不接你的电话是心里难受，不知道怎么对你说，我不想再骗你，在这之前我可从来没有骗过你。思奇真的被人拐走了。都怪我，都怪我！"

叶芝愣愣地站在那里。

她的眼睛里流着泪，无声无息的泪水顺着她苍白的脸颊流下来。

她用异样的目光瞪着丈夫，什么也没说。

杨光明说："芝芝，你怎么了？别吓我呀。"

叶芝突然倒在地上，浑身抽搐，脸扭曲变形，喉咙里发出"叽叽咕咕"的声音，那样子十分吓人。

杨光明赶紧抱起她，掐着她的人中。

叶芝受不了刺激，昏了过去。

杨光明赶紧背起她，冲出了家门。

他把妻子送医院抢救。

4

杨光明没有想到叶芝会疯。

那天晚上在医院抢救过来后，就留在医院里观察。杨光明坐在病床前陪着她。她躺在病床上，眼睛直勾勾地望着惨白的天花板。杨光明强忍住内心的悲恸，安慰着她，其实他也需要安慰，这都无所谓了，他是男人，孩子也是因为他丢了，他要负起责任，照顾好妻子。他让妻子放宽心，自己一定会想办法找回儿子的。叶芝什么话都不说，只是沉默。后来他也不说话了，只是默默地陪着她。这个晚上，他们谁都没有合眼，一直沉默到天亮。

天亮后，医生过来看了看，对杨光明说："没事了，去办出院手续吧。"

回家后，叶芝躺在床上，还是什么话都不说，也不吃不喝。

无论杨光明和她说什么话，她都仿佛没有听见，眼前仿佛没有杨光明这个人。

杨光明是外地人，在上海读大学，大学毕业后就留在了上海。他留在上海主要是因为叶芝。他们是大学同学，他不知怎么地爱上了病快快的叶芝。大学一毕业，他们就结了婚。他也就留在了上海。杨光明把叶芝当宝，对她呵护备至，叶芝也享受着他的爱，夫妻俩从来就没有红过脸，更不用说吵架了。

而此刻，叶芝不吃不喝，躺在床上，僵尸一般。

杨光明没有见过这阵势，心里愁坏了。

在万般无奈之下，他想到了岳父岳母。岳父岳母都是工人，早就退休在家，他们以自己的女儿为荣，因为她是名牌大学高材生。当初杨光明和叶芝处对象，他们还不同意，不想让叶芝嫁给杨光明，说他是乡下人。要不是叶芝坚持，他们还真走不到一块。岳父岳母很少到他们家来，但是，叶芝每周末都要去父母家一趟，吃吃饭，聊聊琐碎的事情。就是叶芝和杨光明结婚了，岳父岳母还是有点瞧不起他，说话间总是掺杂着一些贬低他的词汇。杨光明对于他们贬低自己的话语，当作没听见。叶芝听在耳里，心里也不舒服，但是她不会指责父母，回家后，就会安慰杨光明，但是杨光明根本就没把他们的话当一回事，该怎么样就怎么样。自从杨光明夫妇有儿子后，老两口对杨光明有了些改变，也不再用话语贬低他了。

杨光明本来不想告诉他们儿子被拐的事情，怕他们生出许多事端。

但是妻子这个样子，他只好把一切都告诉了岳父岳母。

他们听说此事后，马上就赶过来了。

老两口有事做了。

他们一进杨光明的家门，岳父就逮住杨光明一顿劈头盖脸的训斥，岳母则大呼小叫，跑到卧室里去看女儿。面对岳父的训斥，杨光明认罪，把一切都承担下来，然后出门去找儿子；至于岳父岳母和叶芝在家里做什么，他一无所知，也不想知道。

在岳父岳母的劝慰下，叶芝开始吃东西，可她还是一言不发，只是看着儿子的照片流泪。

叶芝在家呆了两天，第三天早晨起来后，就去上班了。

岳父岳母也回他们自己家里去了。

他们临走时，岳父对杨光明说："你要找不回思奇，我们和你没完。"

杨光明只能对他们唯唯诺诺。

他们走后，杨光明又出去找儿子。

可茫茫人海，哪里有儿子的身影？

下午三点钟左右，小区物业打来电话，让他赶快回去。杨光明心里一喜，问道："是不是我儿子回来了？"物业说："你儿子没有回来，你老婆出事了。"他的心又重新沉入一片黑暗，火急火燎地打了个的士赶回去。儿子丢了，已经让他承受了巨大的痛苦和负担，在这个时候，叶芝可不能出事，她要出事，他这个家就算完了。

杨光明刚刚进入小区，就听到嘈杂的声音。

小区水景旁边的休闲区围满了老头老太太，他们正叽叽喳喳地说着什么。保安对他说："你快过去看看，你老婆出问题了。"

杨光明担心的事情还是发生了。

她不是上班去了吗，怎么这个时间会出现在小区里，她到底发生了什么事情？他的头又大了。看来倒霉的事情是会传染的，而且正接踵而来。杨光明需要多大的心脏才能承受这些正在发生或者即将发生的苦厄。

杨光明来不及考虑什么，就冲了过去。

物业管理员吴梅贞见杨光明跑过来，说："她老公来了，她老公来了。"

围观的人们让开了一个口子，让杨光明进去。

叶芝坐在地上，双腿叉开，左脚穿着鞋子，另外一只脚上的鞋子不见了，肉色的丝袜弄脏了，花格裙子也脏了。她头发蓬乱，两眼红肿，脸色苍白，嘴巴里喃喃地说："还我儿子，还我儿子。"

杨光明蹲在妻子身边，抱着她，抬头问吴梅贞："这是怎么了，到底怎么了？"

吴梅贞说："一个多小时前吧，她进了小区的门，神色很不对劲，问保安看见她儿子没有，保安说没有，她就冲过去抓住保安的衣领，说保安抢走了她的儿子，要保安还她儿子。保安扯开了她，躲进门岗，关上门。她就在门外拼命地敲打着门，要保安出来还她儿子。保安就给我们打电话，等我出来时，发现她在这里抱住一个玩耍的男孩，又亲又吻，说终于找到儿子了，要那男孩跟她回家。男孩吓得哇哇大哭。带男孩玩耍的小保姆也吓坏了，赶紧给孩子家里人打电话。我过去劝她放开男孩，并且告诉她，男孩不是她儿子。她根本就不理会我们，还是死死抱住男孩，用敌视的目光瞪着我。大家都对她说，这不是你儿子，放手吧。她就那样恶狠狠地瞪着大家。不久，孩子的父亲赶来了，抢回了孩子，回家去了。她就坐在地上，边哭边说，不要抢走她的儿子，快把儿子还给她。这不，现在你来了，快带她回家吧。"

大家七嘴八舌地说话。

大部分人表示同情，让杨光明赶快带老婆回家。

也有一些人表示不解，说些怪话。

杨光明没有理会他们，他们说什么都不重要，重要的是让妻子恢复正常。

他抱起叶芝，问吴梅贞："你知道我老婆的那只鞋去哪了么？"

保安跑过来说："她回来时，那只鞋就不见了。"

杨光明对吴梅贞和保安说："谢谢你们，给你们添麻烦了。"

吴梅贞说："不用谢，快带她回家吧。"

保安说："杨先生，需要我帮忙吗？"

杨光明说："谢谢，不用了。"

他抱着妻子回家了。

吴梅贞看着他迈着沉重的步履而去，说："他们也挺可怜的，好好的一个儿子，竟然被人贩子拐走了，换成我，也会疯的。"

保安说："大姐，没那么严重吧，孩子被拐卖的人家多去了，要是都疯了，那还了得。"

吴梅贞瞪了他一眼："你这个连婚都没有结的毛头小子，懂个屁！"

5

叶芝的神经的确不正常了。她根本就没有去上班，早上出门后，一直在街上游荡，看到街上带孩子的人，她就跑过去，抱起别人的孩子就亲，叫着自己儿子的名字。脾气好的人，抢回孩子就跑了；脾气坏的人，抢回孩子后，把她臭骂一顿，有人还追打她。她的那只鞋就是被人追打时弄丢的。她还知道跑回小区里来，算是万幸的了。晚上睡觉，她老是睡不着，眼睛直勾勾地瞪着天花板，睡着后也会突然坐起来，下床，打开家门走出去。弄得杨光明坐立不安，只好守着她，怕一有疏忽，她跑出去了会出什么事。她还是不和杨光明说话，仿佛他不存在。她父母亲过来也一样，她无视他们。女儿变成这个样子，让父亲十分恼怒，他不停地训斥杨光明。岳母也一把鼻涕一把泪地数落杨光明："要不是你这个乡下人，我女儿也不会变成这个样子，你把我女儿毁了，你这没良心的，是不是在外头有姘头了，故意把我女儿害成这样？还有思奇，可怜的孩子，你到底把他弄到哪里去了？"

杨光明只有沉默，这一切他都得独自承受。

一顿训斥之后，岳父又朝他吼道："还不快去找思奇。"

杨光明就出去了。

他出去后，岳父接到了麻友的电话，要他去打麻将，说三缺一，就差他了。岳父想走又不敢走，怕老婆发威。叶芝坐在沙发上，像个木头人，脸色煞白，目光呆滞。岳母见他坐立不安的样子，说："你这条无情无义的老狗，我看还不如那个乡下人呢！滚吧，滚吧，看到你我就浑身不自在。"

岳父装模作样地对叶芝说："乖女，你好好休养，不要想太多了，光明会把思奇找回来的。"

岳母踢了他一脚："滚吧，别啰唆了。"

岳父走了。

他难道真的没心没肺，这个时候还去打麻将？他也有自己的苦衷，看着女儿痴呆的样子，待在这里他心里难受；思奇又毫无音讯，他的心脏更加难以承受，他也没有办法找到思奇。打麻将是他的爱好，也是他在当下给自己的一种解脱。

杨光明又去派出所了。

他找到了樟树街派出所的张所长。

杨光明问："张所长，过去好几天了，怎么还没有一点消息呀。"

张所长说："你儿子被拐后，我们一直很重视，在全市发了《寻人启事》，还派专人多方调查那个人贩子。你少安毋躁，有消息我们会通知你的。你回去吧。"

张所长的话不知触动了杨光明哪根神经，杨光明突然变得十分激动，朝张所长吼叫道："我每次来，你们都这样对我说。你们拿着纳税人的钱，到底为纳税人办了多少事情！你们一次次敷衍我，你理解我的痛苦吗？你知道我老婆都疯了吗？你知道我现在生不如死吗！我就问一句，你们到底什么时候才能把我儿子找回来？"

几个警察听到杨光明的吼叫，都跑到张所长的办公室门口，探头探脑。

张所长对门口的警察说："你们看什么热闹，是不是没事干了？"

警察们嘀嘀咕咕地离开。

张所长笑着说："杨先生，我理解你，你朝我吼，对我发火，我不怪你。我想告诉你的是，孩子被拐卖，不是简单意义上的走失，也许你儿子当天就被人贩子带到外地去了，要找回来，需要一个过程。我们真的很重视，情况也已经报到分局去了，分局领导也很重视。你问我什么时候才能把你儿子找回来，我不敢打包票，但是我敢保证的是，一定会全力以赴地寻找你的儿子，把人贩子抓捕归案。"

杨光明无语了。

他默默地站起身，离开。

他刚刚走出派出所大门，就接到岳母的电话，岳母说，叶芝又跑了。这时，天上乌云翻滚，雷劈电闪，杨光明仰起脸，朝天空吼叫："老天爷，你就用雷劈死那些狼心狗肺的人贩子吧！劈不死他们，就把我劈死吧，我活着还有什么意思！"

雷没有劈在他身上，但是暴雨倾盆而下，不一会就浇透了他。

既然雷不劈他，他就要去寻找妻子。杨光明在雨中行走，茫然四顾，搜寻着妻子的身影。他找遍了自己家附近的几条街道，都没有找到叶芝。她会到哪里去？公司？他打电话问了，公司里没有。儿子被拐前，叶芝的生活十分简单，主要活动的地方就是公司和家，还有就是她父母家，这个时候，她根本就不可能去她父母家里。她肯定是去找儿子了，那么，她会到哪里找儿子？

杨光明想，叶芝会不会去幼儿园找儿子呢？

冒着大雨，他往幼儿园的方向狂奔。

路人都用莫测的目光，看着这个在雨中疯狂奔跑的人。

他看到了妻子。

是的，他看到了妻子。

她果然在幼儿园外面。

她抱着街边的一棵香樟树，浑身湿透，瑟瑟发抖，她直勾勾地望着幼儿园大门，一副十分惊恐的样子。

他走过去，抱住了她。

他说："芝芝，我带你回家。"

叶芝喃喃地说："我要接思奇回家，我老公骗我，说他被人拐走了，他怎么能够这样骗我，他知道我不喜欢开玩笑的。"

杨光明抱紧了她，泪水涌出眼眶，和雨水混杂在一起。

6

　　叶芝真的疯了，她承受不了儿子被拐的现实。经过岳父岳母同意，杨光明把她送进了精神病院。送她去精神病院时，岳父岳母没有去，杨光明清楚，他们也很痛苦，不想看到叶芝疯癫的模样。走时，叶芝怀里抱着一个洋娃娃，从家里到精神病院，她一直没有松手，紧紧地抱着，她把洋娃娃当成儿子了。叶芝是因为失去儿子才疯的，杨光明想，要让她恢复正常，只有找回儿子。

　　妻子疯了，还要寻找儿子，杨光明也没有心思工作了，他推掉了所有的活，开始一心一意地寻找儿子。这样，他就没有经济来源了，每个月还要供房，杨光明一下子喘不过气来，幸福的日子就这样被断送，命运就这样被改变。无奈之下，他把房子卖掉了，租了间一居室的房子暂时度日。他向岳父岳母提过，是不是可以先搬到他们那里去住，岳父模棱两可，岳母却表示绝对不同意。杨光明没有责备他们，他也没有权利责备他们，一切问题都因他而起，是他自己一时疏忽，毁了这个家。

　　他在这个城市里寻找儿子，可是根本就无法找到。

　　他边找儿子，边去幼儿园闹。

　　后来胡敏老师被开除了，他就不去闹了。他觉得对不起胡敏，是他自己的错连累了她。胡敏老师其实也在帮助他寻找杨思奇。杨思奇被拐，也改变了胡敏的生活。后来她加入了一个"让孩子回家"的民间打拐组织，帮助寻找被拐孩子，追踪那些人贩子。

　　儿子被拐几个月后，他对派出所失去了信心，决定自己踏上异地寻找儿子之路。他了解到，浙江、福建、广东等地的农村买男孩当儿子的人很多，就计划从浙江开始，一个个地方走过去，到这三省的每个乡村去寻找儿子，他相信自己总有一天会找到儿子的。走之前，他去精神病院探望了叶芝，叶芝还是抱着那个洋娃娃，口里喃喃地说着什么，她脸色惨白，双眼痴呆。他心如刀割，看了一眼就匆匆离开了。妻子的模样，更加坚定了他找回儿子的决心。

事实上，寻找的过程要比他想象的艰难得多。

每到一个村子，他就挨家挨户，拿着儿子的照片，问道："请问，你见过这个孩子吗？"

理解他的人，会给他好脸色，告诉他没有见过这个孩子，让他到别的地方找；也有同情他的人，赶上吃饭时间了，请他一起吃个饭；也有凶神恶煞者，他还没有开口，就赶他走，把他当成乞丐。

这天，他进入浙南山区的一个村子，来到一户人家的门口。杨光明敲了敲门，里面走出一个老头，老头红光满面，眼神锐利。老头走到他面前，说："你找谁？"杨光明说："我想找个孩子，他是我儿子，被人贩子拐走了。"老头一听他这话，脸色变了，没等他拿出照片，就把他推开，进屋，把门关上了。

杨光明无奈地苦笑。

他转身正想走，一条恶犬从那户人家的狗洞里窜出来，在他的大腿上狠狠地咬了一口。恶犬松口后，很快地钻进狗洞里去了。恶犬牙尖齿利，杨光明的裤子都被咬破了，伤口流出了血，火烧火燎地疼痛。

杨光明咬着牙，忍受着痛苦。

他要找个地方处理伤口。

这时，一个肥胖的男子走过来，问道："先生，你怎么了？"

杨光明说被狗咬了。

肥胖男子看了看他的伤口说："咬得很深哪，李宏家的狗很凶恶，不要说你了，有时连本村人都咬，那条恶狗，迟早会被人打死的。"

杨光明说："没有关系，没有关系。"

肥胖男子是个好打抱不平的人，生气地说："不能这么便宜了李宏，他家的狗把人咬了，连声对不起都不说。"

杨光明说："算了，算了。"

肥胖男子朝李宏家大声地说："李宏，你们家狗咬人了，快出来带人去治伤，别搞得像什么事情都没有发生一样。我晓得你在家，你以为关起门来就可以不负责任了？"

刚才那满脸通红的老头就是李宏，他在门里说："猪头，关你屁事，给老子滚蛋。"

猪头说："李宏，你这条老狗，太无赖了，怪不得你儿媳妇生不出儿子。"

李宏在里面气急败坏地说："猪头，王八蛋，再不滚，老子放狗了！"

一听说放狗，猪头往后退了几步，从地上捡起一块石头，警惕地盯着李宏家的狗洞。

猪头对杨光明说："先生，你就自认倒霉吧，这老狗是茅坑里的石头，又臭又硬。你这伤口不处理可不行，还必须打狂犬病疫苗，否则麻烦大了。伤口感染和狂犬病，都可能会要了你的命。"

杨光明内心恐惧，说："那怎么办？"

猪头说："村里的土医生没有狂犬病疫苗，这样吧，我带你到镇医院去，看你也挺可怜的。"

杨光明连声道谢。

猪头说："你在这里等我，我把摩托车骑过来。"

杨光明说："好的。"

猪头快步走进村里去了。杨光明回过头，看了看李宏家的大门，他发现大门露出一条缝，有只眼睛在偷偷地瞄着他。那只眼睛一发现杨光明在朝大门张望，大门那条缝就轻轻地合上了。杨光明想，李宏为什么对自己充满了敌意，还放狗咬自己，现在又鬼鬼祟祟地偷窥自己？

谜底在杨光明坐上猪头的摩托车后，才解开。

路不好，猪头的摩托车开得慢。

猪头说："先生，你打哪里来？"

杨光明说："上海。"

猪头说："我看你就是大城市里来的，气质不一样，别看你胡子拉碴。"

杨光明说："我哪有什么气质，都成流浪汉了。"

猪头说："你来此地，有什么事情？"

杨光明说："我是来找我儿子的，我儿子被人贩子拐走了。"

猪头说："原来如此，怪不得李宏老狗不敢开门，还要放狗咬你。"

杨光明说："此话怎讲？"

猪头说："李宏只有一个儿子，他儿媳妇又生不出儿子，怕绝种，几个月前，买了个男孩当孙子。他对外说，男孩是他亲戚的孩子，其实村里人都知道，是买来传宗接代的。"

杨光明说："停下来，停下来。"

猪头把摩托车停在了路边，说："你要干什么？"

杨光明说："我让你看我儿子的照片，是不是李宏买来的那个孩子。"

猪头说："好，让我看看。"

杨光明从背包里取出儿子的照片，递给他。

猪头看了一眼照片，说："不是，不是，我们村里没有这个孩子。"

杨光明心里又一次产生深深的失落感。

猪头带他去镇医院处理了伤口，打了狂犬病疫苗，杨光明稍稍心安了些。这时已经是中午了。猪头说："李宏老狗无情，我不能无义，中午我请你吃个便饭吧，就算给你赔礼了。"

杨光明说："不能让你破费，还是我来请你吧。"

猪头说："你看不起我？"

杨光明说："我没这个意思，只是觉得这样不妥，你好心把我送到镇上来治伤，我已经很感激了，怎么能够再让你破费呢。"

猪头说："你是在我们村里被狗咬的，我好歹也是村里有头有脸的人，怎么能够让你对我们村留下不良印象，别争了，我请吧。"

杨光明十分感动。

猪头找了家小餐馆，点了三菜一汤，俩人这就吃了起来。吃饭的过程中，杨光明向他倾诉几个月来寻找儿子的苦楚。猪头深表同情。他表示，要是他没有儿子，也不会去买儿子，这是害人，传宗接代对他而言不重要。

杨光明说："要是大家都像你这样想就好了。"猪头说："杨先生，有句话不知当说不当说。"杨光明说："你说吧，说什么都没有关系，这些日子来，我什么苦没有受过，什么难听的话没有听过？"猪头说："你这样找儿子，就像是大海捞针，说不定你一辈子都找不到儿子，你怎么肯定你儿子就被卖到浙江、福建、广东三省？况且，就是这三个省，你要把每个村庄都跑遍，又需要多长时间？我感觉你是在做一件徒劳无功的事情。"杨光明其实也有这样的想法，他是硬着头皮在找儿子。杨光明说："那你说我该怎么办？"猪头说："你还不如回上海，找到那个拐骗你儿子的人，一切都迎刃而解了。"杨光明说："可是我怎么才能够找到那个狗杂种？"猪头说："你要相信一点，人做任何事情，都是有习惯的。比如你抽烟习惯用右手拿烟，一般不会用左手拿，就算是为了演戏要用左手拿，总有演不下去的时候，那时自然还会换回到右手。他用在幼儿园门口套近乎的方式获取信息拐骗儿童，那么，他早晚还是会再用这样的方式行事的。你记住我的话没有错，要捉住这个人贩子，你必须从上海的幼儿园入手，我就不相信抓不住他，只要抓住他，你儿子就有着落了，还用得着你满天下乱跑？"杨光明被他的话点醒了，心里就有了个决定，回上海，各个幼儿园蹲守，就不信找不到他！

那顿饭吃了五十多元钱，杨光明抢着要付账，猪头豪气地制止了他。

吃完饭，猪头把他送到了县城的火车站，他要乘火车回上海。

和猪头告别，杨光明正准备进站，猪头叫住了他。

他回到猪头面前，说："你有什么吩咐？"

猪头抓耳挠腮的，一副难为情的样子。

杨光明说："你有什么事情就直说，没有关系的，你是好人。"

猪头说："其实，我也不算好人，我，我——"

杨光明说："说吧，爽快点。"

猪头说："那我就直说了，能不能给我点汽油钱，你看我的摩托车也挺费油的。"

杨光明拿出钱包，发现钱包里只有五百元现金了，他抽出两张一百元的票子，递给他，说："你别嫌少，只要我找到儿子，我会回来好好谢你的。"

　　猪头接过钱，说："够了，足够了。"

7

　　……

　　这是 2012 年 3 月 5 日的晚上，杨光明决定再去买把刀，能够杀人的刀。他记得漕溪路地铁站外面，经常有些少数民族的人在那里摆地摊，像是有卖刀的。他毫不犹豫地来到了这地方。果然在那角落里，有一个穿民族服装的男人正摆着地摊，他脸很黑，蹲在地上，抬着头，说着半生不熟的普通话，招揽过往行人。杨光明走近前，蹲在地摊前。黑脸男人笑着说："兄弟，你要买什么？"杨光明说："我先看看。"地摊上摆着各种珠子串成的手链和项链，还有奇奇怪怪的装饰品，也有刀。杨光明看到两把腰刀摆在上面。一把是弯刀，刀鞘很漂亮，还镶着花里胡哨的假宝石，他拿起它，抽出来看了看，不是很满意，觉得这是中看不中用的东西。另外一把刀直筒筒的，刀鞘窄，而且看上去粗糙，没有装饰。杨光明拿起这把刀，抽出来看了看，刀刃十分锋利，刀尖也锋芒毕露，散发出冰冷的光芒。他心里说，这刀不错，杀死那畜生绰绰有余。他问："这把刀多少钱？"黑脸男子说："一百元卖给你算了，本来我要卖两百元的，你看天晚了，我也准备收摊了，就贱卖了。"这些年，杨光明把卖房子的钱花得差不多了，心里还是很心疼钱的，要不是刀被派出所没收，他是不会来买刀的。他说："就这刀值一百元，你这是抢钱呀。"他把刀放回原处，站起来就走。黑脸男子拿起那把刀，也站起来，喊道："兄弟，回来，回来，有话好说。"杨光明停住脚步，回过头说："怎么说？"黑脸男人说，"我不赚你钱，你给个成本价吧，七十元，拿走吧。"杨光明说："还是太贵了。"黑脸男子有些恼怒，说："那你说多少？"杨光明说："顶多给你三十元钱。"黑脸男子瞪着眼睛说："你说什么？"杨光明心里有些发怵，这家伙会不会和自己翻脸？杨光明管不了那么多，说："三十元，我就买了。"黑脸男子说："你这个人真刁，给你吧，给你吧。"

他把刀放进帆布包里，心里踏实了许多。

杨光明心里说："明天继续到别的幼儿园门口蹲守，我就不信抓不到你！既然警察抓不住你，没有办法给我找回儿子，那么我自己解决。"

回到家里，他躺在脏乱的床上，随手拿起一个玩具，仔细端详，眼眶顿时湿润了，内心波澜起伏。

那是一个奥特曼。是杨思奇最爱的玩具。

杨光明保留了很多儿子的玩具，还有他的涂鸦。墙上就贴着一张儿子的涂鸦，画上有太阳，还有飞着的鸟，有草地，草地上有一个男人和一个女人，男人女人中间是个男孩，他们拉着孩子的手。

涂鸦中变形的太阳、鸟儿、青草和人，在杨光明眼里是那么真实。

杨思奇曾经指着涂鸦上的人说："这是爸爸，这是妈妈，这是我，我们去公园玩。"

儿子的声音还在杨光明耳畔回响。

他还总是出现幻听，仿佛儿子在叫他，他会在屋子里寻找儿子，但每次都以失望收场。

涂鸦中的三个人，一个疯了，现在在精神病院，抱着洋娃娃，喃喃地叫唤着儿子的名字；一个被人贩子拐走，五年了，杳无音讯，不知死活，让他揪心；剩下杨光明，满世界地找那个人贩子，人贩子让他失去了一切。他心里清楚，要是找不回儿子，爱妻的精神病不会好，他也不可能过上正常的生活。每当有朋友为他惋惜，劝他放弃寻找，好好把自己的事业捡起来，好好生活。他会这样回答："儿子是我的命，我的命都没有了，还谈什么事业？叶芝也是我的命，她都好不了了，我怎么好好生活？"朋友们也不再劝他了，只是十分同情他，有时会给他送点钱。对朋友们的捐助，他没有推辞，收下后就记在一个本子上，他想日后找到儿子重新开始生活以后，再赚钱还给他们。

疲惫的他把奥特曼放在一边，闭上了眼睛。

很多时候，他一回家就倒在床上，无力地睡去。

他觉得自己活得猪狗不如。

8

杨光明正在一个幼儿园外的某个角落里蹲守，突然接到了胡敏的电话。胡敏说："杨大哥，你赶快到衡山路地铁口来，我顶不住了，他们要打我。"杨光明说："好，我马上过去！"胡敏说："快点呀，猪猪一时半会赶不过来，其他人联系不上。"杨光明说："你放心，我很快就赶到，我现在的位置离那里不远。"

杨光明知道，胡敏又发现什么情况了。

他打了个的士，对的士司机说："快，到衡山路地铁口。"

的士司机没有说话。

杨光明心急如火，说："你能不能开快点！"

的士司机说："你着什么急呀，我开的又不是飞机。"

杨光明说："废话，让你开快点你就快点，啰唆什么！"

的士司机沉默了，脸色阴沉，明显加快了速度。

第四章

主角不在现场的生日

1

　　杨光明赶到衡山路地铁站口，发现前面一点的路边围了很多人。杨光明赶快跑过去，挤了进去。这世界总是不乏看热闹的人和起哄的人。胡敏和一个农村妇女扯在一起，农村妇女抓着胡敏的头发，胡敏双手抓住农村妇女的手不让她使劲。一个矮个子男人骂骂咧咧地站在胡敏后面，不时用脚踢胡敏的屁股。旁边的地上，坐着一个残疾女孩，哭得很伤心的样子。

　　看热闹的人哄笑着，七嘴八舌地说着什么。

　　没有人去拉开他们或者报警。

　　杨光明走过去，一脚把矮个子男人踢翻，然后朝农村妇女吼叫道："放手，放手！"

　　农村妇女说："我就不放，就不放。"

　　杨光明使劲地掰开农村妇女的手，胡敏也松了手，抬起头，哭着说："杨大哥，他们打我。"

　　杨光明说："别怕，我在这里，他们再不会打你了。"

　　胡敏说："谢谢杨大哥。"

　　杨光明朝矮个子男人和农村妇女说："你们怎么能打人！"

矮个子男人没有理他，走过去蹲下来，抱着残疾女孩说："红红别怕，我不会让他们抢走你的。"

农村妇女眼睛血红，说："她不让我们走，还要抢我女儿，我能让她抢吗？"

杨光明问胡敏："到底怎么回事？"

胡敏说："他们早上就在地铁口乞讨，一个网友拍了他们的照片传到微博上，被猪猪看到了，猪猪觉得这女孩儿特别像张森丢失的女儿。张森也看了照片，觉得是他女儿。猪猪就让我过来看住他们，等张森过来确认。张森本来人在厦门，现在已经坐飞机过来了，猪猪去接他了，应该很快就到。他们刚才要走，我让他们等会再走，他们就和我吵起来了，还打我。"

矮个男人背起残疾女孩，对农村妇女说："老婆，我们走吧，别理他们。"

杨光明挡住了他们，说："不能走，你们不能走！"

杨光明恨死人贩子了，要不是围了那么多人，他会抓住矮个男人暴揍一顿。但他还是忍住了，再怎么都要等朱文远带张森过来确认之后再说，如果残疾女孩真的是张森的女儿，他绝对饶不了矮个男人和那个农村妇女。

这时，一个警察走过来了，问了问情况，就把他们带到派出所去了。

杨光明也跟着他们去了派出所。

胡敏给朱文远打了个电话，告诉他，现在人都在派出所，并且让他们直接到派出所来。

让胡敏和杨光明意外的是，经过派出所民警的查证，矮个男人和农村妇女以及残疾女孩的确是一家人。警察让他们一家三口走，他们不走。警察问他们为什么不走。矮个男人说："他们不是说我女儿是别人的孩子吗？我想等他来了，让他自己鉴定完之后，我们再走，我们不想被人不明不白地诬陷。"

警察说："这样也好，大家都放心。"

等待的过程中，杨光明走到派出所外面抽烟。

胡敏却在派出所里又和农村妇女吵了起来。

胡敏说："你们真狠心，你们自己的亲生女儿，也忍心带她出来要钱。"

农村妇女说："关你什么事情，你管那么多干什么。"

胡敏说："有你们这样当父母的吗？不让孩子读书，还把她当要钱的工具，你们是人吗？孩子多可怜哪！"

农村妇女说："你站着说话不腰痛，要有活路，谁会出来遭你们的白眼。"

胡敏说："怎么会没有活路？难道你没有田地，没手没脚？你们就不能靠自己的双手养活自己和女儿？为什么要带着女儿出来乞讨？她还是个孩子，你们简直蛇蝎心肠。"

她们斗嘴时，矮个男人没有说话，一直抱着残疾女孩，残疾女孩则紧紧地搂着他的脖子，非常惊恐的样子。

过了好大一会，杨光明领着朱文远和张森走进了派出所。

张森看到残疾女孩，泪水情不自禁地流了下来，喊了声："小丽——"

残疾女孩吓坏了，双手死死地抱住矮个男子的脖子。

矮个男子说："孩子，别怕，他们抢不走你的。"

警察对张森说："你认为她是你女儿？"

张森点了点头，说："是的，她就是我女儿张小丽，她的眼睛骗不了我。"

警察说："我们查过的，她不是你女儿。她的确是这对夫妻的女儿，除了眼睛像，你还有什么证据说明她是你女儿？"

张森想都没想，话就脱口而出："她左肩膀上有块黑色的胎记。"

警察走到矮个男人目前，说："她左肩膀上有块黑色的胎记吗？"

矮个男人说："没有。"

农村妇女气得发抖，她扯开残疾女孩左肩膀的衣服，大声说："睁开你们的狗眼看看！哪里有什么黑色胎记？我自己怀胎十月生下的女儿，怎么就成别人的女儿了？你们是不是以为我们好欺负，要钱怎么了？我们没偷没抢，犯哪条法律了！"

警察回过头，对张森说："的确没有胎记，而且她的左肩膀皮肤很好，没有疤痕，证明没有动过手术。"

杨光明说："张森，你会不会记错了，右肩膀记成左肩膀了？"

张森说："不会错的。"

农村妇女又把残疾女孩的右肩膀的衣服扯开，说："你们看，这里有黑色胎记吗？"

警察说："的确没有。"

矮个男人抱着女儿，站起来，对农村妇女说："别说了，一切都明白了，还说什么。假的真不了，真的也假不了，我们走吧。"

他们走出了派出所的门。

张森他们面面相觑。

警察说："你们也是的，乱来，无凭无据的乱来。你们的精神可嘉，希望能够解救更多的被拐儿童，可是不要冤枉别人，人都是有尊严的。你们走吧，以后做这样的事情要严谨些，不要给别人造成伤害。"

他们出了派出所的门。

朱文远追上了那一家三口，对他们说："真对不起，我们认错人了。你看那两个男人，一个是儿子被人贩子拐走了，一个是女儿丢了，他们也挺痛苦的。你们原谅我们吧，真的很抱歉。"

农村妇女突然哭了，说："我们不是出来要钱的，我们带女儿出来治病，回去的路费都没有了，只想要点路费回家，没有想到碰到你们了。你们以为我们想当乞丐呀，不是走到这一步，谁会连脸都不要。"

矮个男人说："走吧，别说了。"

他们走了。

朱文远看着他们的背影，心里很不是滋味，觉得对不起人家。他掏出钱包，从里面抽出 500 块钱；胡敏心里也挺难受的，也拿出了 500 元钱，一起递给朱文远。朱文远追上去，要把钱给农村妇女。农村妇女推让了会，还是收下了，连声说："谢谢，谢谢。"矮个男人这时生气了，呵斥女人："你怎么能收下这钱？还给他，我们不要他们的施舍！"农村女人要把钱还给朱文远，朱文远说："收下吧，这是我们的一点心意。"矮个男人从女人手中夺过钱，扔在朱文远面前，拉起女人的手，头也不回地走了。

朱文远捡起钱，长长地叹了口气。

2

他们找了家小饭馆，一起吃饭。张森饿了，菜还没有上齐，就一口气吃了三碗米饭。胡敏眼睛红红的，没有食欲，只是喝茶。朱文远和杨光明边喝啤酒边说着话。

杨光明把目光投向与自己同病相怜的张森，说："你是不是好几天没有吃饭了？"

张森的嘴角粘着一粒饭粒，说："三天，就吃了两个包子。"

杨光明说："这样会饿死的。"

张森说："习惯了。我在外面找孩子，老婆在打工，钱都是她用血汗换来的，能省就省。可惜了那一千多块的机票钱，快赶上我老婆一个月的工资了，心疼。"

朱文远说："张兄，实在对不起。"

张森说："你们为我的事情费心，应该是我感谢你们才对，怎么能让你说对不起。"

胡敏看着张森，不说话。

杨光明说："听猪猪说，你在外面找孩子，从来不住旅馆，都是在街边露宿。"

张森说，："一般都住在桥下这些能够避风雨的地方，有时碰到烂尾楼，也会进去住。"

杨光明说："既然来上海了，就在上海找找吧。在上海，你就不要露宿街头了，和我一起住吧。房子虽然小，可以打地铺，也比在外面住舒服。"

张森说："这样不好吧。"

杨光明说："你我是难兄难弟，什么好不好的。我老婆疯了，现在还在精神病院呢。我一个人住，什么也不影响。不过，我晚上睡觉打呼噜，对你来说，应该也不是问题。以前我不打呼噜的，这些年，脾气变大了，呼噜也出来了。"

朱文远喝了口啤酒，说："胡敏，你吃菜呀，怎么不动筷子？"

胡敏说："不饿。"

朱文远说："别想太多了，这两年来，我在微博上发起'让孩子回家'的活动，也有很多误会和委屈。但是想想，只要能够找到一个孩子，让一个人贩子伏法，受点委屈又算什么呢？像今天这样的事情，去年也发生过一起；我想只要事后说清楚了，他们也会理解的。"

胡敏说："可是我总觉得伤害了他们。"

杨光明说："我想他们会理解的。这两年来，你们帮助那么多孩子回了家，功德无量。话说回来，今天证实了那女孩真的是那对夫妻的女儿，是好事情。如果女孩不是他们的女儿呢，那也是好事。做任何事情，都不可能不出差错，小胡老师，你就别自责了。吃点东西吧。"

张森也说："胡老师，你还是吃点东西吧。你们都是为了我，是我对不住你们。杨大哥说得对，做任何事情都不可能完美。你们做了那么多好事，光为我女儿的事情，你们就费了不少心，一次次在微博上转发我寻找女儿的帖子，我真的很感动。今天那家人，如果真的像他们说的那样，因为给女儿治病无钱回家才去乞讨，那应该同情。也有些父母不是东西，用自己的病孩当诱饵要钱。这两年，我见多了。去年，在西安，一个父亲把烧碱灌进三岁女儿的嘴里，小姑娘口吐白沫，痛苦得直流泪。这个禽兽父亲让女儿躺在路边，他自己跪在那里，向过路的人哭诉，说女儿快死了，没有钱治病，讨钱。不少善良人就给他钱。那天晚上，我们都在一座桥下安身。女孩一直哼哼唧唧地说不舒服。我让他带女儿去医院看看，不要死掉了。他说不会死的，才那么一点烧碱，死不了的。我问他是不是经常这样给她灌烧碱。他说也不是，一个月也就灌个一两次。我听了都毛骨悚然，这他妈的是人吗？对自己亲生女儿还这样。后来，他的一句话激怒了我。他竟然说他女儿死就死了，反正不是带把的。我听了他这话，把他按在地下，一顿暴打。他不停地求饶，他那可怜的女儿也替他求饶，让我不要打他爹了。我愤怒地对他说，你听到没有，你女儿多么心疼你，你还这样对待她，你要还是个人，就带她回家，让她过好日子，别再这样折磨她了。那畜生当时答应了我，没想到第二天，他又带女儿去要钱了。恶毒啊，天下竟然有这样恶毒的父亲。看到这些畜生，我就万箭穿心。想想这些恶人，连自己的亲生女儿都可以虐待，更不要说是别人的孩子了。我可怜的女儿要是落进这样的人手中，不知会被折磨成什么样？"

他说着就落下了泪。

杨光明说："真他妈的畜生。"

说着，他也用手抹去眼泪。

胡敏说："这些人和人贩子一样可恶！"

朱文远说："这两年我们搞'让孩子回家'的公益活动，也发现了不少亲生父母拐卖自己亲生骨肉的事情。东北某地，有一个双目失明的女人，生有两个孩子，一女一男，女儿八岁，儿子四岁。有天，她带着4岁的儿子去市场买菜，买完菜后，发现儿子不见了，她惊慌失措，喊着儿子的名字。卖菜的人告诉她，她儿子被两个陌生人强行拉上出租车，出租车很快就开走了。瞎女人到处去找儿子，逢人便问，见到我的儿子没有。几年下来，她走的路都赶上她上半辈子走路的总和，泪也流干了，经常摔跤，膝盖的老伤疤总是被新伤疤覆盖。没有儿子的日子，她活着比死去还痛苦，她多么想儿子回到身边，摸摸他的小脸，听他叫声妈妈。尽管她从来没有见过儿子的模样，也不可能知道儿子长的什么样子，可是，只要听到儿子的声音就可以判断出来他是自己的儿子，只要她伸出手摸摸他的小脸，就可以确认是不是儿子。她曾经自杀过，好在女儿及时发现，把她从死亡线上救了回来。她常常问女儿，儿子能不能回来。女儿因为弟弟的被拐卖，成天担惊受怕，害怕自己也被拐卖了，她不敢一个人出去，也不敢自己单独待着，生怕被人抓去卖了。可是，懂事的她还是安慰母亲说弟弟一定会回来的。可怜的瞎女人活着就是为了等待儿子归来，叫她一声妈妈。后来，有人发现了她儿子的下落，警方根据线索找到孩子后，才知道卖掉她儿子的人，竟然是她丈夫，也就是孩子的亲生父亲。她丈夫为了还赌债，用六万元钱把儿子卖给别人当儿子了。

杨光明咬牙切齿地说："这些人和人贩子一样，都该死！"

……

杨光明把张森领回了自己家。

尽管杨光明的家像狗窝一样乱七八糟，张森进来后，还是坐也不是，站也不是，怕弄脏什么。他也的确很脏，蓬头垢面的，身上的衣服也散发出臭味。他乘坐飞机时，差点没能上得了飞机。杨光明说："我不嫌你脏，我们都一样，快放下行李，去洗个澡，我给你打地铺。"张森这才放下行李，拿出换洗的衣服，走进了卫生间。他想起来长沙那个好心的姑娘，她在网上仍然经常和他联系，帮助他寻找女儿。

杨光明也洗完澡，穿上衣服，和张森面对面坐着。

他递给张森一根烟。

张森笑笑，说："以前抽，现在戒了。"

杨光明问："为什么戒？"

张森说："老婆那么辛苦赚钱，不忍心抽了。"

杨光明说："这也是现实，我也快倾家荡产了，看来我也该戒了。"

张森说："戒吧。"

杨光明说："可是戒了后，一个人怎么度过痛苦寂寞的长夜？很多时候，烟是我最好的朋友，它安慰我，陪伴我，我还真离不开它了。"

张森叹了口气。

杨光明说："其实你比我更苦，看来，你的忍耐能力要比我强。我经常会暴跳如雷，还去派出所骂张所长。张所长要是像我一样的脾气，早把我铐起来了。我就想不通，他那样的好脾气，怎么能够当派出所长。"

张森说："不忍耐怎么办？孩子丢了，这是现实。除了用心去找，还能怎么样？急也没有用，痛苦也没有用。说实在话，我好几次都放弃了寻找孩子的决心。"

杨光明说："千万不能放弃！"

张森说："我曾经对老婆说，算了，别找了，我们再生一个算了。我老婆骂我，说我是冷血动物。她死活不答应，一定要我找回孩子，找不到孩子，别回去见她。我不冷血，我多么希望能够找到女儿，供她吃好穿好，过上快乐的日子，让她好好读书，以后考上大学。可是，两年多来，我的心真的快死了。为了找女儿，我什么苦没有吃过：被骗，被打，被歧视……我是个人，现在却变得人不像人鬼不像鬼。

杨光明叹了口气，说："我理解你，兄弟。我老婆疯了，现在还在精神病院，不知道什么时候才能恢复正常。为了亲人，为了我们的骨肉，一定要找下去。我知道，很多被拐孩子的家长最后都放弃了。他们算什么人哪？我就不相信找不到孩子，只要他们还活着，就一定能够找到。他们是人，活生生的人，不会像水汽那样蒸发，无论五年还是十年，我一定会把孩子找到，带他回家。我们不能放弃，放弃就是对孩子犯罪，因为我们的疏忽，已经犯过一次错了，不能再犯错了，只有找到孩子，才能赎罪。我们要是丢了孩子都不去寻找，人贩子就会更加嚣张，不能让他们如此丧心病狂。"

张森说："你说得对，不能再犯错了。我不再那么想了，死也要找到女儿，不能让她被毁了一生。"

杨光明说："兄弟，没事去理个发，刮刮胡子。我也是一样。再穿上干净的衣服。我们也是人，应该活出个人样。你说呢？"

张森点了点头。

杨光明的内心很哀伤，刚才说的这些话既是给张森鼓气，也是给自己信心。他也产生过逃离的念头，儿子被拐、妻子发疯，他的生活已经被毁了，他想逃到没有人认识自己的地方，默默地过一生，忘记妻子，忘记儿子，忘记发生过的一切。可是，他做不到，绝对做不到。

他又递给张森一根烟，说："抽根吧，就一根，就算陪我了。"

张森接过烟，杨光明给他点燃。

这个凄凉的夜晚，两个失去孩子的男人，边抽烟，边说着话，边相互鼓劲。

3

朱文远的职业是报社记者，负责报道社会新闻，在业余时间里，是民间打拐的志愿者，也是微博上"让孩子回家"公益活动的发起人。他号召微博网友要是看见可疑的大人带着孩子要钱之类的事情，就拍照片发在微博上，或者报警，给寻找孩子的人提供信息。朱文远还把公安部在网上公开通缉的人贩子的照片放到微博上，供广大网友辨认，以便发现后及时报警。"让孩子回家"的公益活动，解救了不少被拐孩童，也抓获了一些人贩子；同时，把许多被拐孩童的父母亲团结在一起，大家互通有无，相互取暖。

三十来岁的他，还单身。他长相不错，工作也还可以，周围也不少姑娘，怎么快到四十岁了还单身？有人问他这个问题时，他会笑笑说，缘分还没有到。他是个相信缘分的人。

他觉得自己很充实，尽管在孤独的时候也会希望有个人陪。

这个晚上，他回家后，就给彭琼打电话。

彭琼说："张森找到他女儿了吗？"

朱文远说："唉，没有，那不是他女儿。"

彭琼说："真失望。"

朱文远说："有失望，也就有希望。"

彭琼说："别扮哲人了。对了，我们那个活动的事情怎么样了？"

朱文远说："放心吧，我都弄得差不多了，周六上午准时在中山公园搞活动。"

彭琼柔声说："谢谢你。"

朱文远说："不必客气，我应该做的。你的事情也就是我的事情。我还想把活动搞大些，让张森和杨光明也来参加我们的活动。明天我要去加印他俩孩子的《寻人启事》，到时在现场和你儿子的《寻人启事》一起散发。

彭琼说："好的，一切都听你的，你说怎么做就怎么做。"

朱文远说："琼，想我没有？"

彭琼说："你要听真话还是假话？"

朱文远说："当然真话。"

彭琼说："不想，我现在只想我儿子。"

朱文远说："正常，正常。"

彭琼说："早点休息吧，不要太晚了，注意身体。"

朱文远说："你也一样。"

挂了电话，朱文远轻轻地叹了口气，想起彭琼忧郁的眼神，他有点心疼。他不知道她如何度过这个漫漫长夜，也不知道那些失去孩子的人，如何度过漫漫的长夜。

4

朱文远和彭琼相遇，是很奇妙的事情。

2011 年夏天，记得是在 7 月 7 日。胡敏在外滩发现了一个坐在地上乞讨的男孩子，她就蹲下来问他爸爸妈妈在哪里。男孩子很凶，瞪着她说："关你什么事，给钱就给，不给就滚蛋。"胡敏说："你脾气这么不好，怎么能够要到钱呢？姐姐问你，你爸爸妈妈呢？是他们让你出来要钱的吗？"

男孩子低下了头。

胡敏看他的样子，知道这里面一定有蹊跷。

她微笑着说："小弟弟，姐姐不是坏人，你告诉姐姐，你爸爸妈妈呢？"

男孩子没有回答她，而是拿起地上装钱的铝盆，站起来就走。

胡敏跟着他，说："你别走呀。"

他头也不回，加快了脚步跑了起来，在人群中窜来窜去。胡敏也跑了起来，紧紧追着他。男孩子不停地回头，眼看胡敏就要追上他了，他停住了脚步，回过头，对胡敏大声叫道："你为什么追我？你是人贩子吗？"

胡敏听了他的话，说："我怎么会是人贩子？"

男孩子又大声喊叫："你就是人贩子，就是人贩子。"

人们围了过来。

这个世界上什么人都缺，就是不缺围观者。

也什么人都有，当然什么好话脏话都向胡敏飞来。

胡敏没有想到男孩子会来这一招，她灵机一动，扑过去，拉起男孩子的手就走。人们还在喋喋不休。胡敏对他们大声说："我弟弟偷跑出来要钱，我带他回家，你们该干什么就干什么吧，别耽误了外滩的美好夜景。"

不知谁了声："我看这姑娘不像人贩子，人贩子哪敢这样嚣张。"

围观的人们就散了，继续在外滩游走，观看夜景，拍照留念。对他们而言，这只是一个小插曲。

胡敏把男孩子拉到一个没有人的角落，给朱文远打了个电话，让他过来。

然后，胡敏对男孩子说："是谁让你出来要钱的？"

男孩子看自己跑不脱了，神气不了了，低下头，眼泪落在了地上，砸出一朵朵泪花。胡敏从包里拿出纸巾，递了一片纸巾给他，说："别哭，有什么委屈和姐姐说，姐姐会帮助你的,告诉姐姐，是谁让你出来要钱的？"

男孩子抬起头说："我怕。"

胡敏说："别怕，告诉姐姐。"

男孩子说："他们会打死我的，他们说把我打死了，就在我身上绑块大石头，扔到黄浦江里，尸体很快就被大鱼吃掉了，谁都不会知道。我真的好怕，前天，我没有要到什么钱，他们就打我，还用烟头烫我手臂，到现在都还没有好。"

胡敏说："他们是谁？"

男孩子说："我不能告诉你，告诉你了，我就没命了。他们说，就是被警察抓住了，也不能说，说了我就没命了。"

胡敏说："那刚才你说我是人贩子，也是他们教你的？"

男孩子点了点头。

胡敏说："你爸爸妈妈呢？"

男孩子说："我不知道，我没有爸爸妈妈，我们几个孩子都没有爸爸妈妈，我从小就和他们在一起。他们告诉我们，说我们的爸爸妈妈早就死了，是他们好心收留了我们；要不是他们，我们早就饿死冻死了。他们说养我们费了很多钱，欠了很多债，要我们要钱还债，才能把我们养大。"

胡敏说："你喜欢他们吗？"

男孩子说："不喜欢，他们很坏。"

胡敏说："你相信我吗？我可以让你们找到爸爸妈妈，再不会受他们的欺负了，爸爸妈妈会很疼爱你的。"

男孩子说："可是，我爸爸妈妈死了。要没死，他们怎么不来找我？"

胡敏说："他们骗你们的，你们的爸爸妈妈一定还活着，也一定还在寻找你们，他们不会放弃你们的，你们都是爸爸妈妈的心头肉。"

男孩子不说话了，只是流泪。

胡敏说："可怜的孩子。"

朱文远匆匆跑过来，说："孩子呢？"

胡敏说："在这里呢，孩子在哭，他可能不懂事的时候就被拐卖了，都记不起爸爸妈妈了。那些人很可恶，说他爸爸妈妈早死了。对了，听孩子这口气，控制他的人不止一个人，你看怎么办？"

朱文远说："有没有人监视孩子？"

胡敏说："目前没有发现。"

他们正说着，两个男子朝他们走过来。

凭经验，朱文远判断这两个男子就是来找这个男孩子的。

朱文远说："趁他们没有发现孩子，你赶快带孩子到那边躲躲，我来报警，并且稳住找孩子的人。"

胡敏说："好，你要注意安全。"

朱文远说："放心吧。"

胡敏带着男孩子走了。

不一会，那两个一高一矮的男子走到朱文远面前。

高个子说："先生，你见到过一个男孩子吗？瘦瘦的，一米二左右，刚才在那边要钱的。"

矮个子补充道："我们是他叔叔，他爸爸妈妈早死了，我们在上海做工，从老家把他带出来。昨天，他管我们要钱买东西，我们没给，没有想到他跑出来要钱了。如果你看到了，请告诉我们，我们带他回家，要是走丢了，我们怎么对得起他爸爸妈妈。"

朱文远心里明白，他们都在鬼扯，他说："你们真是的，孩子管你们要点钱，也不给，小气得出屎了，你们这样才对不起他爸爸妈妈。"

高个子说："你晓得吗？这孩子天天都要钱，我们哪有那么多闲钱给他胡花。"

矮个子说："要小气，我们就不带他出来了，养个孩子花销很大的。看样子你还没有孩子，不晓得养孩子的辛苦。"

朱文远说："你们怎么知道他出来要钱，而且还知道他在外滩要钱？"

高个子噎住了，一下子说不出话来。

矮个子反应比较快，说："我们四处寻找，找到外滩时，问到了，他刚才就在那里要钱。告诉我们的人说，他被一个女的拉走了，说是往这边走了，我们才赶过来的。你如果看到了，就赶快告诉我们吧！他们往哪边跑了？那女的可能是人贩子，要真是人贩子，那我们就真对不起他爸爸妈妈了。"

朱文远笑了笑。

这时，一辆警车响着警笛冲了过来。

俩男子心里有鬼，也不找孩子了，撒腿就跑。

高个子跑得慢，朱文远追上去抱住了他。朱文远抱得很紧，他挣脱不了，急得用肘子不停击打朱文远的肚子。警察过来扭住他后，他才老实。那矮个子跑得真快，一会就没影了。朱文远这才觉得肚子疼痛，他对高个子说："你就不能下手轻点？"高个子瞪着他，气得发抖，什么话也说不出来。朱文远让胡敏把孩子带过来，和警察一起到派出所去。

……

这次行动，因为他们的努力，解救了四个被拐卖的孩子。

他们从派出所出来后，夜已深了。胡敏说累了，先回家睡觉了。朱文远不仅没有倦意，反而精神抖擞。平常，他很少来外滩，今夜突然有了兴致，想在外滩走走。江风吹拂，有些微凉，十分舒服。虽然已经是深夜了，仍有三三两两的游人，朱文远觉得此刻十分宁静，他不喜欢挤满了人的外滩。

他站在黄浦江的护栏边，望着对岸的灯火，心里充满了感慨：要是这世界没有那么多邪恶，该有多好。感慨完后，他觉得自己有些幼稚，自嘲地笑了笑。这时一对情侣模样的青年男女走了过来，男青年说："请你给我们拍张合影好吗？"

朱文远笑笑，没有问题。

朱文远接过青年男子递过来的照相机，给他们拍照。朱文远说："你们的头再靠近点，再靠近点，男的露点笑容，对，对，就这样，好！"

朱文远按下了快门。

就在这时，他看到不远处，有个女子爬上了江边的护栏。

他惊叫了声："不好！"

朱文远把相机塞回男青年手中，就朝那边奔跑过去。那女子站在护栏上，风把她的头发拂起，也把她的裙摆拂起。她的背影很美，如果这是拍艺术照摆的姿势，拍出来一定是非常惊艳的作品。问题是，没有人给她拍照，她是在寻死！朱文远看出了端倪，跑到跟前叫道："大姐，别跳——"

那女人回头看了他一眼，眼神哀伤而又绝望，脸色苍白。

朱文远说："大姐，你下来，有话好好说，别想不开呀。"

女人转过脸，纵身跳进了黄浦江。

朱文远大喊："救人啊，救人啊，有人投江了——"

他扔掉挎着的包，爬上护栏，跟着跳进了黄浦江。女人在江面上扑腾着，口里不停地呛水，眼看着就要沉下去了。朱文远游过去，伸出右手，搂住她，然后往岸边游。女人挣扎着，这让朱文远很为难，他说："别乱动！"然后一口水就呛进了他的嘴巴里，那水的滋味真的让人很难忍受，一股无法形容的怪味。朱文远此时也顾不了这许多了，只是一心要把她救起来。

岸上的人都围拢过来。

有人尖叫，有人喊叫，有人冷眼观看。

也有人报警。

朱文远靠近了岸边，女人不挣扎了，一动不动，像具死尸。

要把她弄上岸，是十分困难的事情，单凭朱文远一己之力根本就不可能。他只能够保护着她，不让她沉下去，等待着救援，虽然他也不知道自己还能够支撑多久。好在水警出动了，在朱文远没有丧失掉所有力气之前，把他们救上了船。水警把他们送到了码头，上岸后，那两个拍照的青年男女等着他，把他扔掉的包还给了他。男青年说："大哥，你看看里面少了什么没有？"朱文远说："谢谢，谢谢，应该不会少的。"男青年说："你还是看看吧。"朱文远说："我不看了，也没有什么值钱的东西，真的感谢你。"男青年说："大哥，你是好人，我们应该谢谢你，你给我们上了一课。"

他们走了后，朱文远对浑身湿漉漉的女人说："你家在哪里？我送你回家。"

女人低着头，眼里还在流泪，说："我没有家了。"

朱文远说："那怎么办？"

女人说："我也不知道怎么办。"

朱文远说："如果你不嫌弃的话，就先到我家吧。洗个澡，换上干净的衣服再说。"

女人没有说话。

朱文远就当她默认了，说："走吧，我的车停在停车场。"

朱文远从黄浦江里救起的这个女人就是彭琼。他把她带回了家。朱文远单身，家里没有女人的衣服，就给了她一套自己的睡衣，让她洗澡后穿。然后他把她换下的衣物放洗衣机里洗了，天热，第二天早上就能干了。

彭琼洗完澡，面无表情地走出来，虽然她的眼神还是那么哀伤，但是脸上已经稍微有了点血色。她的身材很好，就是穿着朱文远的睡衣，也无法掩饰她迷人的身段。面对这个自杀者，朱文远的内心有些担忧。

朱文远说："你去房间睡吧，我在客厅里睡沙发，记得把门反锁上。"

彭琼说："你为什么要救我？"

朱文远说："本能，人类的本能。"

彭琼说："那么罪恶呢？"

朱文远说："罪恶也是人类的本能。"

彭琼说："你不应该救我的。"

朱文远说："为什么？"

彭琼说："你想听我的故事？"

朱文远说："如果你愿意的话。"

彭琼说："谁都不愿意听我的故事了。单位的同事，亲朋好友，他们都不愿意听我的故事了，他们都嫌弃我，疏远我，背后都在嘲笑我，说我是祥林嫂。他们都不在乎我的痛苦，根本就不知道我生不如死。"

朱文远倒了杯水，递给她，说："不要在乎别人怎么说，现在我听你说，真诚地听你说，我肯定不会嘲笑你，也不会说你是祥林嫂。"

彭琼喝了口水说："你要是听累了，就告诉我，我会闭嘴的。"

朱文远笑笑："放心吧，我是最好的听众。"

彭琼说："我是这个世界上最傻的女人，没有人比我更傻的了。我老公宗琼说我是读书读傻的，我承认，我是读书读傻了，我从小学读到中学，从中学读到大学，从大学一直读到博士。我是读书读傻了，读那么多书有什么用？我连自己的儿子都保护不了。那是半年前的事情了。那天下午，我带儿子去动物园看动物。我儿子宗小毛虽然才两岁半，但是可机灵了，见到老虎，就大声叫老虎；见到大熊猫就做着鬼脸说那是大熊猫；见到长颈鹿就把脖子伸长，说他是长颈鹿；见到天鹅，就说妈妈是白天鹅。我说妈妈没有那么美，他就说妈妈比白天鹅美。你说，哪有这么夸人的？小毛最喜欢蛇，但是我天生就怕蛇，上回是宗琼带他去动物园的，他带儿子去看了蛇。我不敢带小毛去看蛇，可小毛闹着要去。我没有办法，只好带他去看蛇，我看到蛇，就浑身不自在，好像蛇在我身上爬。小毛却开心急了，隔着玻璃还想伸出手去摸蛇。我匆匆忙忙抱着他离开了蛇屋。他没有看够蛇，不高兴了，嘟着小嘴巴，眼泪汪汪的样子。哄了他好久，才哄好，主要还是一根烤香肠的功劳，吃上香肠了，他就开心了，脸上也有了笑容。"

彭琼喝了口水，说："我是不是很像祥林嫂？"

朱文远说："不像，不像，祥林嫂根本就不知道什么是动物园。"

彭琼说："那我继续讲了。那天，小毛玩得可开心了，到傍晚了，他还不想走，在林子里听着鸟叫，还想去抓鸟，还说他要像小鸟那样飞。宗琼打电话来，说晚饭都做好了，怎么还不回家吃饭。我们这才准备离开动物园。小毛说，妈妈我还要来。我说，小毛，妈妈有时间就带你来。小毛搂着我的脖子，在我脸上亲了一下，说妈妈真好。我说，妈妈不好谁好呀？妈妈是这个世界里最爱你的人。我真的很傻，真的很傻，坏人从我手中抢走了小毛，我竟然没有追上去抢回来。我抱着小毛刚刚走出动物园的大门，准备打个的士回家。突然，有个高大的男人冲过来，狠狠地打了我一巴掌，并且大声吼叫，说我把孩子带走了也不告诉他。他那一巴掌把我打傻了，我措手不及，呆呆地站在那里，什么话也说不出来。他从我手中抢过孩子就要走。小毛哭了，喊着妈妈。有人问那男人怎么回事，他边走边跟路人说，她是我前妻，离婚后孩子的抚养权归了我，她今天没有经过我同意就把孩子抱走了。因为我傻了，什么话也说不出来，别人都以为他说的是真的。我眼睁睁地看着他把小毛抱上一辆停在路边的面包车。面包车开走后，我才缓过神来，等我追过去，面包车已经无影无踪了。我哭喊着，还我儿子，还我儿子。有人上前问我怎么回事，我说我儿子被人抢走了。那人说，你还在这里哭什么，赶快报警呀。这时，我才慌慌张张地报警。"

彭琼流下了泪水。

朱文远递给她纸巾，默默地看着她，心想，这又是一个失去孩子的可怜人。

彭琼说："小毛被人抢走了，我傻呀，真的怪我。我要不傻，冲过去抢回孩子，喊叫，也许他就抢不走我儿子了，当时那里有不少人；可是，我却发呆了，我从来没有经历过这样的事情，不知道怎么办，只知道傻傻地站在那里，让他把小毛抱走。我悔恨交加，已经那么长时间了，儿子一点消息都没有。宗琼恨我，我没有办法不让他恨我，除非找回小毛。他是个大学教授，但是恨起来还是那么地狠，他打我，用脚踹我下身，我痛得在地上直打滚，他还是踹我，不顾一切地踹我，说我是个没有用的东西，连自己的儿子都看不住。他在外面人模狗样，也不见他着急，也不见他用心地找儿子，该上课还是去上课。我不知道他在给学生讲课讲得唾沫横飞时，心里有没有想到过小毛。每天晚上，他就打我，打到他累为止。刚开始，我让他打，因为都是我的错，我想他应该发泄，就让他发泄。我请了两个月的假，到处去找儿子。但我没有能够把儿子找回来。他开始变本加厉地打我，有天晚上，还踢断了我的两根肋骨。他真狠呀，他还是个大学教授，怎么就能对自己的妻子下得了手？他打完我，送我去医院时，还文质彬彬的，好像什么事情都没有发生，好像打我的是别人。而且他还对医生撒谎，说我的肋骨是摔断的；甚至在给我爸爸妈妈打电话的时候，也说是我自己不小心摔伤的。我忍耐着，错在我，所以我忍耐，傻在我，所以我忍耐。"

彭琼又擦了擦眼泪。

朱文远说："太难为你了。"

彭琼接着说："自从小毛被人贩子抢走，这么长时间以来，他除了打我，从来就没有对我说过一句好话，还在我爸爸妈妈面前恶人先告状，说我胡搅蛮缠，家也不要了。爸爸妈妈相信他，而对我的话根本就不相信。爸爸妈妈都会站在他这一边，可见他多么会演戏，他不去当演员真是太可惜了。爸爸妈妈训斥我，骂我，让我跟他好好过。他们根本就不晓得他对我有多残忍，我不是他妻子，而是他的敌人。后来，他终于不打我了。我以为他良心发现了，其实不是这样，他哪有什么良心哪。他搬出去住了，听说和一个女学生好上了。我去找他，他倒是坦白，直接说是的，我是有别的女人了，她比你聪明，以后给我生了儿子，一定不会被别人抢走。我说，我要是找回儿子，你还要不要我们。他冷笑着说，就你那傻样，还能找回儿子？你什么时候把自己丢了都不知道。我说，我要能把儿子找回来呢？他说，你慢慢找吧，找回来再说。于是我千方百计地寻找儿子，可是到现在也没有找到。我心力交瘁，多么希望他能够回家来，安慰我，像从前那样爱我，疼我。但这只是我的幻想，傻傻的幻想。前几天的一个晚上，他回来了。我很高兴，他终于回家来了。可他一进门，面对我的热情，却冷冷地说，我们还是离婚吧，你找你的儿子，我找我的新生活，这个家已经是个坟墓，我不可能把自己埋在这个坟墓里。他的话多么恶毒呀！我说，我不离。他说，由不得你。他逼我在离婚协议书上签字，我不签，他就要打我。我的确被他打怕了，想起被打的疼痛，我就在离婚协议书上签了字。我签完字，他就走了，走前他说，这房子我不要了，就归你吧。我什么都没有了，要这个房子有什么意义。要命的是，我爸爸妈妈听说我离婚后，居然说我不争气，丢了他们的脸，说白养了我，再也不想见到我了，也和我断绝了关系。我已然一无所有，读了那么多年的书有什么用，到头来还是一无所有，我活着还有什么意思？你说，我活着还有什么意思？"

朱文远叹了口气。

彭琼说："对不起，天都快亮了，害你一晚没有睡觉。"

朱文远说："你应该活着。"

彭琼说："为什么？"

朱文远说："小毛需要你。"

彭琼说："可是，可是他——"

朱文远说："假如某天，他被解救了，回来却发现爸爸不要他了，妈妈也死了，他该怎么办？你就忍心让他痛苦地活着？他还需要你的爱，母爱，刻骨铭心的母爱。无论他在哪里，他都不会忘记你给予他的爱。为了他，你不能死。我相信，总有一天，他会回到你的怀抱，你必须等待，必须继续寻找儿子。"

彭琼说："谢谢你，把我从死神手中抢回来；谢谢你，给了我活下去的理由和信心。"

朱文远说："只要你信任我，我也会帮助你寻找小毛的；而且，你可以对我倾诉，我会一直当你的忠实听众。"

从那以后，他们就成了好朋友。

朱文远发现，碰见彭琼，是他的缘分。

5

为了星期六的那个活动，朱文远作了充分的准备。

这个周六，是彭琼儿子宗小毛的生日。在一个深夜，彭琼梦见了宗小毛，宗小毛回来了，他搂着她的脖子，在她脸上亲吻了一下，笑着说："妈妈，我生日时，给我买个大大的蛋糕，好吗？"彭琼答应了他。可美梦醒来是黑夜，这比噩梦还让她难受。她流着泪给朱文远打电话，告诉他刚刚的梦境，告诉他自己内心的哀伤以及对儿子的刻骨思念。朱文远安慰着她，和她说着话。自从朱文远救下她之后，她经常在深夜给他打电话，吐露心中的苦闷和伤感。朱文远用语言抚慰着她的心灵，让她渐渐地有了希望，有了活下去的勇气。他们商量好了，无论如何，要给宗小毛过生日。彭琼提议，要在公共场所给小毛过生日，并且在现场散发寻找小毛的《寻人启事》。朱文远觉得她的提议很好，就着手操办起来。他也想借此机会，让更多的人知道人贩子的危害，保护好自己的孩子。

朱文远在网上看到了一份警方发布的《儿童防拐攻略》，觉得不错，准备和宗小毛、张小丽、杨思奇的《寻人启事》一起在周六的生日活动中散发。

星期六这天，朱文远起了个大早，洗了个热水澡，准备出发。出发前，他给胡敏打了个电话，问她《寻人启事》和《儿童防拐攻略》准备好没有。胡敏说，都印好了，放心吧。他紧接着给蛋糕店打电话，要求定做的蛋糕必须准时送到指定地点。蛋糕店的人表示没有任何问题。他又给熟悉的媒体朋友打电话，让他们一定要来现场采访。他还给杨光明打电话，要他带张森及时赶到现场。打完电话，朱文远就出了家门，开车去接彭琼。

彭琼上了车，坐在副驾驶位置。

她戴着墨镜，朱文远知道她的眼睛又红肿了，她肯定又哭了一个晚上，因为思念儿子。

朱文远说："琼，你心里作好准备没有？今天你要面对很多人。"

彭琼说："放心，我准备好了。"

朱文远说："这就好，今天的活动意义非凡，你一定要控制自己的情绪。"

彭琼说："我听你的。"

……

上午十点钟左右，一个直径一米的三层大蛋糕送到了中山公园大门里面的小广场上。蛋糕最上面一层用红色奶油写着："爱儿宗小毛生日快乐"。蛋糕的第二层写着："小毛，妈妈永远爱你，等着你早日回家"。最底下一层写着："全民关注被拐卖孩子，让世界充满爱，让孩子们有个温暖的家"。

这时，巨形蛋糕的周围已经围拢了很多人，很多市民还在陆续赶来，纷纷加入围观的人群。朱文远抱着厚厚一摞宗小毛的《寻人启事》，分发给市民们。胡敏抱着厚厚的一摞《儿童防拐攻略》，分发给市民们。杨光明和张森也各自抱着一大摞自己孩子的《寻人启事》，分发给市民们。

十一点半，蛋糕周围围满了人。

宗小毛的生日仪式开始。

彭琼在蛋糕上插上了三根蜡烛。

她说："小毛，无论你在哪里，妈妈都会祝福你；无论你今天能不能够吃上生日蛋糕，妈妈都要在这里给你送去祝福。小毛，今天很多爷爷奶奶、叔叔阿姨、哥哥姐姐、弟弟妹妹在这里，一起给你过生日，你感觉到了吗？小毛。"

在场的人听着她的话，心里都很难过，泪点低的人还流下了泪水。

彭琼吹灭蜡烛，说："小毛，妈妈替你吹蜡烛了，你许个愿吧。妈妈也许个愿，妈妈的愿望你知道的，你一定知道的，妈妈等你回家。"

彭琼摘下眼镜，擦了擦眼睛，然后又戴上眼镜。

她又说："小毛被人抢走了，我傻呀，真的怪我。我要不傻，冲过去抢回孩子，喊叫，也许他就抢不走我儿子了，当时那里有不少人；可是，我却发呆了，我从来没有经历过这样的事情，不知道怎么办，只知道傻傻地站在那里，让他把小毛抱走。我悔恨交加，已经那么长时间了，儿子一点消息都没有……"

彭琼说完孩子的被抢经过，有些围观的妇女已经泣不成声了。

彭琼说："今天是我儿子宗小毛三周岁生日，作为妈妈，我不能当面给他过生日，只能用这种方式来祝福。让大家分享我儿子的生日蛋糕，我除了想对儿子表达祝福和思念，还想提醒在场的所有人，看好自己的孩子，不要让这样的悲剧发生在你们自己身上；也希望社会上的好心人，能够帮我们找回孩子。在这里，我向大家鞠躬。"

彭琼向在场的人们鞠躬。

然后，她拿起刀，切蛋糕，分发给大家吃。

人们很有次序地排起了长队，到彭琼面前领蛋糕，没有拿到《寻人启事》和《儿童防拐攻略》的人，朱文远他们就会在一旁递上。每个领到蛋糕的人，都祝福彭琼，表示要帮助她寻找儿子。彭琼的内心感动而温暖，她发自肺腑地感谢这些来参加儿子生日的人们。

6

晚上，朱文远回到家中，打开电脑，进入微博，发现自己白天发的关于宗小毛生日的微博在网上反响十分强烈，大部分网友都认为这是很好的一次活动，既能够让市民们参与救助被拐儿童，也可以提醒市民提高警惕，看护好自己的孩子。也有部分网民说这是一次炒作，还指责他们拿自己被拐卖的孩子炒作是不人道的。朱文远觉得，有争论是好事情，可以让事情传播给更多的人，引起更多人的关注。朱文远从来都不怕指责、质疑或是谩骂，他觉得只要对得起自己的良心，真心地帮助被拐孩童，他可以承受一切。

他看到了一条私信。

这条私信让他激动不已。

他经常把公安部通缉的人贩子的照片和资料发在自己的微博上，希望让这些人贩子无可逃遁。一年前，他就发过江西女人贩子钟秀珍的通缉令。这条私信说发现了钟秀珍的行踪。发私信的人是朱文远"让孩子回家"活动的志愿者，也是个背包客，他的生活方式是工作一年，然后再旅行一年，所以他经常在一些偏远的、还没有开发旅游业的地方游走。他在信里告诉朱文远，此时，他正在贵州金沙的山里，到了一个十几户人家的偏远山村，发现了一个妇女，特别像钟秀珍。可是她的面部特征有一点对不上号，因为通缉令上的钟秀珍左眼角有颗黑痣，而这个妇女没有，所以尽管其他特征都十分相像，他还是不敢贸然报警，怕冤枉了好人。他本想在此住下仔

116

细调查一番，不料生了病，只好偷偷拍下她的照片，匆匆离开。

朱文远如获至宝，让他把照片发给自己，决定亲自前往调查。

这个钟秀珍罪大恶极，多年来拐卖了上百名儿童，足迹遍及上海等全国十几个省市，甚至连她自己村里的孩子都不放过。

如果在调查中能确认这个妇女就是钟秀珍，他会马上报警将她抓获，不仅为民除害，而且还可以通过她，解救很多被拐孩童，那真是功德无量的事情。

他准备过两天，干完手中的活，就请假前往贵州金沙。

第五章

他差点手刃那个畜生

1

李妙和罗小武乘火车到达上海时，已经是深夜了，他们先找了家快捷酒店住下，准备天亮后再去樟树街派出所，希望能得到他们的配合。李妙洗了个澡，躺在床上，给母亲打了个电话。

母亲还没有睡，正等着女儿的电话。

李妙说："妈，我到上海了，刚刚住下来，你就放心睡觉吧。"

母亲说："小妙，每次你出差，我都特别担心。"

李妙说："妈，我不是小时候的那个小妙了，你真的不用担心了，我会安全回来的。"

母亲说："其实他也很担心你的。"

李妙知道她想要说什么，说："妈，你不要提他好吗？"

母亲说："当着你的面，我不敢说；可是，很多话，憋在我心里，真的很难受，我想说出来。这么多年过去了，我要再不说出来，也许就真的晚了。多少次，我鼓足了勇气想把一切真相告诉你，可是，话到嘴边又咽了回去。"

李妙听出了母亲的伤感，她不想让母亲伤感，从来都不想，母亲为她付出了一切。她考虑了一会，说："妈，你说吧，我听着就是了。"

母亲说："可是，我说出来后，又怕你接受不了，给你增加负担，我有苦难言。"

李妙说："妈，你说吧，没事的，我现在的心理承受能力已经很强大了。"

母亲说："其实，你爸不像你想的那么邪恶。他是经常打我，也打骂过你。可你想想，在他没有喝酒的时候，打过妈妈吗，打骂过你吗？没有，真的没有。他辛辛苦苦地在工厂做工，每天起早贪黑，为了养家糊口，尽心尽力。在我生下你之前，他从来没有碰过我一根手指头，也没有骂过我一句，对我好得不得了——晚上睡觉前，连洗脚水都给我打好了。他是个老实人，在厂里、在社会上，很少和别人红脸。我想告诉你的是，你爸心里有个坎，老过不去。那就是生了你，你是个女儿，可他希望有个儿子。结婚后，他常常说，要是有个儿子就好了。看到别人的儿子，他羡慕得很，经常去抱别人的孩子。我怀孕后，他高兴坏了，说一定是个儿子。他还去算过命，说肯定能生个儿子。他还到处跟人说，他老婆怀的是儿子。说心里话，我也想替他生个儿子，可没有想到生下了个女儿。生下你的那天，我十分担心，担心你爸受不了。那天晚上，他出去喝了酒，很少喝酒的他出去喝了酒。回来后，他什么也没有说，只是唉声叹气。我抱着你，对他说，等孩子大点再给你生个男孩。他还是什么也没有说。我晓得他心里不好受。我没有办法让他开心。在你一岁之前，他也没有动手打过我，只是喝完酒后，会骂骂咧咧，说他在外人面前抬不起头，外人笑话他，因为他说过肯定生儿子。他是个要面子的人，受不了外人的嘲笑，只好去喝酒浇愁。我理解他，所以就算他骂我，我也不吭气。后来，他想让我再生个孩子，希望是个男孩，结果他找厂里计生办要二胎指标时，被计生办的人顶回来了。计生办的人说，批准生二胎是不可能的，要生的话，就开除公职，没有什么好说的。你想想，他要是开除公职了，我们一家吃什么，还有你爷爷奶奶谁来养活。那个晚上，他喝酒后打了我，边打边说，我们家三代单传，为什么会到我这里断了根！这是他的心结。我没有办法解开他的心结，所以只能任他打骂。有时我会说，女儿也是后代，怎么就断子绝孙了，现在什么年代了，你还这老观念。可他从不理会我的话，就只认他的死理。小妙，你还记得吗？他不喝酒的时候，也常常带你出去玩，给你买东西吃。也许你都不记得了，你记得的都是他打骂我的情景。这不怪你，换上谁，都会留下这样的记忆。可是这样对他不公平，真的不公平。他不是你想象中的坏人。你晓得吗？你被人贩子拐走之后，他也很痛苦，到处找你。那段时间，他没有打我，也没有骂我，只是唉声叹气。不过有一件事情，他的确混蛋，因为他想既然找不到你了，这下总可以再生个孩子了吧。可是计生办还是没有批，计生办说如果女儿死了，那就可以生，问题是没有你的死亡证明。你回来后，他就死了心，又喝上酒了，又开始打骂我了，还打骂你。这都是他糊涂的地方。为了你，我和他提出了离婚，但这是假离婚。小妙，你晓得吗？我们是假离婚。他不想让你再受到伤害，所以才同意假离婚的。我们俩经常偷偷地在一起，他也经常偷偷地看你，躲在你上学和放学的路上偷看你。你上学的钱，大部分是他给的。看着你长大成人，当了警察，他很开心，也开始反思自己过去的野蛮行为，而且后悔死了。不知道有多少回，他对我说，要是你能够喊他一声爸爸，陪他吃上一顿饭，他睡着了都会笑醒。可是你恨他，他的愿望很难实现。小妙，如今他得了癌症，希望在死前，能够见你一面。他说他可以向你认错，只要你能够去看他。他让我求你，让你舅舅和你说。我不想让你难过，也不想让他死不瞑目，两难哪。医生说他本来活不了几天了的，可到现在还活着，也许是心里还有未了的心愿。我晓得他心里想什么，就是死前希望能够见你一面。话说到这里了，我也不妨直说了，我从来没有求过你什么，只求你能够早点回来，见你爸一面吧。你就是要我向你下跪，我也愿意。小妙，无论过去他怎么样伤害过你，看在我的面子上，看在他是你亲生父亲的份上，求你早日回来见他一面。好吗？小妙。"

李妙泪流满面。

她无法接受母亲说的话。

那畜生一样的父亲一定被善良的母亲美化了。

但是，她又对母亲的话有几分相信。

李妙内心痛苦极了，充满了矛盾。

挂了电话后，李妙躺在床上，脑海里在搜寻着父亲的好，可浮现出来的，都是父亲凶神恶煞的模样。

她无法安睡。

2

第二天早上，李妙起床后和罗小武去吃早饭。她发现罗小武脸色苍白，脸好像瘦了一圈。李妙说："罗哥，你怎么了？那么憔悴，眼睛也无神。"罗小武笑了笑说："别提了，昨天晚上拉了一夜的肚子，都拉虚脱了。"李妙说："你怎么不和我说呢？"罗小武说："打过你手机，发现一直在通话中，就没再打了。"李妙说："那是我妈在和我说话，罗哥，现在怎么样了？"罗小武说："夜里，我自己出去到药店买了点黄连素，吃了之后好像好些了。"李妙说："真替你担心，你要是出问题，我怎么办？"罗小武说："放心吧，就是我有什么问题，你也可以完成任务的。"李妙说："罗哥太抬举我了。"罗小武说："看你神色也不是很好，是不是有心思了？"李妙说："跟我妈打了很长时间的电话，打完电话想了很多问题，一夜没睡。"罗小武说："这样不好，出来办案，一定要休息好，我是没有办法，可能在火车上吃坏肚子了。"李妙说："我知道了。"

他们吃完早饭，罗小武回房间去放空了一下肚子，然后他们就去了樟树街派出所。

张所长接待了他们。

他们寒暄了会儿，谈话就切入了正题。

李妙说："我们根据线报，掌握了通缉犯钟秀珍的一些情况，其中一

124

些情况和你们辖区的一个人有关。那个人叫陆大安，化名高亮、高明等，很长时间里，他都和钟秀珍姘居。最近，我们得到消息，他已经潜回上海，不知道钟秀珍会不会和他一起到上海来。我们想尽快找到陆大安，抓住了陆大安，就可能抓住钟秀珍。"

张所长听到"高亮"两个字，眼睛一亮，说："你们能够说说陆大安的外貌特征吗？"

罗小武说："他……不行……对不起，我先上趟卫生间，小妙，你跟张所长说吧。"

他急匆匆地跑卫生间去了。

李妙说："对不起，张所长，他拉了一个晚上的肚子，还没完全好。"

张所长笑了笑，说："没有关系，没有关系，你说说陆大安的外貌特征吧。"

李妙说："知情人说，陆大安是个瘦子，身高在一米八左右，刀条脸，偏黑。"

张所长说："我想想，对了，这个特征和我们一直在找的一个人贩子很像。五年前，他在蓓蕾幼儿园拐走过一个叫杨思奇的男孩。"

李妙说："他的确是个人贩子，和钟秀珍一起作案多起。"

张所长叫了声："李游，你进来一下。"

一个年轻警察走了进来。

张所长说："李游，你去查一下陆大安的户籍，调出此人的所有资料。"

李游说："好的。"

张所长说："如果这个陆大安真的就是那个高亮，那真是帮了我们大忙了。"

李妙说："怎么说？"

张所长说："要是他是高亮，抓住他，就可以找回那个被拐卖的男孩，这样对他父亲杨光明也有个交代。杨光明经常来找我要儿子，还冲我发火。我很同情他，儿子被拐了，妻子也疯了，一个家就这样毁了。我希望能够抓住人贩子，把他儿子解救出来。"

李妙说："唉，天下被拐的家庭都是相似的，可怜天下父母心哪。"

李游很快就把陆大安的资料拿过来了。

陆大安的户籍所在地是漕龙路13弄7栋203室。

张所长知道，那是一片老公房。他马上安排李游带上两个警察和李妙他们一起前去找陆大安。有了具体的目标和地址，李妙仿佛看到了希望。罗小武看来是不行了，李妙让他赶紧去医院看看，罗小武自己也坚持不住了，就先去了医院。

李游开着警车，带李妙来到了目的地。

那片老公房很旧了，据说很快就要拆迁了。

警车开进小区时，小区里的老头老太太们都投来异样的目光。

他们很快找到了7栋，这是一栋五层高的楼，这个小区每栋楼都是这个高度。楼的确很旧，外墙斑驳，看上去就像回到了上世纪七十年代。他们进入楼道，楼道黑乎乎的，有股发霉的怪味。他们走上楼梯，来到了203室门口。

李游敲门。

里面没有一点动静。

他又敲门，还是没有动静。

这时，202的门开了，出来一个矮个子干枯的老头，他脸上一点肉都没有，只剩一层皱巴巴的老皮。他说："你们干什么？"李游说："我们找陆大安，他在吗？"老头说："陆大安呀，早上起床就出去了。"李游说："你知道他干什么工作的吗？"老人说："他有什么工作？除了赌还是赌，而且经常不在家，一出去就几个月不见人影。有一回，两年都没有回家。"李游说："你知道他会到哪里去吗？"老头说："鬼知道这个人去哪里，我们不知道。有时他会跑到我家里来吹牛，说在广东福建做大生意。我们想，做大生意还住在这里，这不骗人吗？所以我们都不相信他的鬼话，有人说他经常借债赌博，也经常输得精光。他经常几个月不回家，要说是是

126

躲赌债去了，这我们相信。"李游说："你有没有看他带过小孩回家？"老头说："小孩？没有，他哪有小孩，光棍一条，怎么会有小孩。我想起来了，有那么几天，他倒是带回来一个女人，矮矮胖胖的、脸圆圆的，看上去慈眉善目的。我们以为他有老婆了，还说这小子出息了，没想到那女人走了后就再没有回来过。"李妙心里想，那个女人一定是钟秀珍，看来有眉目了，必须找到陆大安，抓住他能够打开一扇抓住钟秀珍的门。李游说："陆大安今天会回来吗？"老头说："应该会吧，早上我去买油条豆浆，碰到他出去，他没有提箱子，估计不是出远门，他要是出远门，会提个皮箱走的。"李游说："谢谢你，大爷。"老头说："你们找他干什么？他犯法了吗？"李游说："我们找他了解些情况。"老头说："这小子干什么都有可能，不是什么好东西。我不问了，你们继续去找他吧，我要睡觉去了，老了，不中用了。"

老头重重地关上了门。

现在到哪里去找陆大安？

他们决定，就在小区里蹲守，一旦陆大安出现，就实施抓捕。

3

张森在这个城市里四处寻找女儿，像条寻找家的狗，东嗅嗅，西嗅嗅。只要看到有乞讨的女孩子，他就会凑上去，仔细端详她的眼睛，试图从她的眼睛里读出那一丝血脉相承的光亮，今天也碰见了一个，可惜他看到的是暗淡、迷惑之瞳。也许，这也是个被拐之人，她的父母也在苦苦寻找。他问她说："你怎么不回家？"女孩儿茫然地看着他，无语。她不知道家是什么。张森不敢再和她对视，他的心会被她的眼神杀伤，他会想到茫然无助的女儿，想到她还在苦难之中漂泊。他得继续找下去，直到找到心爱的女儿为止，只要找到她，就带她坐飞机回家。

杨光明和张森不一样，他还是找了个幼儿园蹲守。

　　下午三点钟，杨光明躲在离阳光幼儿园不远处的一个角落里，看着幼儿园大门外发生的一切。

　　三点四十分左右，接孩子的家长们陆陆续续地来到幼儿园门口，等着接孩子回家。

　　这虽然是一条小路，但却人来人往，不时有车驶过。杨光明睁大眼睛，搜索着可疑之人。突然，一个瘦高的身影出现在他眼中。他的心脏狂乱地跳动，受不了了，会不会心肌梗死死去？不能这样死去！他稍稍安了下心，继续观察。没错，这个瘦高个，就是他找了五年的人，那个谎称叫高亮的家伙。

　　他的手伸进了帆布包，摸到了刀柄。

　　高亮走到一个游离于人群之外的老头面前，老头虽然满头白发，却十分精神，满脸红光的样子。老头在抽烟。高亮右手的食指和中指上也夹着一根烟，走到老头面前，借火。老头把火机递给他，高亮点燃香烟后，又将火机递还给老头。然后，他们俩就攀谈起来。不一会，两人就有说有笑了，看上去谈得十分愉快。

　　杨光明虽然听不到他们说话的声音，却知道他们在谈什么。

　　高亮是在故伎重演。

　　杨光明的怒火在胸中燃烧。

　　他真想马上就冲过去，手刃了这个恶贼。

　　杨光明压制住胸中熊熊燃烧的怒火，等待时机，要是现在贸然提刀冲上去，那么多家长以及幼儿园的保安在场，他很难有胜算，而且他和高亮隔着一百米左右的距离，冲过去时难免被他发现，让他逃走。要找一个合适的地方将他堵住，然后杀了他。杨光明心里已经杀了高亮无数次了，而且每一刀都直插他的心脏。现在，那恶贼就在视线之中，杨光明绝对不会放过他。

　　时间到了，老头去接孩子了。

老头接到一个小男孩，小男孩长得虎头虎脑，让杨光明想到了儿子。如今，高亮又要向这个孩子下毒手了，要不是他，也许过几天，这个孩子就会消失在上海，不知道被卖到哪里去了，那老头就会陷入万劫不复的黑暗之中，那个家庭也因此而支离破碎。老头带着孩子路过高亮面前时，他们说了些什么。

老头带着小男孩走后，高亮点燃了一根烟，转身就走。

他自己有火机的，借火就是他的手段。

杨光明恨自己当初那么轻易地上了他的当，心甘情愿地钻进了他设计好的圈套。杨光明咬牙切齿地说："今天，我要复仇了，我必须让你死！"

他跟了上去。

高亮走出这条小路的过程中，杨光明没有找到下手的机会。

但是，杨光明已经盯住了他，不可能让他逃脱。

高亮来到大街旁边，拦下一辆的士，上了车。

杨光明也拦了辆的士，对司机说："给我跟紧前面那辆红色的的士。"

司机开着车，紧紧地咬住了前面的红色的士。

杨光明也目不转睛地盯着那辆红色的士，他的眼中冒着火，愤怒使他的身体微微发抖。

他的右手还没有从帆布包里抽出，一直紧紧地握住刀柄，手心冒出的汗水让刀柄都湿了。

司机说："你是警察？"

杨光明说："别管我是谁，给我盯紧了！要是跟丢了，没你好果子吃。"

司机见他满脸杀气，就不敢说话了。

红色的士拐进了漕龙路，停在了路边。高亮下了车，往旁边的一家棋牌室走去。杨光明也下了车，跟在他后面。高亮进入了棋牌室。杨光明也跟了进去。他发现高亮进了个包房。他怕被高亮发现，就出了棋牌室的门，在门口守着，只要他出来，就冲上去捅死他。等了两个多小时，天快黑了，也不见高亮出来。他又走进棋牌室，问棋牌室有没有后门可走，得到的回答是没有后门。杨光明这才放心，继续在门口蹲守。

又过了一个多小时，高亮才走出棋牌室的门。

遗憾的是，和他一起走出来的还有三个人，那三个人看上去就不是什么好东西，一个个都是瘪三样。杨光明无从下手，怕高亮发现自己，打草惊蛇，所以赶紧转过了身，不让高亮看到自己的脸。高亮也没有注意他，而是和同伙有说有笑地走进了棋牌室边上的苏州面馆。杨光明无奈，只好守在苏州面馆外面。

他们吃完面，出来后，那三个人一起走了，高亮单独一人朝不远处的一片老公房走去。路上行人很多，杨光明不好下手，要等高亮走到人少的地方后，他才能下手，保证自己能够一刀插进高亮的心脏。

高亮走进了小区。

杨光明觉得机会来了，小区里根本就没有什么人，门口的保安正在门岗里吃饭。

他冲了过去。

高亮听到急促的脚步声，机警地回了一下头，杨光明已经冲到了跟前。

杨光明一手死死抓住了高亮的衣领，另外一只手掏出了刀。

他正要把锋利的刀捅进高亮的心脏，几个警察不知从什么地方冒了出来。警察中只有那个女警他不认识，其他都认识，是樟树街派出所的。

李游高声说："杨光明，放下刀。"

杨光明拿刀的手在颤抖。

高亮也吓坏了，浑身发抖，连声说："别杀我，别杀我。"

杨光明喊叫道："我要杀了你，你害得我好惨！"

李游说："你想想，你要把他杀了，你儿子就没有办法找到了。杨光明，你不要赌一时之气，却真正地毁了自己。"

高亮也说："你放了我，我带你去找你儿子，我知道他在哪里。"

杨光明听了这些话，想起儿子，心里像被什么东西击中了。不光儿子，还有还在精神病院的妻子，都等着他接他们回家。他正在迟疑的时候，李游示意另外两个男警察过去制服杨光明。两个男警察还没有行动，只见李妙迅猛地扑过去，飞起一脚踢掉了杨光明手中的刀。他们扑过去，按住了高亮和杨光明。李游掏出手铐，铐住了高亮的双手。两个警察扭住了杨光明的双手。杨光明挣扎着，大声说："放开我，放开我，让我杀了这个畜生！"李游说："放开他吧。"两个警察松了手。

杨光明说："你们这些警察是干什么吃的？我找了他五年，终于找到他了，你们却出来了，你们干什么吃的？这五年，你们到底出了多少力？"

李游说："杨先生，人已经抓住了，你说我们什么都没有关系。我只希望能够尽快找到你儿子，让你们一家人团聚。"

4

陆大安说："那些孩子在我眼里，就像是菜市场的鸡鸭，只要被我拐到手了，就可以随便买卖了。"

在审讯室里，李妙听了他的话，恨不得一脚把他踹死。

她十分理解杨光明，她要是杨光明，也会想杀了这个狗东西。

李妙拿出钟秀珍的照片，给他看，问他："你认识这个女人吗？"

陆大安瞥了一眼，说："不认识。"

李游说："陆大安，你给我说实话，认不认识这个女人？"

陆大安说："我说实话，不认识。我不骗你们，真的不认识，杨光明的儿子被卖到哪里我已经招了，我够老实了。我总不能对你们说谎吧？把不认识的人也说成认识。"

其实他是怕招出钟秀珍后，牵出他和钟秀珍一起拐卖儿童的事情，罪上加罪，所以自始至终他只承认拐卖过杨思奇一个人。"

李游冷笑了一声说："我看你是不见棺材不掉泪，实话告诉你吧，你的一切情况我们已经掌握得清清楚楚。你非但不止拐卖过杨思奇一个人，而且你和钟秀珍姘居的事情也是有人证的。要不要把你的邻居老头叫来指证你？你曾经带钟秀珍回家住过的那几天，老头可什么都看在眼里了。你还敢说你不认识钟秀珍？"

陆大安低下了头，说："认识。"

李妙说："钟秀珍有没有和你一起回上海？"

陆大安说："没有，真的没有。我实话实说，我们一年前就不在一起了，她干她的，我干我的。她被全国通缉后，我就想办法甩开了她。我知道和她在一起十分危险。我和她在一起，只是一起合作搞钱，她长成那样，我不可能喜欢她，也不可能陪着她等着被你们抓。我已经一年没有见过她了。半年前，她给我打过一个电话，说她在武汉有桩生意，要我过去和她一起做，我没有理她，以后她就再也没有联系过我。"

李游说："你说的都是真的？"

陆大安说："我说的是真的，我敢发誓，如果说假话，出门就被车撞死。"

李游冷冷地说："你以为现在还能自由地走出派出所的门吗？"

陆大安不说话了。

……

李妙回到宾馆，闷闷不乐。她先来到了罗小武的房间。罗小武半躺在床上，半死不活的样子。他是得了急性肠炎，在医院挂了一天吊瓶。李妙说："好些了吗？"罗小武说："好些了。奇怪了，我平常身体很好的，怎么到关键时候就拉稀了。"李妙说："别这么说，好好养病吧。"罗小武说："陆大安抓住了吗？"李妙点了点头。罗小武说："看你的神色，事情进展受阻了？"李妙说："钟秀珍根本就没有和陆大安回上海，据他的供述，他们一年前就分道扬镳了，他也不清楚现在钟秀珍的去向。"罗小武说："陆大安是不是说谎？"李妙说："不像是说谎。"罗小武说："钟秀珍不在上海，那她会在哪里？"李妙说："是呀，她会在哪里？"罗小武说："既然这样，我们还是先回赣南吧，待在这里也不是个事。"

李妙说："你的身体吃得消吗？是不是休养两天再走？"

罗小武说："没有问题。"

李妙说："我心里不好受。"

罗小武说："我理解，别难过了，小妙。任何事情都不是一帆风顺的，你已经尽力了，不要责备自己了。"

李妙说："只要钟秀珍在逃一天，我心里就不会好受。"

罗小武说："别想太多了，快回去休息吧，这一天也够辛苦的了，何况你昨晚一夜没睡。"

就在这时，李游打来了电话，要李妙赶快到派出所去一趟，有新的情况出现，是关于钟秀珍的。听到这个消息，李妙一下子来了精神，像打了鸡血一样，跳起来，冲出了罗小武房间的门。

罗小武看着她离开，陷入了沉思。

5

回到家里，杨光明失声痛哭。

他不知道自己是高兴地哭还是悲伤地哭，五年的痛苦折磨到底意味着什么？杨光明的痛哭是发泄，是内心积郁的释放。但是这种发泄和释放会不会太早？因为儿子还没有回归，妻子也还在精神病院。他不知道，却只晓得今夜必须哭，痛哭！

这是一个饱经沧桑的男人的痛哭。

张森坐在他旁边，看着他痛哭，什么话也说不出来，只是把纸巾一张张递给他，让他擦眼泪和鼻涕。张森得知他的儿子有眉目了，打心眼里替他高兴。看着杨光明痛哭，张森想，如果有女儿的消息了，自己会不会也像他一样痛哭？他不知道，因为此时，他们两人的心境毕竟已经不同。如果说杨光明已经看到了曙光，张森却还仍然在漆黑的夜里摸索着，光明在哪里对他而言还是未知。

杨光明的痛哭像是止不住了。

张森也不知所措了。

他想起了朱文远。

张森拨通了他的手机，说："猪猪，你赶快到杨光明家里来。"

朱文远说："发生什么事情了？"

张森说："你听到他的哭声了吗？"

朱文远说："听到了，到底发生什么事情了？"

张森说："你赶紧过来吧，过来劝劝他，让他别哭了，我没有办法制止他，让他不哭。"

朱文远说："好，好，我马上过来，我让胡敏和彭琼都过来劝他。"

张森说："那太好了，太好了。"

张森刚刚挂了电话，杨光明的哭声就戛然而止。这让张森特别意外，愣愣地望着杨光明。杨光明去洗了把脸，走出来，喝了一大杯水，然后说："兄弟，吓着你了吧？"张森缓过神来，说："有点。"杨光明说："我心里堵得慌，吼出来，好受点了。"张森说："我理解。"杨光明说："你刚才给猪猪打电话了？"张森说："是的，本来我想让他来劝你的，我嘴笨，不会说话。"杨光明说："也好，我本来也要告诉他这个消息的。"

朱文远和彭琼以及胡敏都来了。

听到陆大安被抓获，并且供出杨思奇的下落，朱文远叹了口气，思奇终于有希望回家了，光明兄这些年受的苦也该到头了。

胡敏的眼睛红了，忍不住落下了泪水，她说："不知道思奇现在怎么样了，不知道他见到我还认不认识我，他会不会恨我？"

杨光明说："小胡老师，你别自责了，是我们连累了你，主要问题还是出在我自己身上，思奇怎么会恨你呢。"

胡敏说："你什么时候出发去接思奇回来？"

杨光明说："明天，明天去。"

胡敏说："我和你们一起去，人贩子从我手中拐走了思奇，我要去把他接回来。"

杨光明说："好吧，一起去。"

张森和彭琼坐在那里，没有说话，他们的内心都十分羡慕杨光明，希望自己的孩子也能够尽快找到。

胡敏问朱文远："猪猪，你什么时候去贵州？"

朱文远说："我买好了明天晚上的火车票。"

杨光明说："你去贵州干什么？"

朱文远说："去查一个叫钟秀珍的人贩子。"

杨光明说："钟秀珍？"

朱文远说："是的，钟秀珍。"

杨光明说："这个钟秀珍好像和陆大安有关系。我在派出所听从赣南来的那个女警察说过，那女警察好像也是来抓钟秀珍的。"

朱文远说："没错，钟秀珍是赣南人。"

杨光明说："我在派出所见过钟秀珍的照片。你有钟秀珍的照片吗？我看看，是不是同一个人。"

朱文远说："有的，我给你看。"

他从包里拿出一张女人的照片，递给杨光明。杨光明看了看，说："真像，就是这个女人的眼角少了一颗黑痣。"

张森凑过来，看了看那照片中的女人，说："黑痣，黑痣，女人眼角的黑痣。"

朱文远说："张森，你怎么了。"

张森说："当时，我们一家从东莞坐大巴到广州时，我们前面坐着一男一女，女的和照片中的女人很像。他们还回过头来和我们说话，夸我女儿长得好看。他们说自己也是到广州火车站，准备乘火车回老家。在火车站广场时，我还见过他们。我怎么没有想到，他们竟然是人贩子，小丽的失踪会不会和他们有关系？我真是个笨蛋，怎么没有想到他们。"

朱文远说："如此巧合？"

张森说："那女人的黑痣，我记得很清楚，不会忘记的。"

杨光明说："既然如此，我看张森兄弟明天和猪猪一起去贵州吧，如果能够证实照片中的女人就是钟秀珍，那么小丽也许就能够找到了。"

朱文远说："是的，一起去吧。"

张森点了点头。

杨光明说："我看还是再和派出所联系一下，把这个情况告诉赣南那个女警，看他们怎么说，他们可能也和你们一起去贵州。看样子，他们也急于找到钟秀珍。"

朱文远说："应该的，赶快给李警官电话吧。"

杨光明给李游电话时，彭琼突然哭了起来。

她边哭边说："小毛被人抢走了，我傻呀，真的怪我。我要不傻，冲过去抢回孩子，喊叫，也许他就抢不走我儿子了，当时那里有不少人，可是我却发呆了，我从来没有经历过这样的事情，不知道怎么办，只知道傻傻地站在那里，让他把小毛抱走。我悔恨交加，已经那么长时间了，儿子一点消息都没有。小毛，你在哪里，你在哪里？"

第六章

被扔下山崖的婴儿

1

清晨，女人起了床，男人还在床上沉睡。她对着镜子梳头，每天早上，她都要把头皮梳得齐整，才开始干这一天需要干的事情。偶尔，她会想起母亲，死去多年的母亲，在她童年时给她梳头的情景。母亲一生都很爱干净，做事十分利索。母亲总是边给她梳头边说："做女人，一定要爱干净，干净遮百丑。"她记住了母亲的话，从小就爱干净，无论在什么时候，都把自己收拾得干净利索。就是现在，她和这个光棍住在这破旧的泥瓦屋里，她也得让自己清清爽爽。

梳头完毕，她看着镜子中的自己，露出了古怪的笑容。

她用食指摸了摸右眼角那一小块淡淡的疤痕，自言自语道："要是一点疤痕都没有就好了，那就完美无缺了。"

女人站起来，走出了房间，来到厨房开始做早饭。

锅里烧上了煮稀饭的水，趁水没有开，她要到村头钱七婆家问点事情。

这是一个十几户人家的小山村，谁在村里放个屁，全村人都可以闻到臭味。女人来到吴七嫂家门口，看见钱七婆在院子里喂鸡，就走了进去。

钱七婆的儿子和儿媳妇都在外面打工，孙子在镇上读初中，家里就剩她一人。平常，钱七婆很喜欢找人说话，拉家常；女人却总躲着她，不愿意说太多的话。钱七婆见女人进来，喜逐颜开："兰妹，你怎么来了，有什么事情吗？"

兰妹心想，我可不是来和你瞎扯淡的。

但她却笑着说："在你家借宿的那个外乡人呢？"

钱七婆说："哦，那个来旅游的小伙子呀？他走了，昨天早上就走了，你找他有什么事情？"

兰妹说："没什么事，没什么事，只是问问。"

钱七婆笑着说："那小伙子人可好了，住了两个晚上，还给了我两百块钱。两百块钱够我用两个月的了。"

兰妹说："真是个好人，他怎么那么快就走了？"

钱七婆说："像是生病了吧。"

兰妹想起一个细节，她那天傍晚从山上下来回家，在村口碰见了他，他盯着自己看了一会儿，神色有点不对。兰妹心里十分警惕，表面上若无其事的样子，进入自己家门时，她回过头瞥了村口一眼，发现他已经不见了。

兰妹说："小伙子没有问什么问题吧？"

钱七婆说："问了很多问题，东拉西扯的，就连他不清楚的树木也问。"

兰妹说："他问过我吗？"

钱七婆想了想，摇了摇头，说："这倒没有问。平白无故的，他问你做什么？他又不想讨你做老婆。"

说完，钱七婆哈哈大笑起来。

兰妹说："死老太婆，笑话我，不和你说了，锅里的水开了。"

钱七婆说："常来玩呀。"

兰妹说："好咧。"

走出钱七婆的家门，她心里稍稍平静了些。自从遇见那个小伙子，她心里就一直很不安，尽管她表面上装得很平静。本来她以为这里是安全的，这里没有外人涉足，没有人会知道她躲在这个叫金鸡村的小山村。半年多了，这还是她第一次发现有外人进入金鸡村，所以特别紧张。"

她告诫自己：无论如何，都要提高警惕，小心驶得万年船。她能够一次次地逃脱警察的抓捕，就是因为她有一颗缜密的心。

这个叫兰妹的女人，就是钟秀珍。

她和陆大安一样，有好几个化名，也有好几个假身份证，兰妹只是她众多的化名之一。

回到家里，锅里的水已经开了。

她往锅里放进淘好的米，用锅铲搅了搅，米不粘锅了，才放下锅铲，蹲在灶膛前，往灶膛里加了两块干柴。

这时，吴四喜起床了，哼哼唧唧地走出房间。他是个将近五十岁的男人，孤独了半辈子，没有想到，会有个女人肯和自己生活。幸福从天而降，让他觉得自己年轻了许多。可是，由于不停地纵欲，他总是腰酸背疼，每天早上起来都像病鬼般哼哼唧唧。

兰妹说："老公，你怎么不再睡会？那么早起床，也没有什么事情。"

吴四喜说："醒了就躺不住了。"

兰妹温柔地说："那你先洗脸刷牙，等我饭菜做好了，伺候你吃。"

吴四喜说："你真是我的好老婆哪！这是祖上积德哪，让我讨到了你这样的好老婆。"

2

说起来，吴四喜能够遇到兰妹，还应该感谢堂叔吴开真。

半年前的一个雨天，吴开真找到吴四喜，说镇上的杀猪佬王二还欠他卖猪的钱，猪已经卖给王二两个多月了，钱却一直没有结清，还差七十多块钱呢。吴四喜知道王二是故意赖账，而堂叔来找自己的目的很明确，是要自己和他一起去镇上要账。因为堂叔怕王二，所以一个人不敢去。

堂叔的两个儿子都出门打工了，家里除了他只剩妇孺和孩童，要不也不会来找吴四喜。吴四喜本来不想去，但是吴开真承诺只要把钱要回来，就给他割一斤猪肉，外加一瓶白酒。吴四喜是个穷光蛋，平常乞死白赖地活着，听说有酒有肉，就动了心，答应了堂叔。

无赖碰到光棍，也没有办法。

吴四喜站在王二的猪肉铺前，怒气冲冲地让王二还钱，还威胁说，如果不还钱，就把王二家房子烧了，或者把王二的孩子弄死，反正他光棍一条，死也不怕。王二虽然无赖，也是有家有口的人，怎么会和吴四喜这个光棍较劲，当下就骂骂咧咧地把钱给了吴开真。吴开真守信，给他割了一斤肉，买了瓶廉价的白酒。

他们俩都心满意足，有说有笑地往回走。

离开镇子，走上了通往金牛村的山路，天上还下着雨。

突然，他们身后传来了急促的脚步声。

有个女人在叫："等等，你们等等——"

他们停住了脚步。

女人追上来，气喘吁吁。她没有打伞，头发和衣服都被雨淋湿了。她钻到吴四喜的伞下，说："大哥，我想和你商量一个事情。"吴四喜见到女人两眼发绿光，说："妹子，什么事情？"女人一副哀怨的样子，还挤出了几滴眼泪。吴开真说："姑娘，莫哭莫哭，有什么事情好好说。"

女人说："我叫兰妹，是江西人。前几年，我跟着丈夫到遵义做生意，没想到我丈夫出车祸死了，生意也败了。屋漏偏逢连夜雨，我儿子也被人贩子拐走了，现在我是没脸回老家了，就靠帮人家钟点工为生。我的命真苦，我以为不回老家就没事，谁知道我父亲跌断了腿，父母就我一个女儿，他们无钱医脚，肯定是要找我的了，我一下子拿不出那么多钱，走投无路，就来到了这里，希望有个人收留我，给我几千块钱寄回去给父亲医脚；另外一方面，也给自己找个家，过安稳日子。你们看，你们这儿有合适的未婚男人介绍给我吗？"

142

吴开真说："还真惨的，难为姑娘了。看来姑娘是找对人了，我侄子吴四喜就一直还没有结婚，我看你慈眉善目的，应该是贤妻良母。"

兰妹羞涩地低下了头。

吴四喜把伞递给兰妹，让她撑着伞。

他把吴开真拉到一边，说："堂叔，你开什么玩笑，不要说几千块钱了，就是几百块钱，我也拿不出来。"

吴开真说："你也不能打一辈子光棍吧。你说我们这地方，有哪个女人肯嫁给你？你看这姑娘，看上去也就三十出头，有模有样的，又富态，你要是讨她做老婆，那是你上辈子修来的福分，要是能够再给你生个儿子，你就赚到了。"

吴四喜吞了口口水，说："我也想有个老婆，问题是我没有钱哪。你没有听到她说吗？是要钱的，况且她爸还等着钱治伤呢。我到哪里去找几千块钱，这不要我的命吗？"

吴开真想了想说："我过去给你问问，到底要多少钱。"

吴四喜说："多少钱也不行呀，你知道我是个穷光蛋。"

吴开真没有理他，走到兰妹面前，说："姑娘，我侄儿有意，你看得上他吗？"

兰妹说："我都到这个地步了，没有什么选择，只要对我好，就可以了。"

吴开真说："你要是跟了他，他会把你当宝的，就是有个问题。"

兰妹说："什么问题？"

吴开真说："你需要多少钱才愿意把自己嫁了？"

兰妹说："也就是两三千块钱吧。"

吴开真说："到底几千块钱，说死！"

兰妹说："三千块。"

吴开真说："好，我再去和他说说。"

吴四喜看他走过来，连忙问："说得怎么样了？"

吴开真说："三千块。按说这不算什么钱，等于白捡了个老婆。可是，你的确拿不出这三千块钱。我想了一下，你我虽然是堂叔侄，却也是未出五服的亲人，钱的问题，我有个主意，不知道你同意不同意。"

吴四喜说："什么主意？"

吴开真说："我家里还有点余钱，多的不敢说，三千块钱还是拿得出来的。我想让你把东山坑的那两亩水田给我种五年，三千块钱给你就不要还了，反正那田地你也不好好耕种，我们家两个媳妇在家，有劳力，就算租你的田耕种，你说呢？"

吴四喜想了想，那两亩水田，一年也打不了多少粮食，十年也收不到三千块钱的粮食，不要说五年了。平常堂叔对自己不错，也许真的是想帮自己讨老婆。他说："两亩地给你耕种没有问题，可是，她会不会是骗子？"

吴开真说："我看不像，她就要三千块钱。况且，你有什么好骗的？你又没有万贯家财，你家里也没有什么值钱的东西，她骗你什么？把她带回家，生米做成熟饭后，再对她好点，她就会死心塌地跟你过了。"

吴四喜说："也是，我有什么好骗的，就是睡几个晚上也赚了。堂叔，我听你的，都按你说的办。"

他们回到兰妹面前，吴开真说："姑娘，你要是不嫌弃我侄儿，这事情就这样定了吧，三千块就三千块，回去我就给你！"

兰妹点了点头。

吴开真笑着说："四喜，你先把她带回家，我再回镇上多买些酒肉。"

吴四喜说："好，好。"

那天晚上，吴四喜办了两桌酒席，把村里人都请来吃喝，他和兰妹就算结婚了。他觉得自己过上了幸福的日子，人也变得勤快多了。可他怎么也不知道，这个叫兰妹的女人，就是公安部的 A 级通缉犯钟秀珍，她的许多秘密，吴四喜都一无所知。

3

晌午时分，兰妹独自上了山。她在山间小路穿行，走山路对她来说不是难事，她从小就走惯了山路。她进入了一片寂静的山林，穿过这片山林，她钻进了一个隐密的小山洞。山洞里黑漆漆的，兰妹点亮了一支火把，插在石缝里。

兰妹从山洞的角落里，移开一块石，露出了用塑料袋包好的小本本。

"还在，还在，吓死我了。"

她拿起小本本，捂在胸口，听到自己"咚咚"的心跳声。

每隔几天，兰妹都要到山洞里来，看看这个小本本还在不在。小本本里夹着她真实的身份证、两张存折，还有丈夫、儿子和她的合影。她坐在火把边的石头上，打开了本子，看那些东西都完好无损，脸上露出了笑容。

她拿起照片，凝视。

脸上的笑容渐渐消失。

她的眼睛里闪动着泪花。

兰妹用手指头摸着儿子的脸，喃喃地说："孩子，等着妈妈，妈妈一定会回去带你离开那地方。"她不知道儿子已经死了。半年前，在武汉，她本想卖掉拐来的孩子后就洗手不干了，潜回老家把儿子带走，找个地方好好生活。就在她要将孩子出手时，被警察盯上了，兰妹放弃了孩子，好不容易逃了出来。得知自己被通缉后，她就一直在云贵一带的山区里躲躲藏藏，直到把自己卖给吴四喜当老婆。她想先在这里待上两年，等风声小了后，再回老家带走儿子。在逃亡的过程中，她找了个私人诊所，把右眼角的黑痣去掉了。

她也想念儿子。

有时想得心疼，泪流满面。

儿子是她的骨肉。

她怎么能不心疼，怎么能不想念。

可是，在她拐卖别人的孩子时，她没有想到，那也是父母的骨肉。

兰妹把照片、身份证、银行卡放在了石头上，翻开了小本子。小本子上记录了她所有拐卖的孩子，男孩称为大号，女孩称为小号，每个孩子卖了多少钱记得清清楚楚，和别人一起作案的大号小号也做了标记。

兰妹记得第一次拐卖孩子时的情景。

丈夫得病后，家里的一座山倒下了，沉重的负担压在了她身上，上有老，下有小，中间还有个绝症病人，她喘不过气来。

她决定到广东东莞去打工。

工厂里辛辛苦苦赚来的钱，根本就无法支付丈夫的医疗费用，家里很快就负债累累，如果停药，丈夫的病情就会恶化。在她觉得走投无路之际，碰到了一个叫阿海的人贩子。就是这个人贩子，把她带上了一条邪恶之路。阿海让她去拐带孩子，他负责卖孩子。第一次拐带孩子，她十分恐惧。

她在汽车站广场游荡，提心吊胆地寻找猎物。

突然，她看到一个两岁左右的男孩，站在广场上哭。她观察了会儿，没有人理他。她想，这个男孩一定是和父母亲走丢了。机会来了，她的心狂蹦乱跳，她对自己说，为了钱，豁出去了，有什么好怕的！她壮着胆子走到孩子面前，抱起他，哄着他，慢慢地离开了广场。如果孩子的父母亲出现，她就把孩子还给他们。离开广场后，她没发现有人追上来，就坐上一辆出租车走了。

把孩子交到阿海手上时，她长长地呼出了一口气，紧张的心才渐渐放松下来。

当阿海把八千元钱放到她手中时，她惊呆了。她没有想到钱来得那么容易，就是抱走一个孩子，就拿到了八千元钱。有了第一次，就有第二次、第三次……她在邪恶之路上狂奔。后来，她撇开了阿海自己单干了，那样钱来得更快。拐卖一个孩子到福建、广东去卖，可以获得几万元甚至十几万元的收入。

她用尽各种办法，到处拐卖孩子，从农村到城市，从北方到南方，四处出击，屡屡得手，胆子越来越大。她的腰包渐渐鼓了起来，家里的债也还清了，只等丈夫的病好起来，她就可以和家人过上幸福生活了。她还想过，等丈夫的病好了后，拉他出来一起拐卖儿童。岂料，丈夫还是死了。回去奔丧时，公公让她不要出去了，在家好好种地，带孩子长大，如果有合适的男人愿意倒插门，他也没有意见。可是她已经不习惯那种平静的生活了，她没有答应公公，因为她有个想法，那就是自己继续在外面拐卖儿童，等钱赚得差不多了，就回乡把儿子接走。公公无奈，只好由她去了，公公不是没有怀疑过她打工怎么能够赚这么多钱，也旁敲侧击问过她，但都被她搪塞过去了，公公也拿她没有办法，反正她有寄钱回来养儿子就可以了。

办完丈夫的丧事之后，她就离开了家。

她走的时候是正午时分，要走一段路到公路边搭车。

走出村后不久，她看到一个男孩在水沟旁边玩水。她知道，这是本村村民余水水的儿子余小飞，还不到五岁。她左顾右盼了一下，想起早上接到了一个电话，那是买家打给她的电话，要她物色一个男孩，给人当儿子。她心里起了邪念，此时四周无人，正是好时机，这样的机会到哪里去找？

她对孩子说："小飞，你在干什么呀？"

余小飞说："我在抓鱼，你看，水里有很多小鱼。"

她看了看，清澈的水中，的确有不少小鱼在游动。

她说："小飞，这小鱼有什么好玩的，阿姨带你去看大鱼怎么样？"

余小飞站起来，仰起小脸，说："哪里有大鱼呀？"

她说："大海里呀，大海里有很多很多大鱼，有红色的鱼，蓝色的鱼，各种各样的鱼。"

余小飞说："像电视上那样的大海吗？"

她说："小飞真聪明，阿姨就要去看大海，去看大海里的鱼，你跟我去吗？"

余小飞说："你真的带我去？"

她说："真的。"

余小飞说："可是我爸爸不会让我去的。"

她说："放心吧，我已经和你爸爸说过了，他同意你跟我去大海看大鱼的，所以我才来找你的。"

余小飞高兴地说："真的？"

她微笑着说："真的。"

余小飞就这样被她带走了。

她本来以为自己带走余小飞神不知鬼不觉，不料却在上车前被本村的一个人看见了。因为都是一个村的人，同宗同族，带孩子出去玩也是正常的，那人没有在意。回村后，那人看到余水水以及家人焦急地寻找余小飞，这才告诉余水水，说他儿子被钟秀珍带走了。

她怎么也想不到，因为拐卖了余小飞，让她自己的儿子搭上了一条性命。

4

坐在阴凉的山洞里，她也会想到陆大安。

曾经有过一段时间，她幻想自己会带着儿子和陆大安在一起过上美好生活。那段时间，她对陆大安十分着迷，他身上有种让她迷狂的邪气。他们三年前在东莞一个买家那里因为卖孩子而结识。她记得那天晚上，陆大安带她去娱乐城唱歌。他很大方的样子，就他们俩人，却要了间可以坐十多个人的豪华大包房，还点了很贵的洋酒。说实话，她从来没有进过如此高档的娱乐城，甚至连歌厅都没有进过，她像鬼魂一样四处游荡，没过过一天享受的日子，成天只知道赚钱。

陆大安让她点歌唱，她说不会唱歌。

陆大安就说，不会唱歌，我们喝酒。

她不习惯喝洋酒，硬着头皮陪他喝。

陆大安说："人活着，就要会享受，否则白来世上走一遭。我这个人，孤身一人，赚一块花两块，从来不存钱，快活就可以了，其他根本就不管那么多。我爸说我没有出息，我说，出息是什么，再有出息的人也会死，两腿一蹬死翘翘的时候，谁还会管你有什么出息。我妈死得早，是我爸把我拉扯大的，他希望我读大学，希望我有份体面的好工作。我没有给他争脸，我上初中时就开始泡妞，到现在玩过很多女人；我喜欢喝酒，喜欢到处跑来跑去，我不要什么狗屁出息。大家都说我是混混，混混有什么不好，你说对不对？不过，我把我爸气死了，这老东西老看我不顺眼，见到我就骂我。有一天，我去看他，他问我最近在干什么，我说什么也没有干。他十分生气，说白养我了。我说，无论怎么样，我是你儿子，我现在有难了，你要不要帮我？他瞪着眼睛说，你又犯什么事情了？我说，没犯什么事情，就是手头紧，连酒钱都没有了，来向你讨点酒钱。老头子说，你这个混账东西。说完，他就倒在地上，爆血管死了。"

她睁大眼睛说："你真是个混蛋。"

陆大安喝了杯酒说："我的确是个混蛋，哈哈，我要不是混蛋，怎么能够碰到你。"

她的脸红了，说："我可不像你这样混蛋。"

陆大安说："你也好不到哪里去，我们干的一样是断子绝孙的事情，都一样是臭鱼烂虾，难道不是吗？你说，你有多干净，你赚的钱干净吗？"

她说："混蛋，别说了。"

陆大安就哈哈大笑。

她倒了满满一大杯酒，张开嘴，灌了下去。

陆大安在她的面前模糊起来。

她醒来时，发现自己赤身裸体地躺在宾馆的床上，陆大安躺在她旁边打着呼噜。她觉得自己的脸发烫。在外面飘着，丈夫死后，她和一些男人有过肉体的关系，但是没有一个是长久的，基本上是生理的需要，一个晚上过去就算了，而且那些人都是圈里的人贩子。可是现在，她对陆大安这个混蛋有种异样的感觉。她伸出手去摸他的脸，仿佛是摸自己男人的脸。她把自己的头放在他全是排骨的胸膛上，内心十分安稳。

陆大安醒过来，抱着她的头说："你醉了，我把你带回了宾馆。"

她什么也没有说，还是摸着他的脸。

他说："女人我见得多了，你是唯一让我心动的女人，你长得不漂亮，可就是打动了我的心，你是狐狸精。"

她说："别骗我。"

陆大安说："我没有骗你，我说的是真心话。"

她说："你是不是对每个女人都这样说？"

陆大安说："不是，我没有对别的女人这样说过。"

她说："你这样的混混，怎么会真心对待一个女人？"

陆大安说："我也觉得奇怪了，怎么会爱上你。我的确混蛋，可是我管不住自己的心。我的心爱上你了，我也没有办法。"

她不说话了，嘴唇凑过去，亲他，吻他，他们的肉体缠在一起。

陆大安感叹说碰到她后，也许以后会想过上小两口的日子。他把她带回了上海。在他那脏乱的、充满霉味的家里，陆大安信口开河地说："秀珍，以后这个房子就是我们共有的了，到时把你儿子接来，让他在上海生活，接受良好的教育。尽管我是个混混，但是不能让他成为一个混混；尽管我们都干断子绝孙的事情，但是不能让他和我们一样。等条件成熟了，把他送到国外去读博士，让他成为牛逼的人。"

她那时十分相信他，听了他的话，感动得泪水都流出来了。

刚开始两天，他带她在上海穷逛，吃喝玩乐，哄得她很开心，好像幸福的日子已经来临。当然，他们还一起策划怎么拐卖儿童。

她想收手不干了，把钱拿出来，和他在上海开个小店什么的。

陆大安说："你太天真了，干我们这行，就像吸毒一样，收不了手了；况且，有什么比这来钱快？这是多么好的无本生意呀。"

她想也是，她几次想收手，结果还是继续操练，而且越干越欢，不顾一切。

没有想到，在上海没有呆几天，他们就离开了上海。

那天晚上，陆大安去赌博，输了个精光，还向赌友借了好多钱。他承诺，赌完后带他们回家拿钱。他真的把赌友带回家了。他把她从床上拉起来，说："帮帮我。"她吃惊地看着他，说："怎么回事？"他说："我赌输了，要债的跟上门来了，你知道我不留钱的，帮帮我。"提到钱，她马上警惕了，说："我没有现金。"

赌徒说："没有现金，到外面去取，取款机一天二十四小时服务。"

她说："我不去。"

那几个赌徒突然把陆大安按住，一个赌徒从厨房里拿来菜刀，说："不给钱就砍断他一只手。"

陆大安说："秀珍，救我！"

她没有办法，只好跟他们出去，到取款机上取钱给他们。

第二天，她就离开了上海。

后来，他又找到了她。

这次，他们在一起待了有四个多月，一起干了好几起买卖。

让她记忆最深的是拐卖一个刚刚出生的婴儿，是个男婴，是从医院里偷出来的。那是在赣南市发生的事情。他们偷偷潜回了赣南。她在一家妇幼保健院踩好点，准备偷婴儿。陆大安买好了到福建的火车票，然后到妇幼保健院门口接应她。她看准了那个男婴，男婴的妈妈比较随便，大大咧咧的；而且，她家人一般会在早上来，来会儿就走了，然后中午再过来，来会儿也会走。两天下来的观察，她还掌握了男婴妈妈的一个重要习惯，每天中午，在家人来过之后，都要去上一趟厕所。她上厕所的时候，就会把孩子留在床上，也不交代同病房的孕妇代她照看。

那天中午，男婴妈妈去上厕所后，钟秀珍就走进了病房，抱起了孩子，说："长得真像爸爸。"同病房的孕妇躺在床上睡觉。她说着话，见那孕妇没有作声，就知道孕妇睡着了。她赶快抱着孩子就走出了病房，很快地离开了医院。

陆大安见她抱着婴儿出来，接过孩子，然后打了个出租车直奔火车站。他们到火车站后，正好开始检票进站了。他们俨然像一对夫妻，带着孩子，谁都没有怀疑。上火车后，钟秀珍抱着孩子，陆大安从包里拿出准备好的奶粉和奶瓶，调好奶，递给她，她就给孩子喂奶。

他们要把这个孩子卖到闽北的一个山村里去。

他们以为这次拐卖会很成功，结果，他们还没有到达那个山村，孩子就在路上发烧了。他们不敢带孩子去医院，只是到药店里买了儿童服用的退烧药。奇怪的是，给孩子服用了退烧药，孩子虽然高烧退了，但还是发着低烧。她十分着急，孩子这样下去很危险，她不顾陆大安的劝阻，要把孩子送医院治疗。陆大安抢过了孩子，说："你想被抓就自己去自首，别他妈的连累老子。"

她无奈，只好由他处理。

他们带着孩子进了山。

她说："买家看到这样的病孩，会要吗？"

陆大安笑了笑说："跟我走吧，到时看情况再说。"

在那个乱哄哄的山区小镇，他们和介绍人接上了头。那时孩子的脸色已经不对劲了，有些发灰。她给孩子喂奶时，发现孩子吸奶的力量十分微弱，轻轻地吸了两口就含着奶嘴不动了。孩子微微睁着眼睛，一点神气也没有。他们没有告诉介绍人病了，而是让介绍人赶快带他们去找买家。

介绍人把他们带到了离小镇三十多里地的大山里。

这里风光秀丽。

那小村就像是在画中。

进入小村后，她知道这里的人很穷，和沿海地区根本没有办法相比，简直是两个世界。但是这点并不影响孩子卖上一个好价钱，不论是广东、福建沿海还是山区都一样，没有儿子的人都希望自己有个儿子，真下了决心买个男孩当儿子，价钱都不是问题。富人不在乎钱，穷人借钱也得买。

他们鬼魅般地闪进了买主的家，买主赶紧关上了门。这等事情是不能见光的。孩子到手后，再对村人说要了个亲戚的孩子来养，村人都心照不宣，顶多私下里把他买孩子的事情当笑话说，时间长了，习惯了，就把孩子当成他的亲生儿子了。

买主是个四十多岁的壮汉。听介绍人说，是这个男人没用，自己没有生育能力。他有三兄弟，上面两个哥哥都有儿子，就他没有孩子，每年清明祭祖时，他都特别没有面子，发誓要买个孩子当儿子。

他老婆是个健壮的女人。

女人笑着对她说："来，让我抱抱孩子。"

她把孩子交给了女人。

女人看了看孩子，对丈夫说："这孩子好像不正常。"

男人说："怎么回事？"

女人说："我就是觉得不对，虽然我没有生过孩子，可是我也抱过很多孩子呀，就是感觉这孩子不对。"

陆大安说："这孩子很好的，你们就放心吧，而且保证孩子的亲生父母不会找上门来。"

钟秀珍也笑着说："这个孩子没有问题的，快给我们钱，让我们走吧。"

介绍人是当地人，也怕出麻烦，就说："如果要是怀疑有什么问题，你们让村里内行的人来看看吧，看了没有问题，就一手交钱，一手交货；如果有问题，那就算了，下次再给你们物色个好的。"

女人对男人说："你去悄悄地把旺生喊来，让他看看。"

男人出门去了，不一会领回一个精瘦的脸色苍白的人，他就是那个叫旺生的乡村医生，在村里开了个诊所，村里人有个头痛脑热，都找他。旺生看了看孩子，脸色阴沉。他把男人拉进了一间黑乎乎的房间，两人在里面不知道说了些什么。

陆大安坐立不安。

钟秀珍心里也十分紧张，担心这桩生意黄了。

介绍人也有些忐忑，如果生意做不成，白跑一趟，也很划不来；不过，他和他们不一样的是，生意成不成都不是很在乎，买卖嘛，总有不成的时候。

不一会，男人和旺生走出了房间。

旺生说："表哥，我先回去了，诊所没有人，我得看着，有什么事情再喊我。"

男人笑着说："谢谢旺生了，改天我请你喝酒。"

旺生说："别客气，一家人干吗说两家话。对了，要记住我的话。"

男人说："记住了，放心吧。"

旺生走后，男人关上家门，回到厅堂里。刚才对旺生还笑容满面的脸突然阴沉下来，他对女人说："把孩子还给他们。"女人十分听话，将襁褓中的孩子塞回钟秀珍的手里。钟秀珍接过孩子，心里想着，唉！白干一场，这生意泡汤了。

果然，男人说："你们走吧，孩子我们不要了。"

陆大安说："到底怎么回事？"

男人冷冷地说："怎么回事你们心里清楚，还用我点破吗？"

陆大安强作镇静，摊开手说："我还真不知道怎么回事，请你说明白好吗？不能这样平白无故就让我们走呀。"

男人提高了声音说："你别给我装糊涂，这么一个病孩就想要我几万块钱，我是买儿子的，不是买药罐子的。况且，这孩子能不能养活还是个问题。快走吧，别啰唆了，等我发火，事情就不是那么好说了。"

陆大安憋不住心里的怒气和不快，说："好好的孩子，你说是病孩，你是故意要我们是不是？你还威胁我们，老子又不是吓大的。"

男人瞪着眼睛说："你这人真不讲理，就是没病的孩子，也得我们满意才买，你还想强买强卖了？告诉你，你们要是再不带这个病孩离开，别怪我不客气，我不会管你是不是吓大的，你去四乡八堡打听一下，我怕过谁！"

介绍人连忙说："买卖不成仁义在，别伤了和气，别伤了和气。"

陆大安见男人挺凶的，怕自己吃亏，也不再和他理论了，对钟秀珍说："我们走吧。"

他们出了男人的家门，匆匆往村外走。

碰到路人，他们还遮遮掩掩，像不敢见光的老鼠。

介绍人好像还在男人家里说着什么，过了一阵才追出来。

介绍人追上了他们，说："他们让村里的医生看了，说这孩子病得不轻，而且不一定能活下来。你看这事情弄的，我也不好说什么，要是小毛病，我还可以从中周旋，大不了价钱便宜点也可以成交。以后弄孩子出来卖，健康是第一位，否则真的不好办。你们想想，人家花大价钱买个病孩子，多晦气哪，将心比心。况且，做什么行当，都得讲职业道德。"

陆大安阴沉着脸，抽着烟，不说话。

钟秀珍说："你说得在理，你想想，我找你卖过的那几个孩子，哪个不是活蹦乱跳、健健康康的？其实这孩子也没有问题，应该只是感冒了。既然他们不要，也没有关系，我们抱回去，等孩子病好了再说吧。"

介绍人说："就是，就是，我还有事情，就先走了，以后有生意，招呼一声。"

她说："好的，保持联系。"

介绍人扭头走了，走得飞快，一会就不见了踪影。

介绍人走后，陆大安狠狠地把烟头扔在地上，吐了口痰说："他妈的，倒了大霉了！"

她说："现在我们怎么办？"

陆大安说："你真的要把孩子带回去养病？"

她说："那还有什么办法？"

陆大安说："孩子不能带出山，那样会给我们带来麻烦的。"

这时，孩子哭了起来。

他的脸已经发紫了。

她给孩子喂奶，孩子吸了几口，然后又全部吐了出来，继续哭叫。孩子的哭叫声听上去十分凄凉。

陆大安看了看路边的高山，心里有了主意。

他说："跟我走吧。"

她说："去哪里？"

陆大安不耐烦地说："跟我走就行了，问个屁。"

她说："你吃枪药了呀，说话那么难听。"

陆大安从一条小路上了山。

她跟在他身后。她心想，他是不是要带她到另外一个山村把孩子卖掉？这不可能，因为他不认识这里的介绍人，这里的几个介绍人，都是通过她的关系认识的。陆大安认识的介绍人很少，他自己单独拐来的孩子都是通过她或者别的人贩子找介绍人卖掉。他说过，不喜欢亲自和介绍人打交道。她清楚，他是在保护自己。陆大安花花肠子可多了，碰到什么事情，跑得比狗还快，从来不喜欢承担责任，还尽出些坏主意指使别人给他做事。他最喜欢的就是收钱和借钱，通常，他借钱是不会还的。有个湖南的人贩子，被他借过两万块钱，每次碰到她，都恨得咬牙切齿，说那钱借了几年了也不还，下次碰到他，要教训他。她把这事情告诉陆大安，陆大安说他胡说八道，那笔钱早还他了，他再造谣，下次见到就打烂他的狗嘴。

反正，陆大安挺不是玩意儿的。

但是不管陆大安有多混蛋，她还是和他一起干，最起码有个伴。在这个行业里，还有更不是玩意儿的狗东西，她一个人单干，经常吃那帮狗东西的亏。有一次，她在某城市的游乐场趁家长不注意，拐走了一个小男孩。她抱着孩子，赶快到了火车站，准备逃离。候车时，她感觉到了不对劲，有三个男人一直盯着她。她以为是公安，可他们又不像公安，最起码神态不对。无论他们是公安还是江湖中人，她都对他们保持了警惕。孩子躺在她怀里沉睡，她已经给他吃了安眠药。她上了火车，那三个人也跟上了火车。虽然她和他们不在一节车厢，但是每到停靠站，他们就会提前过来盯着她。她想着要摆脱他们，就不能到目的地，必须在中途下车。到站后，她瞥了他们一眼，下了车。那三个人也下了车。出站时，她看到一个警察。她灵机一动，跑到警察面前，说："有三个人贩子，想抢我的孩子。"警察说："在哪里？"她指了指后面那三个跟着自己的男人。警察拿着对讲机，呼叫支援。那三人看不对劲，就跑了。这个晚上，她住在一个小旅馆里，准备等明天再走。孩子醒过来后，找不到爸爸妈妈，就哭。她哄着他，给他吃东西，还说天亮后就带他去找爸爸妈妈。孩子饿了，吃了东西好些了，加上她长得慈眉善目，又会哄孩子，孩子乖乖地听她的话了。孩子睡了后，她还在想，那三个人到底是谁？就在她苦思冥想之际，响起了敲门声。她走到门边，问道："谁？"门外传来一个男人沙哑的声音："开门，开门，警察查房。"警察？她顿时心惊肉跳，但是很快地她就让自己平静下来，微笑着打开了房门。门一开，三个男人冲进来，最后一个男人关上了门。两个男人分别抓住她的左右手，她动弹不得，心里明白了，他们就是一直跟踪她的那三个人。另外一个男人狠狠地搧了她两耳光，用沙哑的声音说："臭娘们，你以为你跑得掉？"她说："你们到底是谁？"打她的男人说："我们是谁，你也配知道？"她说："放开我，我又没有招惹你们，你们想干什么？"那家伙又搧了她两耳光，她的嘴角流出了血。她有些害怕了，心想，他们会不会杀了我？那家伙说："把这臭娘们捆起来。"那两个男人从包里拿出绳子，将她捆得结结实实，然后在她流血的嘴巴里塞上毛巾。在捆绑她的时候，孩子醒了，大哭起来。打她的男人从口袋里掏出一个小瓶，在孩子鼻子上喷了点雾状的东西，孩子一会就晕过去了。她无法挣扎，也无法说话，眼睁睁地看着他们把孩子抱走了。很久之后，她才明白，是以前和她合作过的人贩子，派人抢了那孩子，贩卖到很远的地方去了。

陆大安走得很快。

她抱着孩子跟在后面，明显落后了许多。

陆大安回过头说："你就不能走快点。"

她说："放心，我会跟上你的。"

孩子已经不哭了，闭着眼睛，脸色青紫。

天暗下来，她抬头望了望天，天上乌云翻滚，像是要下大雨，山里也起了风，山林里传来阵阵怪兽般的呼啸。

她说："马上要下雨了，我们到底要到哪里去？"

陆大安没有说话，继续往前走。

他来到了一个山崖边，站住了。

她跟了上来。

闪电和沉雷，呼啸的山风，昏天黑地。

她心惊胆战，说："怎么不走了？"

风把陆大安的头发吹得凌乱，把他身上的衣服吹得剥剥作响。她的头发也凌乱起来，也可以听到自己衣服在风中的声响。

陆大安说："到了，就是这地方。"

他的声音阴冷，像是冰窟中透出的寒气。

她说："你带我到这里干什么？"

陆大安眼中露出了凶光，说："把孩子从这里扔下去。"

山崖下，是深深的峡谷，谷底都是嶙峋乱石。她往下看了一眼，觉得发晕。她根本就没有想到陆大安会想出这个主意，把孩子扔到峡谷里去。她浑身颤抖，说："大安，不能呀，这是一条命，我们不要他了，可以把他扔在路边，让人捡走，怎么可以扔到峡谷里去呢？"

陆大安冷笑着说："妇人之仁，这孩子断然是卖不到钱的了，多留在手中一会儿，就会多一分危险。你说扔在路边让人捡去，要是不小心被人看见，怎么办？你看看这个地方，多好呀，把孩子扔下去，神不知鬼不觉。过几天，孩子的尸体就会被山里的豺狗吃掉，就算是被人发现，也没有什么大不了的，到这里的山里人也不会在意这个死婴，他们还以为是被人遗弃的私生子。快扔下去吧！不要再犹豫了。"

她牙关打战，说："这，这是一条命哪！我们干的可不是杀人的营生，我们图财，不图命。"

陆大安说："别傻了，在我们这些人贩子眼里，孩子们都是一些货物，可以买卖的货物，什么狗屁生命。只要到了我们手中的孩子，他们就不是别人的儿女了，而是货物，明白吗？货物！赶快扔掉吧，别假惺惺的了。"

此时，孩子在褓褓中蠕动了一下，然后伸了伸手脚，眼睛睁开一条缝，看着她。她的心像是被插上了一刀，喃喃地说："不行，不行，我下不了手——"

她抱着孩子转身就走，没走几步，就被陆大安一把抓住。

陆大安吼叫了一声，从她手中抢过孩子。

他重新跑到山崖边，双手将孩子举过头顶。

她喊叫到："不要——"

她的话音没落，孩子就像一块木头，被陆大安扔下了山崖，孩子在向山崖下飘落的时候，她似乎听到了孩子撕心裂肺的喊叫。孩子落入峡谷之中的嶙峋怪石之中，无声无息。就在这时，一道闪电张牙舞爪地从天劈落，山崩地裂般的雷声在他们头顶的天空炸响。

她吓得瘫倒在地上，浑身颤抖。

陆大安拉起她，说："走吧，暴雨就要来临了。"

她怎么也爬不起来，口里喃喃地说："那是一条命，那是一条命——"

……

陆大安摔死孩子之后，她就和他分道扬镳了。她感到害怕，既然陆大安可以把孩子摔死，那么迟早有一天，也可能把她弄死。尽管如此，她还是经常会想起陆大安，他身上的邪性还是吸引着她，因为她也是邪恶之人。

5

兰妹藏好东西，从山洞里爬出来，用一些褥草隐蔽好山洞，就下山去了。

吴开真的小孙子吴清波在村口草丛里追逐一只花斑蝴蝶。

兰妹停住了脚步，痴痴地望着这个三岁的男孩子。吴清波长得五官端

159

正，眼眸中透出一股灵气，个子也还可以，看上去不会太矮，这是个好猎物，应该可以卖个好价钱。兰妹心中盘算着，似乎忘记了她身处何方，忘记了自己是来这里躲避抓捕的。的确，干上人贩子这行，就像吸毒一样，很难戒掉。

吴清波追逐着花斑蝴蝶，嘴里说着话："别跑，蝴蝶，别跑。"

花斑蝴蝶像是在逗他玩，一会飞起来，一会又落在草叶尖上，等他过来，伸出小手想要捕捉时，花斑蝴蝶又飞起来，在他面前翩翩起舞。

吴清波急得不行。

兰妹走过去，说："小波，我给你捉蝴蝶好吗？"

吴清波说："太好了，太好了。"

兰妹说："我要是给你捉住了蝴蝶，你会很开心吗？"

吴清波说："开心，开心，阿姨，快去给我捉蝴蝶吧，快去吧。"

兰妹说："你站在这里等我，我一会就给你把蝴蝶捉过来。"

费了好大的劲，兰妹终于捉住了那只花斑蝴蝶。她手中捏着蝴蝶翅膀，回到吴清波前面，蹲下来，让手中的蝴蝶在他面前晃了晃，然后笑着说："小波，阿姨捉住蝴蝶了，你想要吗？"

吴清波说："想要。"

说着，他伸出手，要把蝴蝶从兰妹手中捏过来。

兰妹晃了一下手，吴清波没有捉住蝴蝶。

吴清波又把手伸过来，兰妹故伎重演，他还是没有捉住蝴蝶。

一连好几次，吴清波没有捉住蝴蝶，有点不高兴了，说："阿姨，你怎么不把蝴蝶给我呀？"

兰妹说："你喜欢这只蝴蝶吗？"

吴清波说："喜欢。"

兰妹说："我把蝴蝶给你，你可要答应我一件事情哟，怎么样？"

吴清波说："好的，快给我吧，阿姨。"

兰妹说："来，接着。"

吴清波接过蝴蝶，开心极了，咧开嘴巴笑了。

兰妹说："我蝴蝶给你了，你现在要答应我的事情了。"

吴清波说："什么事情呀？"

兰妹说："陪阿姨到镇上去买玩具，怎么样？"

吴清波说："买玩具，什么玩具？"

兰妹说："你喜欢什么玩具？"

吴清波说："我最喜欢喷水枪了，过年的时候，我爸爸带了一支喷水枪回来给我玩，可是坏掉了，不能玩了。"

兰妹说："那我就去买玩具水枪。"

吴清波说："真的？"

兰妹说："真的。"

吴清波说："买了给我玩吗？"

兰妹说："给，怎么不给，阿姨就是买给你玩的。"

吴清波说："那赶快走吧。"

兰妹拉起吴清波的小手，准备往镇上走。她心里说，孩子，别怪我狠心，我需要钱，需要很多的钱。

就在这时，吴四喜从家门口走出来，朝兰妹的背影叫道："兰妹，都傍晚了，你还不回家做饭，我都饿坏了，你带小波去哪里呀？"

兰妹浑身一激灵，顿时清醒过来。

她说："我马上回来，马上回来。"

兰妹对吴清波说："小波，阿姨要回家做饭了，改天带你去买玩具水枪，好吗？"

吴清波马上不高兴了，拉下了脸。

兰妹说："小波放心，我一定会带你去买玩具水枪的。"

吴清波："你别再骗我了。"

兰妹微笑着说："不会，不会骗你的，阿姨说话算数。快回家去吧，你爷爷等你回家吃饭了。"

她心里想，等风声过去了，我就把你带走，还要把村里的那几个孩子都带走，这样就可以弥补我待在这鬼地方的损失了。

吴清波正要走，突然看到兰妹手腕上戴的木珠手链。

他指了指木珠手链，说："阿姨，你这个东西给我玩，好吗？"

兰妹的心颤抖了一下，说："不行，不行。"

吴清波的手一松，那只蝴蝶飞走了。

吴清波又追那只蝴蝶去了。

兰妹摸了摸手腕上的那串木珠，脑海里又浮现出孩子被扔下山崖时的情景。顿时，她心惊肉跳，赶紧朝吴四喜家跑去，吴四喜的家现在是她暂时的避风港。

孩子被扔下山崖后的那段日子，她噩梦缠身，总是梦见孩子浑身血淋淋的，爬上她的身体，用那双小手卡住她脖子，嘴巴里发出"叽叽咕咕"的声音，仿佛在说，还我命来，还我命来。她走到哪里，那婴儿的鬼魂都会跟着她。她内心充满了恐惧。

但是她仍然没有因此而停止拐卖儿童，只是不敢拐卖婴儿了，尽管拐卖婴儿是最安全的。

她认定自己被小鬼缠身，一次，她拐卖一个孩子到某地，完事后，介绍人请她吃饭，她说最近总是噩梦连连，觉得是被鬼缠上了。

介绍人说："我们这里的罗汉岭上有一座古庙，庙里有个和尚，很灵的，只要让他给你念念经，就什么问题都没有了。"

她说："真的？"

介绍人说："真的，我骗你做什么？你要是想去试试，明天上午就带你去。"

她说："好，好，明天上午我和你去。"

介绍人说："不过，你要准备个红包，心诚则灵哪。"

她说："放心吧，少不了的。"

第二天上午，介绍人把她带到了山上。那里有座庙，并不是什么古庙，一看就是新修的。庙不大，里面供奉了几尊泥菩萨。庙里有两三个和尚，香客很少，有个肥胖的和尚在打坐念经。介绍人走过去，俯下身，在肥胖和尚耳朵边说了几句话。肥胖和尚睁开眼，说："那就请她过来吧。"

介绍人把她带到肥胖和尚面前，对她说："你有什么事情，就对大师说吧。"

她就把自己老做噩梦的事情告诉了他。

肥胖和尚说："恶鬼缠身不要紧，让我把它超度了。你把你的名字写在纸条上，给我就成。"

她去找了张纸条，写上了自己的名字，递给了和尚。

和尚把纸条揉成一团，放在两掌之间，双手合十，闭上了眼睛。

她等了会儿，和尚还没有开始念经。

介绍人在她耳边轻轻地说了几句话，她恍然大悟，马上从包里取出准备好的一个红包放进肥胖和尚宽大的袖子里。她也跪在了蒲团上，面对泥菩萨，五体投地。肥胖和尚开始念经，他念的什么，她一句都没有听懂，只觉得他说话很快、很轻，像蚊虫发出的声音。肥胖和尚念了半个小时左右，就打住了。他睁开眼，说："施主，你的心很诚，菩萨会保佑你平安的。"她从蒲团上爬起来，头有点晕，听了肥胖和尚的话，心安了许多。肥胖和尚还让小和尚送了一串木珠手链给她，说是大师开过光的，可保她平安；但是有个要求，最好要一直戴在手上，不要取下来。

也不知道是心理作用还是什么别的原因，不久之后，她的噩梦渐渐少了起来。

她每次拐卖儿童之前，都会对着手腕上的木珠手链说："菩萨保佑我平安，保佑我马到成功。"

一个邪恶之人，让佛祖保佑她行邪恶之事平安顺利，她自己难道没有觉得荒唐而又可笑？

第七章

列车上讲的三个辛酸故事

1

李妙决定和朱文远、张森一起去贵州金沙，调查那个和钟秀珍长得很像的女人。罗小武本来要和她一起去的，因为身体不好，只好放弃，独自回赣南去了。他交代李妙，一定要注意安全，随时保持联系。李妙说："放心，我会照顾好自己的，你回去好好地把身体养好。那边有什么情况，我会及时向你报告。"

这天上午 10 点钟，穿着便装的李妙就赶到了上海南站，等了约摸十分钟，朱文远和张森也到了火车站和她汇合。彭琼也来了，她是来送朱文远的。他们乘坐的是 K1251 次上海开往遵义的列车，开车时间是 10 点 57 分。

在候车室里等了一会，他们就上车了。彭琼一直把他们送到站台。上车前，朱文远和她单独说了几句悄悄话，彭琼脸色看起来不好，一副浑身无力的样子。车开动后，他们看到彭琼在挥手，流下了眼泪。朱文远也朝她挥手，说："回去吧，回去吧，我会给你电话的。"

列车开出站后，朱文远的眼睛也红了，他拿下眼镜，用纸巾擦了擦眼睛和眼镜片。

李妙说："你们感情很深的。"

朱文远点了点头，说："相互取暖吧。她也很难的，因为孩子被抢，丈夫和她离了婚，精神状态也不好；尽管没有像杨光明妻子那样发了疯，却也受尽了折磨。说实话，我救了她，也爱上了她。有些人说我爱上彭琼是怜悯她，同情她。我也不知道是不是这样，但是我的确心疼她。我选择遵从自己内心的感觉，希望能够一辈子呵护她，替她分担痛苦和折磨。"

李妙说："她爱你吗？"

朱文远笑了笑："也许吧，她现在依赖我，有两个方面的原因：一方面，她需要倾诉，她的亲朋好友，包括单位同事，都躲着她。因为她在失去孩子之后，总是像祥林嫂一样逢人诉说，大家都受不了她。明白大家躲着她后，她就沉默寡言了，加上她丈夫的抛弃，她就产生了轻生的念头。我救了她，并且愿意听她倾诉，这样她的痛苦就找到了一个出口；另外一方面，我答应过她，帮助她寻找孩子，她说她自己已经无能为力了，孩子是她活下去的希望，她把我当成了给她带来希望的人。我想，我会陪着他，帮助她寻找孩子，至于她爱不爱我，那是另外一码事。如果她找到了孩子，不需要我了，我会离开，其实我也习惯了孤独。"

李妙说："你们真不容易。"

朱文远说："我也不知道怎么回事，只要一想到彭琼，心里就特别酸涩，有种说不出的感受。"

李妙笑了笑："我理解。"

张森趴在那里睡着了，打起了轻微的呼噜声。

李妙说："他真厉害，一会就睡着了。"

朱文远说："他也不容易，三年来，一直在找女儿，没有放弃。我知道的，很多丢了孩子的人，开始会去寻找，一般找两三个月后，就放弃了，顶多报个警或是在网上发个寻人的帖子，但那是很渺茫的事情，要撞到多大运气才能找回孩子哪。我特别佩服像杨光明、张森这样执著的人，他们的遭遇令人唏嘘，也让我感动。"

李妙说："的确让人感动，也让人难过。我常常想，如果我不是因为运气好被解救出来，现在我会变成什么样子，我妈妈会变成什么样子。"

说这话时，她的脑海里闪过了一张胡子拉碴的脸，那是父亲的脸。此时，他还躺在病床上，希望能够见她一面，否则死不瞑目。想到父亲，她的脸上掠过一丝阴郁。

朱文远吃惊道："你小时候也被拐卖过？"

李妙点了点头。

朱文远说："没有想到你也有这样的经历。"

李妙说："所以我对人贩子深恶痛绝。"

朱文远说："我理解。"

李妙说："对了，你的网名为什么要叫奔跑的猪？"

朱文远笑了笑，说："也没有什么特别的含义。我姓朱，又是属猪的，而且喜欢跑步，所以注册微博就用了这个昵称。还有一点，我这个人比较笨，我希望我这头笨猪不停地奔跑，不要偷懒。"

李妙笑出了声，说："我看你一点也不笨，聪明人说自己笨，那是装傻。"

朱文远说："你不了解我，我真的很笨的，要不然，怎么快四十岁了，还光棍一条。"

李妙说："不是有彭琼了吗？她那么漂亮。"

朱文远说："要是找不到孩子，估计也没戏，唉！"

李妙从他的眼神中看出了无奈与哀伤，说："好了，我们不说彭琼了，我想问个问题，可以吗？"

朱文远说："你问吧，什么问题都可以问，只要我知道的事情，都可以告诉你，别看我活了三十多年，还是心无城府，藏不住什么秘密。了解我的人都知道，我是个直人，就是一根肠子到底，不会拐弯。"

李妙说："我一直在想，这两年来，许多人在网上打拐，到底有多大的效果？你们在微博上搞的'让孩子回家'的活动我也知道，我想了解一下，你们这个活动有多少成功解救被拐孩童的案例？"

朱文远说："要说效果有多大，我不敢夸口，而且事情也还在做。两年多来，也确实有孩子通过我们发起的活动被解救的，你要是想听，我给你讲个例子吧。"

李妙说："好，你讲吧，我乐意听，我乐意听到孩子回家的故事。"

2

2011 年春节前的一天。刘志高又一次在微博上发出了寻找儿子刘开心的文字和照片。妻子宋琪说："志高，会有用吗？能找到开心吗？"刘志高心里酸涩，叹了口气说："发了总比没发好。"宋琪擦了擦眼睛，说："都已经两年了，我们的开心到底在哪里？"刘志高沉默了。

刘志高给儿子取名刘开心，就是希望他快乐成长，可是，这两年来，他快乐吗？

刘志高每当想起两年前的那一天，就好像有一把钝刀子在割着心脏，痛苦和疼痛折磨着这个曾经是军人的男人。

刘志高原来在厦门某部当兵，当了十多年志愿兵的他，转业后没有回湖南老家，而是和妻子在厦门开了家杂货店，日子过得也不错，感觉十分踏实。那天，他进货回来，已经天黑了，看妻子在给一个客人结账。她结完账，刘志高笑着问妻子："开心呢？"

宋琪说："刚才还在的，是不是到隔壁的洗脚店去玩了？"

刘志高说："你也不看住他，怎么能够让他离开店里呢。"

宋琪说："你快去洗脚店看看吧，他经常去和洗脚店老板娘的女儿玩的。"

的确，洗脚店老板娘有个三岁的女儿，小姑娘长得像洋娃娃，她喜欢五岁的刘开心，总是甜甜地叫他开心哥哥。

刘志高来到了洗脚店，正在喝茶的老板娘笑着说："刘老板，快来喝茶。"

刘志高笑了笑，说："茶不喝了，我想问问，我家开心有没有到你们店里来？"

老板娘说："没有呀，我整个下午都在店里喝茶，没有见开心过来哪，我女儿也没有到店里来，在她外婆家玩呢。"

刘志高说："可是开心不见了。"

老板娘站起来，说："怎么会不见呢，赶快找找。"

刘志高有点紧张了，说："我去找，我去找。"

儿子是个活泼可爱的小男孩，平常也贪玩，刘志高想，他会不会就在附近玩呢？附近有个土地庙，他会不会跑到那里去？他来到了土地庙，没有见到儿子，在土地庙周围找了一圈，也没有找到儿子。他回到杂货店，问妻子："开心回来了吗？"妻子说："没有呀，我以为你在洗脚店陪他一起玩呢。"

刘志高焦虑地说："洗脚店里没有，我又到土地庙找了，还是没有。"

宋琪也急了，说："开心要是丢了，那可怎么办！"

夫妻俩把店门关了，分头去找儿子。

刘志高边走边用目光搜寻着儿子的身影，还一边喊着儿子的名字。

宋琪也一路喊着儿子的名字，目光四处搜寻。

刘志高和宋琪撕心裂肺的喊叫声，没有得到回应，两人一直找到半夜，也没有找到儿子。深夜，他们回到店里。刘志高瞪着血红的眼睛，看着妻子，突然暴怒地抓住她的双肩，使劲摇晃着说："你怎么不看好开心，怎么不看好开心！"

妻子泪流满面，哽咽地说："我，我，我怎么知道他会丢哪。开心，你在……在哪里——"

刘志高说："让你好好看着开心，你总是心不在焉，现在开心不见了，你说怎么办，怎么办！"

宋琪说："志高，快，快去报警吧。"

对，报警，自己怎么没有想到这点呢？刘志高说："你在店里等着，也许开心会自己找回来。"

宋琪哭着说："志高，你别说了，赶快去派出所吧。"

刘志高骑着摩托车，火烧火燎地来到了派出所。

值班民警听了他报案，说："报孩子失踪，要二十四小时后才能立案，二十四小时后再来吧。"

刘志高乞求道："警察同志，你就行行好，先立案找人，求求你了，我儿子真的不见了，我们都找了好几个小时了，我们需要你们的帮助。求你了，帮我们立案寻找孩子吧，儿子是我的命根子，他要是找不回来，我活着还有什么意思。"

民警说："可是，我们有规定的。"

刘志高的泪水流了出来，曾经是军人的他，极少体味痛哭的滋味，他控制不住自己的情绪，坐在那里痛哭流涕。

民警见他如此痛苦，心里也过意不去，说："你别哭了，别哭了。"

刘志高突然站起来，指着民警的鼻子喊叫道："如果你的儿子不见了，你会怎么样？你能理解我的心情吗？！我信任你们才来找你们报案，你们怎么就如此无情，什么规定，都他妈的扯淡！"

民警很有耐心地说："我们办事都按规定来的，请你原谅。你的笔录我们做过了，到了二十四小时，我们马上立案，到时会通知你的。"

刘志高心里充满了绝望。

他愣愣地看着民警，突然"扑通"一声，双膝跪倒在地，说："民警同志，救救我儿子吧！他可能是被人贩子拐走了，这不是一般的失踪哪！民警同志，请你行行好，救救我儿子，再晚就来不及了。"

民警把他扶起来，说："起来吧，起来吧，我们先给你立案。"

尽管如此，还是错过了堵截的机会，刘开心被人贩子带离了厦门。刘志高开始了漫长而痛苦的寻找儿子之路。刘志高心里很自责的是，他把儿子被拐的消息告诉了老家的亲人，导致八十岁的老奶奶出了事。老奶奶听到自己的曾孙子不见了，当时就扑倒在地，昏迷不醒；抢救过来后，也走不了路了，至今瘫痪在床，经常以泪洗面，思念曾孙。

警察调来了事发前后两小时内杂货店附近八个路口的监控录像，确定刘开心是被人贩子抓走了。监控录像显示，在离杂货店最近的那个路口，一个穿黑色 T 恤的男人，抱着刘开心快跑着横穿过马路，刘开心不停地挣扎。因为男人跑得太快，过马路后摔倒在地，刘开心也摔了出去，趴在地上大哭。当时路上有些行人，那些行人显得十分冷漠，没有人上前去问问什么，也没有人去把孩子从地上拉起来，都无动于衷地离开。那男子从地上爬起来，看没有人管，抱起刘开心，飞奔而去。监控录像上，看不清那男子的脸，只可以判断个子不高，有点胖。

刘志高希望警方能够尽快帮自己找到儿子。

同时，他也开始自己寻找儿子。

听说刘开心失踪，刘志高的岳母也赶来了厦门，到处寻找小外甥。由于急火攻心，岳母晕倒在马路上。刘志高赶到医院，看着病床上的岳母，心里难过极了，心里说，我自己不能倒下，我要是倒下了，这个家就完了！

于是，在家人面前，他尽量地掩饰自己的愤怒和哀伤，也不再责备妻子了。

在厦门找了几天，刘志高觉得儿子肯定已经被人贩子转移到外地了，他就决定让妻子留在厦门看店，自己到外地寻找儿子。离开家的时候，面对几度将要崩溃的妻子，他说："你放心，我一定要找回儿子，找不回儿子，我誓不为人！"

刘志高坚信能够找回儿子，其中一个原因就是儿子比较好认，他的前额有块黄豆大的疤，那是他在一岁时摔伤后留下的。刘志高的行李很简单，包里除了换洗的衣服，其他全部是印刷好的寻人小卡片，小卡片上有儿子的照片以及他的特征，还有联系电话。走到哪里，他就把卡片发到哪里，希望有心人帮他找到儿子。

刘志高还把全国各地所有能够联系上的战友都联系上了，让他们也一起帮助自己寻找儿子。

那年五月，是黑色的五月。

刘志高的第一站是成都，因为有个战友在菜场买菜时，发现了一个女人领着一个和开心长得很像的孩子。当时战友没有在意，那女人带着孩子走后，战友才想起这事。他马上就打电话给刘志高，让他到成都来寻找。战友陪他找了几天，没有见到那孩子的踪影。就在他准备离开成都时，汶川发生了大地震。战友单位组织人员到灾区抢险救灾，刘志高也跟着战友进入了灾区。

在一所小学校里，他和战友从废墟中刨出了一具具孩子的尸体。

看到那些尸体，刘志高泪流满面，心在颤抖。

他无法说出自己当时的心情。

在那个黑暗的夜里，战友和他的同事们疲惫地和衣而睡，他一个人钻出了帐篷，来到废墟上，希望能够寻找到活着的孩子。他心里深知失去孩子的疼痛，作为一个父亲，他不忍把孩子扔在废墟和黑暗之中，仿佛废墟中埋着的，就是他心爱的儿子刘开心。他竟然在废墟上大声喊着："开心，开心，你听到爸爸的喊声了吗？开心——"

突然，他听到微弱的声音："爸爸，爸爸，救我——"

是开心的声音？

刘志高一阵狂喜。

是的，他是听到了一个孩子的呼救声，而且是个男孩子。

他找到了孩子被埋的位置。

他看不到孩子，只能够听到他奄奄一息的呼救声。

刘志高颤抖着说："孩子，你不要说话，保存体力，我们一定会救你出来的。"他不顾一切地在废墟里刨了起来。刨了会儿，觉得不对，靠他一个人很难把孩子从废墟里刨出来。他赶紧回到帐篷，把战友和战友的同事们叫醒。他焦虑地说："我发现废墟里有个孩子还活着，赶快去救他。"

战友和同事们赶快爬起来，跟着刘志高来到了埋着孩子的废墟上。

他们都听到了孩子奄奄一息的呼救声。

他们一直挖到天亮，才把孩子挖出来。遗憾的是，孩子挖出来不久，就离开了人世。刘志高抱着孩子的尸体，痛哭流涕。不知道的人，以为刘志高抱着的是他自己的儿子。战友理解他，清楚他内心的疼痛。战友也落下了泪。

离开灾区时，他把身上还剩下的两百元钱，给了一个失去父亲的孩子。

这个时候，恰好朱文远在灾区采访。

他采访了刘志高，刘志高没有什么好说的。战友在旁边说了他的情况，朱文远听了十分感动，表示要帮助刘志高寻找孩子，并且把自己的联系方式留给了他。后来，朱文远给刘志高做个专访，讲述他寻找孩子的艰辛和痛苦，希望得到社会的帮助，找回他的儿子刘开心，让这个有着开心名字的孩子真正地能够开心成长。朱文远还让他上网，在网络上发帖寻找儿子。刘志高四处奔波，尝尽了人间苦难，虽然连一点儿子的消息都没有，却在寻找的过程中结识了很多失去孩子的父母。他们建起了QQ群，有了自己的微博，还在一些民间的寻子网站发《寻人启事》。刘明亮和这些同病相怜的家长们，相互取暖，相互支持，扩大寻子范围，希望多些找到孩子的机会。

朱文远的那篇专访，在报上发表后，引起了反响，很多报纸转载，包括厦门的报纸。刘志高回到厦门，他有个想法，要把自己的杂货店搞成寻儿店。他在杂货店店外挂着横幅，横幅上写着这样一行字："悬赏十万元，征集当日目击者提供线索"。他还在店门外做了个灯箱，灯箱上写着："儿子，盼你回家"。

那些日子对他夫妻来说，是种煎熬，就像活鱼被放到锅里煎。

媒体的报道，加上他的寻儿店，有许多市民打电话来，给他们提供线索，安慰他们。刘志高不会放过任何一条细小的线索，尽管最后还是失望而归。每天，他都会上网，看有没有关于儿子的消息，结果还是失望。

在一次次的失望之中，他又踏上了寻子之路。

他深知，那条路很难很苦，希望也十分渺茫，可是，他不会放弃。不仅是自己对儿子的深情，就是为了妻子，他也要寻找到儿子。宋琪在儿子被拐后，一直郁郁寡欢，人也很快消瘦下来，变得脸黄肌瘦，她总是自责没有带好孩子，有时看到有人抱着孩子从店外走过，她会神情呆滞地盯着孩子，等人家走后，她眼中的泪水就悄然滑落。儿子让他牵肠挂肚，妻子也令他伤感，刘志高是个男人，是男人就要让孩子回家，不再让妻子流泪。

刘志高不光寻找自己的儿子，还在帮助别人寻找孩子。

他说他自己没有多高尚，只是看不得孩子在苦海里挣扎。

刘志高在广西寻找儿子的时候，有个网友发现了来宾县西山村有个男孩很像微博上寻找过的孩子，而这个孩子的父亲是他在寻找之路上认识的难兄难弟。因为孩子的父亲远在山东，不能及时赶过来，刘志高和当地一个热心记者前往调查。经过调查，那个男孩的确是从人贩子手中买来的。刘志高让记者去报警，他自己守在村里，担心孩子被转移。

刘志高替那位从远方赶来的难兄难弟高兴。

世上又有一对失散的父子将要相聚了，他想象着他们相聚的情景。

就在这时，他被一伙拿着棍棒的村民围住了。

其中一个老头，指着他说："哪来的野狗，多管闲事！"

刘志高心里咯噔了一下，不好，看来今天是要受皮肉之苦了。

他说："我管什么事情了？"

老头凶巴巴地说："还明知故问，大家给我打，打死了算我的，反正我这把老骨头也活不了几天了。"

那些人疯了般冲上来，棍棒齐下，当场就把他打瘫在地。

刘志高被打断了两根肋骨，身上伤痕累累，躺在医院里。那兄弟带着被公安解救出来的儿子来看他时，刘志高笑了，笑完后就哭，他替这个兄弟高兴，也替自己哀伤。他希望自己也能够尽快找到儿子，希望天下所有被拐的孩子都能够脱离苦海，和亲人团聚。要是能够找到儿子，或者让别的难兄难弟找到孩子，就是再被打断两根肋骨，他也甘愿。

……

2011年大年廿九这天下午，刘志高和妻子坐在杂货店里，愁眉苦脸。

又一年过去了，儿子还是没有找到，这个年，夫妻俩又将在痛苦之中度过；还有刘志高瘫在床上的老奶奶以及其他亲人，也将在痛苦之中度过。千家万户都在团圆，他们却无法团圆，这是人间悲剧。

就在他们无奈、绝望、品尝思念之痛之际，远在江苏常州的一个大学生给刘志高打来了电话。这个大学生在北京上大学，平常十分关注微博上寻子的信息，对那些失去孩子的人心怀同情。前两天，他就在微博上看到刘志高最近发的那条寻子微博，心想，过年了，这些失去孩子的家庭多么不幸。这天上午，他到乡下亲戚家里玩，发现村里有个男孩和刘志高说的很相似，尽管那孩子长大了不少，额头上那块疤却还没有变。他从亲戚的嘴里得知，这个孩子不是那家人亲生的，而且孩子的养父已经得癌症死了，孩子和养母一起生活，十分艰苦。大学生马上按照刘志高微博上留的联系方式，给他打了电话，向他告知了这个消息。

这个消息，无疑是在这个春节来临之际最好的消息。

可是，这消息可不可靠呢？

儿子被拐之后，他接到过无数这样的电话，最后都无功而返。

这一次呢？

他在犹豫。

宋琪说："志高，你不是说过，不放过任何一条线索的吗？哪怕是微小的线索。我想，这可不是一条小线索，要是开心真的在那个地方，我们放弃的话，那可铸下大错了哪！赶快拿主意吧，志高，这事情拖不得！"

妻子的话是正确的。

刘志高说："那我就相信他的话了。"

就在这时，那个大学生把孩子的照片传过来了，他看了后，说："这就是开心，就是开心哪。"

宋琪抹着泪说："快让他回来，志高，求你了，现在就出发，去把开心带回来。"

他吸取了在广西挨打的教训，先到派出所去报了警。

派出所长决定，大年初二派警员出发，和刘志高一起去常州解救刘开心。

那是难熬的两天，夫妻俩哪儿都没去，只是看着儿子的照片发呆。终于到了大年初二，这天，天上下着微雨，刘志高和那个叫庄义龙的警官出发了。庄义龙是个话痨，一路上就他在说话，天南海北，无所不聊。刘志高的话很少，庄警官说的话大都变成了他的耳边风，有时他神志不清，不知道庄警官在说什么。尽管看了大学生发过来的照片，刘志高心里还是忐忑不安，生怕是假的，生怕这又是一次猴子捞月。

大年初三这天，他们来到了常州。就是到了常州，刘志高也还不能见到儿子，因为警方办案要走流程。这时，朱文远也从上海赶到了常州，见到如热锅上蚂蚁般的刘志高，朱文远安慰他，让他耐心等待。庄义龙在当地警方的配合下，摸清了孩子被收养的情况，这孩子是他死去的养父花两万元钱买来的。

警方决定在大年初五行动。

没有想到，那天孩子不在养母家，去外婆家拜年了。他们不能贸然到孩子外婆家里带走人，那样会惹麻烦。

听到这个消息，刘志高快疯了，这不是在折磨他吗？他真想一个人冲到孩子那里，强行把自己的亲生儿子抱走，管他刮风还是下雨。庄义龙安慰他："老刘，你要体谅我们的苦衷，我们必须一次性干净利索地解决问题。要是在那里出现了麻烦，对谁都不好，影响最大的还是你，所以要忍耐。"

朱文远也劝慰他。

这个晚上，刘志高特别失常，一会儿哭一会儿又吼叫，犹如困兽。

朱文远理解他的心情，一直在宾馆里陪着他。

警方考虑到刘志高的情绪，生怕他做出什么不当的事情，就在大年初六的下午冒险赶往孩子的外婆家。好在事情往好的地方发展，没有遇到阻挠和抗法，警察把孩子和养母带回了派出所。

接到警方的通知，朱文远就和刘志高赶往派出所。

在出租车上，刘志高大口大口地吸烟，脸色苍白，浑身哆嗦，伸出一只手，死死地抓住朱文远的大腿。好在是冬天，朱文远穿得厚实，否则大腿都被他抓破了。刘志高边抽烟边喊冷，眼泪直流。朱文远的心情也很紧张，在安慰他的同时，也落下了泪水。

赶到派出所门口，刘志高站在那里，不敢跨进派出所。

朱文远鼓励他："刘哥，进去呀，你马上就可以见到儿子了，马上就可以结束噩梦般的日子了，可以带他回家和亲人们过年了。"

刘志高猛地冲进了派出所。

当他见到那孩子时，他愣了几秒钟，然后疯狂地扑过去，抱住孩子，失声痛哭。

刘志高边哭边吼："开心，我终于找到你了哇。开心，爸爸想死你了哇。要是找不到你，爸爸都不想活了，开心，我的儿子，你让我找得好辛苦哇，嗷嗷嗷——"

孩子一下子反应不过来，傻傻的，什么话也说不出来，脸上一点表情也没有。

一个民警对他说："你别喊叫了，不要吓坏了孩子。"

听了民警的话，刘志高松开了抱住孩子的手，站起来，顾不得擦去满脸的泪水和鼻涕，拿出手机就给妻子打电话。

这时，庄义龙俯下身，嘴巴凑到孩子耳朵边上说："他是你爸吗？"

孩子细声说："他是我爸，我记得的。"

接通了宋琪的电话，刘志高喊叫道："老婆，老婆，是我们的开心，是我们的开心！"

宋琪在电话那头泣不成声，什么话也说不出来。

刘志高抹了一把鼻涕和泪，说："老婆，你别挂电话呀，我让儿子和你说话。你别哭了，孩子和你说话，你要和他好好说，别哭了，孩子都找到了，你哭什么。"

他让妻子别哭，自己的泪水却无法止住。

刘志高把手机递给了儿子，说："开心，快和妈妈说话，妈妈和爸爸一样，一直都想着你，从来没有放弃过思念你。"

孩子接过电话。

开始，他没有说话。

听到宋琪在那里叫唤他之后，他才开口说："妈，妈，我想你——"

这时，他的泪水才流淌下来。

宋琪哽咽地说："开心，妈妈每时每刻都想着你，快回来吧，妈妈给你做好吃的，做你最喜欢吃的蛤蜊炖蛋。"

孩子说："妈妈，你怎么不和爸爸一起来，我也好想你——"

刘志高长长地叹了口气，压在心中三年的那块石头终于落了地，他仿佛听见了被压迫了三年的心脏自由自在地放松的声音。

孩子的养母站在一边，仿佛是个多余的人，这个养育了孩子三年之久的女人，也流下了泪水，那泪水不知道是辛酸，还是感动。

……

3

朱文远讲完刘志高的寻子故事，李妙已经用光了一小包纸巾了，每次讲到泪点，她的泪水就会滑落。朱文远讲到动情处，眼睛里也闪动着泪光。张森还趴在那里沉睡，在朱文远讲述的时候，他轻微的呼噜声有时会停止，过不了多久又会响起。张森也许是真睡，也许是假睡，真睡还是假睡，朱文远都理解他。如果是真睡，那他的确是太累了，一年到头也睡不上几个好觉；如果是假睡，那他是怕听到这些事情，触动内心最柔软的那个部分，增加思念女儿的痛苦。

列车向前疾驰，缩短着到目的地的距离。

李妙望着车窗外掠过的田园和山峦，内心平静不了。

无论是朱文远讲的关于刘志高的故事，还是她要追捕的钟秀珍，抑或是躺在病床上渴望见上她一面的父亲……李妙的内心此刻就像是一口翻滚着开水的锅。

　　刘志高的故事让她流泪，以美好的结局收场，十分励志。

　　钟秀珍是李妙的一块心病，她曾经两次在李妙手中漏网，不抓住她，李妙愧对自己的职业，愧对那些无辜的被拐孩童。想起钟秀珍，仇恨之火就会在她体内燃烧，不光是钟秀珍，所有人贩子都是她的仇人，钟秀珍是他们中间的一个代表人物。这次贵州之行能否抓住钟秀珍，她心里没底，这也是她内心烦躁不安的原因。

　　关于父亲，她心里一团乱麻，怎么也理不清头绪，每当母亲的话突然萦绕在她耳边，她就想张开嘴巴狂叫。李妙暂且尽量不去想父亲的事情，一切等这次贵州之行完结之后再考虑。李妙控制着自己的情绪，避免陷入父亲的泥潭之中不能自拔。

　　她微微叹了口气。

　　朱文远递过来一个苹果，笑着说："吃吧。"

　　李妙说："谢谢，我不喜欢吃水果。"

　　朱文远说："水果是好东西，一定要吃的，特别是你们这样的年轻女孩，水果会让你们更加美丽。吃吧，挺甜的。"

　　盛情难却，李妙接过了那个红苹果，咬了一小口，说："还真挺甜的。"

　　朱文远说："其实我也不喜欢吃水果，这是彭琼上车前给我的，既然带上车了，总归要吃掉，否则浪费了。"

　　李妙笑了笑，说："是怕辜负了彭女士的一片心意吧。"

　　朱文远说："也可以这么说。"

　　他们说着话，话题很快又回到了被拐儿童的身上，这是他们说不完，也无法回避的话题。

　　朱文远说："为什么很多人在孩子被拐后不报案呢？我真是想不通。"

　　李妙说："不报案的大都是农村孩子的家长，我想有两个原因：一是

他们对警方不信任，因为这类案件的复杂性造成破案效率比较低，他们认为警方根本就破不了案，或者不去破案；还有一个方面，是我们宣传不够，有些人根本就不知道有报案这一说，这在偏远的山村比较普遍。"

朱文远说："被拐孩子的家长不报案，在打拐工作中，就会有很多问题无法解决，比如解救后的孩子找不到亲生父母，给孩子造成二次伤害。"

李妙说："这个问题相当严重，很多孩子找不到亲生母亲，最后就被送进了孤儿院。然而又有个别孤儿院把孩子卖掉，甚至卖到国外。所以，我们希望所有被拐孩子的家长都能到当地警方报案，然后抽血储存起来，日后找到孩子，就算孩子长大，音容笑貌有所改变，做下 DNA 的比较，就可以找到父母了。"

朱文远说："有解救后找不到父母的案例吗？"

李妙说："有的。"

朱文远说："能否讲来听听？"

李妙说："让我想想。"

她的目光注视着窗外，脑海里浮现出一个十二岁小姑娘脏污的脸，还有她那双呆痴的眼睛。

4

赣南市郊，有座虎形山，在虎头位置的山脚下，有栋新盖的二层楼楼房，这地方属红星村管辖，离红星村五里路的距离，红星村人都知道这栋新楼里住着什么人。

新楼的主人是个六十来岁的老头，红星村的人都叫他光头佬，他的头皮光溜溜的，一片不毛之地。在新楼落成之前，他住在村里的老房子里。那时，他喜欢和退休的小学老师赵学文一起在村中央的老樟树底下下棋。光头佬脾气好，下棋赢了输了都一样，笑眯眯的；赵学文则不一样，赢了就洋洋得意，输了就大声嚷嚷。观棋的人都说，赵学文不像老师，光头佬的修养倒像老师。赵学文有时会气急败坏地说，这和老师有个鸡毛关系。大家就笑了，有人说，怪不得红星村的孩子上学后，就不会好好说话了。

光头佬的确是和善之人，比如，有哪个孩子看到他在阳光下闪闪发亮的光头，提出要摸摸，他就俯下身体，低着头，让孩子摸。一边的大人骂孩子没有礼貌，光头佬就说没有关系。就连那些女孩子想摸他的头，他都让摸，一点也不顾忌。

光头佬有两个儿子，一个在南昌，好像是个什么干部，很少回来，就是回来，也呆不了两天就走了，他不和村里人说话，碰到村里人眼睛往天上看，也不怕看不清脚下的路，摔个跤什么的。村里人都说他有官架子，当官后就没有人味了。每次他走后，光头佬都要给儿子擦屁股，碰到村里人就点头哈腰，替儿子说好话。光头佬的另外一个儿子据说在广东做生意，是个大老板什么的，这个儿子就更少回来了，两年回来一次就烧高香了。不过，他回来的时候可是对村人十分热情。两年前，他在离村里两公里的虎头山脚下建了栋新楼，让父亲搬出了红星村。

村人都纳闷，光头佬一个人住那里，如果有个急病什么的，找人也不方便，他要是死在楼里，尸体臭掉了也没有人知道。光头佬刚刚搬到新楼里住的那段时间，还会骑辆脚踏车回村里来找赵学文下棋。

可是后来就渐渐地不回村里了。

他就是骑车到城里去，路过红星村，也不下车歇歇脚。

没有了光头佬这样脾气好的棋友，赵学文很不习惯。

他和别人下棋，要是输了发脾气，别人不仅不会让他，还会和他吵，弄得鸡飞狗跳。

有人对赵学文说："赵老师，你应该和光头佬学学，脾气大伤身体哪。"

赵学文说："我要不发脾气会闷死的，没有办法，这脾气是改不了了。"

劝他的人叹气，说："你这辈子也够不容易的，可怜你那些学生，遭了你多少罪哪。"

赵学文脸红耳赤地辩解道："被我骂过的学生，哪个没有出息？那些笨蛋学生，我还懒得骂呢。"

劝他的人就哈哈大笑。

笑得他怒火冲天。

赵学文是红星村脾气最大的人。

而光头佬是红星村脾气最好的人。

赵学文找不到光头佬下棋，还真不习惯，他需要光头佬这样一个可以忍受他坏脾气的人，否则红星村永无宁日。

所以他会骑着脚踏车去山脚的新楼里找光头佬。

第一次去，赵学文发现楼里没人，他敲了很久的门，里面就是没有反应。

他只好灰溜溜地离开，心想，光头佬这鬼老头会到哪里去？

光头佬搬走后，赵学文一共去找了光头佬五次，只有一次门开了，光头佬笑容满面地把他迎进新楼。

新楼里面装修得很豪华，在赵学文眼中简直就是皇宫，他从来没有见过如此豪华的房子。光头佬带他楼上楼下参观，赵学文看得眼花缭乱，甚至对自己的人生产生了怀疑。赵学文说，你儿子对你真孝顺，造这么好的房子给你住。光头佬点头，说："是好，是好。"赵学文说："我那儿子要是像你儿子一样就好了，可惜他自己的钱都不够花，还老盯着我口袋里的那几块钱退休金。"光头佬说："我不会赚钱，也没有退休金。要会赚钱，有退休金，也给他们花。"赵学文参观到底层时，发现有个小楼梯通向地下室，地下室有道封闭的门。光头佬没有带他到地下室里去。赵学文对地下室倒是十分好奇，这两层楼的房子，那么宽敞，还要地下室干什么？主人没有带他参观地下室的意思，他也没好意思提出来。

离开那里时，赵学文好像听到地下室里有响动，光头佬神色有些慌乱，赶紧把他拉到楼上喝茶了。

光头佬泡茶，说："我这是好茶，听老二说，几千块钱一斤。"

赵学文说："一万块钱一斤的茶叶，我也不稀罕，来，杀一盘吧，手痒了。"

光头佬说："喝茶吧，不下棋了，我家里没有象棋。"

赵学文说："你家的象棋呢？"

光头佬说："留在老屋里了，没有带过来。"

赵学文说："为什么不带过来？"

光头佬说："那副象棋是旧物，儿子不让带过来，说新家全部要用新东西，就连我的衣服都全部买新的。"

赵学文说："他们又不回来，你拿过来，他们也不知道。"

光头佬说："不能拿，要是他们突然回来，发现家里有旧物，他们会不高兴的，我儿子对我孝顺，我不能让他们不高兴。"

赵学文说："你又不是他们的儿子，你想干什么他们管得着？"

光头佬说："话不能这么说，人要相互尊重，这点你比我清楚，你是有文化的人。"

赵学文嘿嘿干笑，说："那你也可以买副新象棋放在家里哪，没事打个电话给我，我就可以过来陪你下象棋了。"

光头佬笑了笑说："一直想买，总是忘记。"

赵学文说："下次我给你带副新象棋来，你一个人住在这里，没有人找你玩，你会闷死的。"

光头佬说："不闷不闷，没事种种菜，看看电视，喝喝茶，挺好的。我儿子说，这叫修身养性，颐养天年。"

赵学文哈哈大笑。

因为没有象棋，光头佬又不肯和他回村里去下棋，赵学文觉得索然无味，他是个一天不下棋会死的人，坐了会，喝了几杯茶，就急着回村里找人下棋去了。离开光头佬家，赵学文还在琢磨，光头佬要那个地下室干什么，地下室里为什么会有响动？这个问题困扰着他，一直到揭开真相。

有一天，光头佬从城里回来，骑车路过村里，碰到了赵学文。赵学文怒气冲冲的样子，他刚刚和别人下完象棋，因为输了，十分光火，发了脾气，对方也不相让，和他针锋相对，弄得他气急败坏。

光头佬被他拦了下来。

赵学文还在喋喋不休，还要光头佬给他评理。

光头佬说："息怒，息怒，气大伤肝。"

赵学文发现他自行车前面的筐子里有条崭新的不锈钢锁链，锁链上还有个皮项圈，心里十分好奇。他的怒气顿时云消雾散，拿起锁链，疑惑地说："你买这个干什么用？"

光头佬神色有点慌乱，但是很快镇静下来，笑了笑说："儿子说准备给我捎条外国狗回来养，我先买条链子准备着。"

赵学文说："你真有雅兴，看来真要过上等人的生活了，怪不得不回村里和我们玩了。"

光头佬笑了，笑得有些难为情。

赵学文说："对了，你买新象棋了吗？要是买了，我就经常到你家去下棋，红星村的其他人都没有棋德，只有你配和我下棋。"

光头佬说："哎哟，我忘了，下次一定买，一定买。买好象棋，我会通知你。好了，我家里还有事情，先走了，改日再玩。"

赵学文说："有什么要紧事，来，陪我下完一盘棋再走，好不容易碰到你来村里。"

光头佬无奈，只好和他下棋。

下棋前，光头佬强调说："学文，说好就下一盘棋的，我家里真的还有事情。"

赵学文说："好，好，就下一盘。"

这盘棋下了好长时间，最后还是赵学文输了，这个臭棋篓子，棋艺不精，还特别喜欢下棋，输了还发脾气。光头佬本来想让他赢的，想想，还是赢了他。输了棋，赵学文依然骂骂咧咧，话说得特别难听，根本就不像一个老教师说出的话。光头佬一如从前，他骂他的，自己站起身，微笑着说："好了，你慢慢骂，我要回家了。"赵学文不解气，拉住他，还要下一盘。光头佬扯开他的手，说："走了，走了，下回再下。"

光头佬走到脚踏车旁边，准备骑车回家，却发现脚踏车前面筐子里的不锈钢拴狗链子不见了。他的脸一阵红一阵白，双手在发抖。赵学文不骂了，问他："怎么不走了，是不是还要和我下一盘？"

光头佬突然大声吼叫道："谁拿了我的链子！谁拿了我的链子！"

他从来没有如此大吼过，把在场的人都惊呆了。

光头佬还骂出了口："谁他娘的拿了我的链子，快给老子还回来！"

这时，一个观棋的人说："刚才，我看见杨二嫂的儿子拿着一根链子玩，不晓得是不是你的？"

光头佬朝他吼道："不是我的，难道是你的！你看见了，为什么不制止他，不让他拿走？"

那人诚恐诚惶地说："我，我去给你要回来。"

过了一会，那人把链子给他取回来了，递给光头佬。光头佬把链子扔回筐子里，二话不说，怒气冲冲地骑车走了。给他取回链子的人摸了摸自己的头，自言自语道："他的链子被孩子拿走，关我屁事呀！我还屁颠屁颠去给他取回来，最后连一句感谢的话都没有。"

他的话惹得大家哈哈大笑。

只有赵学文没有笑。

看着光头佬远去的背影，若有所思。

就在赵学文最后一次去光头佬家时，发现了他家地下室的秘密。那是在光头佬搬到新楼里住的一年以后的事情。

赵学文那天棋瘾上来了，拿着一盒棋子，出了家门。在村里转悠了一圈，没有找到可以和他下棋的人，奇怪的是，那天村里的几个棋友，不是家里有事，就是下田劳作去了。他十分沮丧地回到家里，长吁短叹。老伴见他难受，说："一天不下棋就把你急成这样，你就不能在家里陪我说说话？"赵学文说："臭老太婆，我已经三天没有下棋了，心里都痒死了。"老伴说："棋是你的命，我什么也不是，当初怎么就瞎了狗眼嫁给了你。"

赵学文没有理她，突然，他想起了光头佬。自从那次光头佬因为狗链子生气，已经过去大半年了，也不晓得他怎么样了。赵学文想了想，还是去找他玩吧，他应该买了新象棋了。

他出了家门，骑上自行车，往光头佬家的方向奔去。

光头佬家在山脚下，离村子远，而且周边也没有公路什么的，特别幽静，空气也好。赵学文感叹，光头佬和他儿子真会寻地方。

光头佬家门紧闭。

赵学文敲了敲门，没有人应答。

难道他不在家？

赵学文趴在门上，眯着眼睛从门缝里往里看，什么也没有看到。他想，光头佬会不会在楼上看电视？可是，他没有听到电视的声音。如果就这样离开，赵学文心里不甘。他就大声喊叫："光头佬，开门，开门——"

还是没有人回答他。

他想光头佬真的不在家了。

一不做二不休，赵学文这样喊叫道："光头佬，我晓得你在里面干见不得人的事情，连门都不敢开，还装作不在家的样子。你就在里面，不要以为我不晓得你在干什么！你要再不开门，我就把你干的事情回村里告诉大家！"

赵学文的话音刚落，二楼的窗户打开了，光头佬探出头，说："你叫什么呀，我在睡觉呢。我干什么见不得人的事情了，你这个人就喜欢胡说八道。"

赵学文哈哈大笑起来。

光头佬打开了门，赵学文推着自行车走了进去。

光头佬说："走，上楼喝茶。"

赵学文说："光头佬，我是来找你下棋的，不是来喝茶的。"

光头佬说："我都忘了怎么下棋了。"

赵学文说："老东西，你说什么？忘了下棋？"

光头佬说："真的忘了下棋了，走，上楼喝茶吧。"

赵学文好像听到有人在哭，是女人在哭，声音很小，却还是能够听到。他说："你家还有人？"

光头佬把他拉上了楼，说："哪有人？"

赵学文说："刚才我分明听到有女人哭。"

光头佬显得很不高兴，恼怒地说："赵学文，我一直敬重你。以前和你下棋，你输了，怎么骂人，怎么发火，我都不生气，都让着你，因为你是有文化的人。今天，你先是在我家门口吼叫，还威胁我说我做了见不得人的事情。我好心让你进家里来喝茶，你却说我家里有女人哭，你到底安了什么心，到底想干什么？我一个老头子，独自住在家里，你非要说我家里有女人，真想败坏我的名声？"

赵学文说："我真的听见有女子的哭声，你别急嘛，也许是从屋后的山上传来的哭声，我又没有说你家里藏有女人，你急什么呀。"

光头佬说："这才差不多。学文，你坐会儿，我下楼到厨房里拿烧水壶，一会就上来给你泡茶。"

光头佬下去后，赵学文站在楼梯口，竖起耳朵听，哭声听不见了。

他却听到光头佬在底下压低了声音说："我警告你，别再哭了。再哭，饿你三天，看你还哭不哭得出来。"

赵学文感觉他是在地下室的门口说话的。

是的，不一会，他听到了光头佬从底下室爬上楼梯回到一层的脚步声。赵学文赶紧回到沙发上，坐在那里，装出若无其事的样子。光头佬上楼来后，装模作样地说："你还听到女人的哭声吗？"赵学文说："没有了，没有了。"光头佬说："我看你也是老糊涂了，耳朵出了问题，赶紧去医院检查检查，要是耳朵有毛病，过两年你就变成聋子了。"赵学文坐在沙发上，觉得很不舒服，屋子虽然装修很好，可是被光头佬糟蹋得差不多了，地板脏兮兮的，还有股奇怪的臭味。得知光头佬家没有象棋，他也不下象棋了，加上受不了屋里的臭味，赵学文坐了会就告辞了。下楼时，赵学文特地朝地下室那边瞟了一眼，发现通向地下室的楼梯上，有几个浅显的脚印，看得出来，那不是光头佬粗大的脚印，而是小脚印。

走出光头佬的家门，赵学文骑车回村子去了。

光头佬看着他的身影消失在山坳之中，才骂了声什么，进屋用力地关上了门。

其实赵学文没有回村，他觉得光头佬太不正常了。女人的哭声、光头佬在地下室门口的话语、通向地下室楼梯的脚印都让他生疑。还有，当初光头佬说买拴狗链子，是因为儿子要捎只外国狗给他养；可是，赵学文刚才在他家里，连狗毛都没有见到一根。赵学文觉得光头佬家里十分可疑，他决定偷偷地回去看看。

赵学文悄悄地来到光头佬家的楼后面，他看到有扇窗比较低，就蹑手蹑脚地来到窗前。那窗紧闭着，窗玻璃靠里的那面贴着报纸，他看不清里面的状况。突然，赵学文听到了光头佬的怒骂声，接着，传来一个女子的哭喊，准确地说，是个小姑娘的哭喊。

光头佬怒骂道："你这个小贱人，我叫你哭，叫你哭！"

小姑娘哭喊道："求求你，别打我了，别打我了。"

光头佬说："老子打不死你，小贱货，以后有人来不老实，老子把你拉到房子后面，挖个坑，活埋了你。"

小姑娘不说话了，只是哭，哭得很是凄惨。

这回，赵学文听得真切，原来光头佬家里还真有女人，而且还是个孩子，他……赵学文想不下去了，骑上车就往派出所里跑。

……

警察在光头佬的地下室里找到了一个十三岁的小姑娘，小姑娘脖子上套着拴狗的项圈，那根不锈钢链子一头拴着项圈，一头拴在地下室的柱子上。她身上的衣服肮脏，蓬头垢面，睁着一双惊恐痴呆的大眼睛，她身上，唯有双手是干净的。看到她这个样子，连解救她的警察都难过得落泪。

被抓后的光头佬招供，这个小姑娘是他三年前花三千块钱从人贩子手中买来的，他看这姑娘长得好看，就动了色心，想到儿子也不可能回家住，家里就剩他光棍一人，把她买回家当老婆挺好的。于是，在一个深夜，他把小姑娘带回了家。光头佬的老屋有很多房间，他就在一个房间里，挖了个地下室，把小姑娘囚禁在里面，每天晚上进入地下室猥亵她。光头佬其实已经没有性能力了，但是他的色心不死，除了用手摸小姑娘的下体，他还有一个让自己达到快感的方式，那就是让小姑娘不停地摸他的光头，摸得爽了，他才心满意足地睡去。小姑娘被他囚禁着，连一条狗都不如。这老畜生在外面装得像个好人，晚上回家就不是东西了，还经常毒打恶骂小姑娘。在小姑娘的眼里，他就是个老恶魔。光头佬的事情后来被他的二儿子发现了，二儿子也是个畜生，竟然觉得父亲养个小姑娘是正常的事情，还替光头佬着想，在山脚下给他建了栋楼，让他可以肆无忌惮地折磨小姑娘，获得快感。因为二儿子担心父亲住在村里，事情迟早会败露。搬进新房子后，光头佬哪有心思去下棋了，躲在小楼里，喝点茶，看会儿电视，猥亵会儿小姑娘，日子过得邪恶又快活。他原来就有条链子是用来锁住小姑娘的，搬到新房后，觉得儿子说得有道理，什么都要新的，反正儿子有钱，他就买了条新的拴狗链子。在新房里，需要小姑娘的时候，就把她从地下室牵上楼，猥亵完后，就把她锁回地下室。光头佬没有想到事情会败在赵学文身上，他还说过，等他从监狱里出来，要杀了赵学文。这话传到赵学文耳里，赵学文的火暴脾气又上来了，忿忿地说："这个龌龊的老流氓，我等着他出来杀。不过，他还能不能从监狱里活着出来，还是个大问题呢。"

而这个可怜的小姑娘竟然没有名字。

她从小就被人贩子拐卖，无论被卖到哪里，都没有人给她起名，她的名字就是：喂、小东西、臭丫头、小贱人等等。她自己说，从她记事起，就一直被人卖来卖去，有十三次之多。在光头佬家里是最长时间的一次，也是最残酷的一次，那是她生命之中最灰暗的岁月。后来，她每当看到秃顶的男人，就禁不住浑身发抖，惊恐万状，她的手甚至不敢去触摸光滑的东西。

191

像她这样被多次拐卖的孩子，自己对家乡和亲人没有记忆，根本就找不到她的亲生父母。解救出来后，问题重重。

她身体的要害部位被折磨得不成样子，好几个脏器都有毛病，需要长时间的住院治疗。住院治疗要花大笔的钱，公安局没有这方面的经费，她也没有亲人给她出钱治疗，该怎么办？总不能让她因为病痛而死，她的命运已经够悲惨的了。李妙去医院看她时，心疼得要命，她不敢和小姑娘的目光对视，她从小姑娘的身上，看到了童年的自己。李妙想，要让她活着，而且要好好地活下去。李妙找了很多部门，比如妇联、民政局等单位，这些单位也说没有钱给孩子治病。就在她焦虑时，她那做生意的中学同学联系了一个大老板，答应给孩子治病。

孩子的病治好后，她的归宿成也有了麻烦。

那个捐助孩子治病的老板是个四十多岁的女人，离异，因为不能生育，膝下无儿无女，她对孩子十分呵护，经常去医院看孩子，还带孩子出去吃饭，给孩子买漂亮的衣服。女老板有明确的意愿要领养孩子。可是，打拐被解救的儿童如果找不到亲生父母，将面临不能被收养的困境。因为一个孩子如果被认定为"打拐儿童"，那么他就不是"弃婴弃童"也不是"孤儿"。根据法律规定，如果不是弃婴弃童和孤儿，就不能被其他家庭收养，"打拐儿童"在法律层面上，很难进行收养程序，谁也不知道他的亲生父母什么时候会来找他。

因此，女老板十分无奈。

但是女老板告诉李妙，她是真心喜欢这个女孩子，就是不能收养孩子，她也会关注到底，让孩子走向新生。

这点让李妙心里有了安慰。

李妙也曾经想过自己收养她，让她当自己的妹妹，此生不能让她再遭受苦难。

这是李妙良好的愿望，可是，这个世界很多良好的愿望都无法实现，就像女老板也无法实现自己的愿望一样。

因为孩子没有名字，李妙给她取了名字，叫李美，她们的名字合起来就是美妙。

　　因为几个月过去了，李美的亲生父母没有来认领她，最终，她被送进了社会福利院。

　　那天，女老板和李妙一起送李美去社会福利院。

　　安置好后，女老板在离开时，对李妙说："李警官，我真希望李美能够喊我一声妈妈。"

　　李妙说："我也希望如此，那样李美就有福了。"

　　李美听到了女老板的话，她走到女老板面前，抬起头，眼睛里闪烁着泪花，轻轻地叫了一声："妈妈——"

　　女老板顿时泪流满面，抱着李美说："乖女儿，无论你在哪里，你都是我的女儿。"

　　话虽然这样说，可是，李美未来的命运会怎么样，谁都不能预测。

　　她终究是一只受过伤害的孤独小鸟，能否在人生的天空中自由飞翔，还要看她自己的造化。

5

　　张森醒了，他朝他们笑了笑，没说话。

　　李妙微笑着说："睡得好吗？"

　　张森也笑了笑，说："挺好的，梦见女儿了。"

　　朱文远递给他一个苹果，说："是不是总是梦见女儿？"

　　张森接过苹果说："是呀，总是梦见。有时梦见找到她了，很高兴，会笑醒；有时梦见她被人打被人骂，叫天天不应，叫地地不灵，心里就黄连一样苦，苦醒了。"

　　李妙说："我理解你的心情，那么，刚才做的是什么样的梦呢？"

张森笑着说："好梦，梦见到站了，一下火车，看到女儿来接我。她抱着我说，爸爸，我知道你会来的，所以在车站等你，等你带我坐飞机回家。我看到孩子的脸红扑扑的，眼睛也很亮，穿着也很光鲜，还长高了，觉得她没有受什么苦，就笑醒了。醒来还是在寻找的途中，只能苦笑了，还不如不要醒来。"

李妙听了他的话，心里酸酸的，难过。

她突然想起父亲，他当时要是真寻找过自己的话，有没有像张森那样做过梦，不管好梦还是噩梦？

她找不到答案。

李妙还想，自己要是有张森这样的父亲，那该有多幸福。

朱文远说："有梦总比没有梦好，有梦就证明还心存希望。"

张森不说话了，大口地啃着苹果，他的眼神充满哀伤和渴望。

他们都不说话了，目光都掠到窗外。每个人，都有自己的内心世界，他们看待窗外风光的感受也不一样。

李妙和张森并排坐着，朱文远坐在他们对面，旁边还空着一个位置。

火车在湖南的一个站点停靠后，上来了一些人。

有个八九岁左右的男孩，背着书包，走到朱文远面前，问道："叔叔，这里有人坐吗？"

朱文远笑笑，说："没人，你坐吧。"

小男孩个子不高，不胖不瘦，短发，圆脸，稍黑，鼻子有点扁，嘴唇比较厚，大眼睛，眼神有股子怨恨之气。

李妙比较敏感，问道："小朋友，就你一个人吗？"

小男孩点了点头。

李妙又问："你要去哪里？"

小男孩说："随便。"

李妙说："随便？"

小男孩说："是的，随便。"

李妙说："父母亲知道你出来吗？"

小男孩不说话了，把头扭向另外一边，不搭理她了。

李妙知道了，这孩子是自己离家出走的，她隐隐约约有种担心，担心这个孩子会失踪。她观察了一下，这节车厢里没有上来跟踪男孩子的人，她能够看得出来，这都是罗小武教她的。识别人贩子的能力是罗小武教她的，她还有另外一种手段，那就是散打，那是她舅舅教她的。她在被解救之后，舅舅就开始教她散打，让她拥有保护自己的能力，不至于再受到伤害。

小男孩站起来，对朱文远说："叔叔，帮我看好我的座位，我去去就来。"

朱文远说："好吧。"

小男孩在车厢里慢慢走着，左顾右盼，像是在观察什么。

李妙说："朱记者，我去盯着那孩子。"

朱文远说："你断定他是离家出走的孩子？"

李妙说："是的，保证没错。"

那孩子一节车厢走完了，又走向另外一节车厢。他还是左顾右盼，审视着车厢里的每个人。李妙跟着他，和他保持十几米的距离。他到底要干什么，李妙不得而知，但她清楚他这样做是有目的的。难道他是个小偷，在观察谁的钱包和贵重物品更加容易得手？问题是，他根本就不像小偷，李妙有点困惑。其实，小偷脸上也没有写上小偷两个字，凭什么他就不像小偷？

快走到最后一节车厢的时候，遇到了列车员在查票。

孩子一看到查票，转身就要走，他惊慌的样子引起了列车员的注意，列车员追上来，抓住了他。那个女列车员长得粗壮，看上去就是个虎妞。她粗声粗气地说："你跑什么跑，票！"男孩子挣脱不开，顿时脸红耳赤，话也说不出来。李妙明白了，这孩子敢情是逃票上车的呀。她想，自己应该出手了。她走过去，对列车员说："对不起，对不起，他是我弟弟，因为时间紧，来不及买票就上车了，还没有补票，现在马上补，马上补。"列车员放开了孩子，孩子低着头。列车员看她态度不错，教训了几句，就给孩子按最近一站上车到终点下车的旅客补了票。

李妙把票递给他，说："收好，这是你的车票。"

男孩子把票塞进了口袋，跟着李妙回到了座位上。

李妙递给他一瓶矿泉水，说："喝吧。"

男孩子接过矿泉水，说："谢谢。"

李妙笑了："饿吗？"

男孩子喝了口水，说："不饿。"

李妙说："能告诉我们你叫什么名字吗？"

男孩子对他们有了基本的信任，放松了许多，说："我叫王逸。"

朱文远说："这名字不错呀。"

王逸看了他一眼，说："你喜欢我的名字吗？"

朱文远说："喜欢。"

王逸突然说了一句话，让朱文远、李妙和张森吓了一跳。

他说："叔叔，你既然喜欢我的名字，看来也喜欢我吧？如果是这样，你把我买了吧，我给你当儿子。我在火车上看了一遍，还是你们比较可靠，叔叔，你答应我做你的儿子吗？"

朱文远说："我是喜欢你的名字，也喜欢你，你要我买你当儿子，你最起码要告诉我理由，还有，需要给你付多少钱哪？"

李妙注视着他，期待着他的回答。

这个自己拐卖自己的孩子，李妙还是第一回碰见。

于是，小男孩王逸给他们讲起了他的故事。

6

王逸不是父母眼中的那种乖孩子。

父母眼中的乖孩子是什么样子的？王逸知道，就是：听话，听话，听话。

王逸的父亲王九月和母亲蔡慧香都是政府机关的小公务员，他们像中国千千万万的家长一样，望子成龙，十分膜拜"孩子不能输在起跑线上"这个狗屁信条。孩子从懂事起，他们就希望孩子变成无所不能的神童，给孩子报了许多培训班，王逸从小就没有自由。

上了小学一年级后，他们对孩子要求就更加严格了。

一个星期七天，除了正常到学校上课，周末和每天晚上都安排了培训，比如周一、周三、周五晚上是各一个小时的英文课，周二、周四晚上是各一个小时的钢琴课，周末两天，分别有小学生作文培训、歌唱培训、乒乓球培训等等。每天晚上上完培训课，回来还要做学校布置的作业，王逸就像一个小陀螺，不停地旋转。

这可怕的不停旋转，终于激发了王逸的逆反心理。

从小学二年级开始，他就不好好学习了，不光在课堂上不好好听讲，那些培训课也打不起精神。他的学习成绩一落千丈，这让父母亲十分恼火，动不动就打骂他。王九月和蔡慧香夫妻俩轮流值班，一人看管儿子一天。王逸记得有一次，他的两道算术题没有做对，蔡慧香检查出来后，呵斥他重新做。他没有办法，只好重新做，但是，他的心根本就不在算术题上，第二遍还是没有做对。蔡慧香气急败坏，拿起苍蝇拍子，劈头盖脸地打，边打边说："让你不好好学习，让你不好好学习！"王九月从房间里走出来，非但没有制止妻子打儿子，还在一边说："该打，不打不长教训。"

王逸哭了，但是哭也没有用，母亲还是继续打骂。

打骂完后，还逼迫他继续做作业。

从那以后，挨打就是家常便饭。

父母越是打骂，王逸就越不好好学习。

他越是不好好学习，成绩就越一塌糊涂，父母就越加施暴。

小学二年级的期末考，王逸的成绩是全班最差的。他不敢把成绩单带回家，偷偷地撕掉了。结果，那个晚上，就像世界末日一样了。先是蔡慧香打骂他，然后是王九月收拾他，他被打得脸青鼻肿，晕头转向，泪流满面。那个晚上，他噩梦连连，几次在噩梦中醒来，浑身发冷，在黑暗中无助地流泪。

第二天，他对同学许成林说："许成林，你爸爸妈妈打你吗？"

许成林说："我爸爸妈妈才不打我呢。"

王逸说："可是我爸爸妈妈打我，我恨死他们了。"

许成林说："你得给他们个教训，不然他们还会继续打你的。"

王逸说："什么教训？"

许成林在他耳朵边悄悄说了几句话。

王逸点了点头。

这天晚上，上完钢琴课回来，蔡慧香看着儿子做作业。突然，王逸抱着肚子倒下去，喊叫道："痛死我了，痛死我了——"

蔡慧香吓坏了，看着满地打滚的儿子，不知所措，喊叫道："九月，九月——"

王九月跑过来，抱起儿子，说："小逸，你怎么了，告诉爸爸，你怎么了？"

王逸说："肚子痛，肚子痛，痛死了。"

蔡慧香说："九月，你说怎么办。"

王九月恼怒地说："还能怎么办，赶快送医院。"

在医院的急症室，医生给王逸检查时，哭着对医生说："我肚子好痛，都是爸爸妈妈打的，他们总打我，打得我肚子得癌症了。"

医生检查完后，让蔡慧香带孩子出去，他有话要对王九月说。

蔡慧香和王逸在外面等了会，就看见王九月阴沉着脸走出诊室。他瞪着眼睛，说："回家，回家再说。"王逸以为回家就没事了，从此后，爸爸妈妈就不会打他了。王逸万万没有想到，刚刚踏进家门，王九月一把拎起王逸，狠狠地在王逸脸上搧了一耳光，王逸只觉得耳朵"嗡"的一声响，半边脸火辣辣地疼痛，他大哭起来。王九月把王逸脸朝沙发按在那里，抡起巴掌，使劲地打着他的屁股。

蔡慧香说："九月，你打他做什么呀，他不是刚刚肚子痛吗？"

王逸被打得直叫唤。

王九月愤怒地说："这小兔崽子，还学会装病了，还向医生告状，说我们打你，老子看你肚子还痛不痛，打死你，打死你！"

蔡慧香不顾孩子的痛苦叫唤，还在一边说："打死他，打死他，小小年纪就这样，长大了该怎么办？我们是恨铁不成钢呀，怎么会生这么一个不争气的孩子。打，给我往死里打，看他还敢不敢说谎。"

王九月打累了，才住手，然后恨恨地走进房间。

蔡慧香凶巴巴地对儿子说："你长记性了吧，以后再敢这样，看打不死你！还不滚去睡觉！"

王逸上气不接下气地说："妈妈，你们是不是真的要我死？"

蔡慧香没有回答他这个问题，还是凶巴巴地说："还不滚去睡觉，啰唆什么。"

王逸忍受着疼痛，回到了自己的小房间。

这天清晨，小区里早起晨练的一个老头发现楼顶边缘站着一个孩子。老头找来了保安，说："你看，楼顶是不是站着一个孩子？"保安一看，说："是呀，是个孩子，他要干什么？"老头说："你眼神好，看看是谁家的孩子。"保安又看了看，说："是王九月家的孩子，没错，是王九月家的孩子。"老头说："这孩子要干什么？"保安说："不会也是在晨练吧。"老头说："你有病呀，他站在那里是晨练？我看这孩子一定是受了什么委屈，想不开了。"保安说："对，对，想不开了。"

老头说："赶快打电话给他们家，让他们家长上楼救人。"

保安说："好，好，我马上去打。"

老头说："还要报警，报警！先报警吧，要是孩子跳下来，就麻烦了。"

保安赶快去打电话了。

王九月夫妻还在沉睡，突然电话铃声响起。王九月踢了踢妻子，说："快去接电话。"蔡慧香拿起床头柜上的电话，说："喂——"

保安在电话里说："不好了，你儿子站在楼顶准备跳楼了。"

蔡慧香吓得发抖，对丈夫说："小逸，小逸要跳楼。"

王九月说："你说什么？"

蔡慧香说："小逸站在楼顶，要跳楼。都怪你昨天晚上，把他打得太狠了。"

王九月吼道："什么时候了，还说废话，救人要紧。"

当他们爬上顶楼时，警察和消防队的武警都赶到了，消防官兵在楼下铺上了气垫。整个小区的人都被警笛吵起来了，纷纷出来看热闹。

王逸站在那里，一直流泪，喃喃地说着："爸爸妈妈，你们要我死，要我死。"

爬上楼顶的王九月夫妻吓得浑身哆嗦。

王九月说："小逸，你千万别跳呀，有什么话好好说。"

蔡慧香哭得像个泪人，喊叫道："小逸，别跳哇，我的心肝，别跳呀。"

王逸回过头，对他们说："我不是你们的心肝，我是你们的仇人。你们还记得吗？我作业题没有做对，你们用苍蝇拍子打我，打得我满脸都是伤；我考试没有考好，你们打我，打得我鼻子都流血了；我英语考级没有通过，你们让我跪在地上练习口语；我偷偷看会儿电视，你们用遥控器砸我的头，让我头上鼓起了老大的包。我干什么都不行，只能够按你们的要求去做。只要我不听话，你们就打我骂我，我被你们打怕了，你们真下得了手，好像我生来就是为了被你们打的。我明白了，你们是要我死，我就去死。我死了，就再也不会挨你们的打了，你们也再也打不到我了。"

王九月说："小逸，我们错了，再不会打你了，快过来，快过来——"

蔡慧香吓得说不出话来了。

王逸说："爸爸，我死了，你们就安静了，我也不会惹你们生气了，我做不了你们的好孩子，我也很辛苦，活得没有意思，死了就再不要做作业了，再不要学习了，再不会挨打了。爸爸，我再不想做你们的儿子了。"

他说完就真的跳下了楼。

王九月站在那里，呆了。

蔡慧香当场就昏了过去。

要不是楼不太高，消防官兵在楼下铺好了气垫，王逸必死无疑。王逸捡了条小命，还得感谢那个老头和保安。王逸跳楼事件之后，王九月夫妻俩有了些改变，很长的一段时间里，都不再打骂王逸了。尽管如此，他还是背负着沉重的压力，学校的功课和校外的辅导班还是那么多，王九月夫妻对他的学习还是如临大敌，丝毫不给他喘息的机会，更谈不上让他去玩了。他们不打不骂后，王逸学习认真了些，可是他心里特别逆反，只要能够偷懒就偷懒，因为他知道父母亲不会打骂他了。

王逸好不容易熬到了小学三年级。

这年他九岁。

一个九岁的孩子，因为父母亲给予的压力，很多时候变得沉默寡言，像个小老头。他像一只关在笼子里的鸟，渴望笼子外面无忧无虑、自由自在的天空。王逸不知道自己的天空在哪里，他经常想一个人去流浪，像三毛那样去流浪，尽管三毛经历了那么多苦难，那也比在空气紧张得可以点燃的家里强。父母亲总是说，为了未来如何如何，现在要怎样怎样，如果现在不怎样怎样，未来又会如何如何。听到那些话，王逸的脑海顿时一片糨糊。他美好的童年就这样被父母扼杀，没有快乐，没有天真，没有自由，没有爱。他就是一个学习机器，因为这台学习机器并不像父母期待的那样运转，所以他吃了很多苦头，父母要修理他。他不愿意做这样的机器，他希望自己是只自由飞翔的鸟。

王逸离家出走的起因，是因为那次钢琴的考级。

如果要让王逸选择，他最厌恶的东西是什么，他肯定会选择钢琴。

他从小就讨厌钢琴的声音，那不是美妙的音符，而是一根根针，扎进他的心脏。想想，一个人不是因为热爱或者喜欢去学习一种乐器，能够学好吗？不能，不但不能，还是一种折磨，心灵和肉体的折磨，对孩子来说也是一样。

王逸有一次做梦，梦见自己把钢琴烧掉了。

在梦中，他看着被焚烧的钢琴，就像看着一具被焚烧的恶魔的尸体，他拍手欢呼。

醒过来后，又看到放在自己房间里的钢琴，他跳了起来，疯狂地在钢琴上乱弹一气，把父母吵醒过来。他们不知道发生了什么事情。父母跑到他房间里来，问他："你怎么不睡觉？半夜三更弹什么琴？"他回答说："你们不是希望我长大后像朗朗那样吗？我弹，我弹，我弹弹弹——"

父母用怪异的目光看着他，以为他疯了。

也许，他们真会把一个孩子逼疯。

现在的中国，很多父母都有把孩子逼疯的潜质和能力。他们不是站在孩子的立场上对待孩子，而是站在自己的立场上消灭孩子美好的天真和快乐。他们不知道，孩子的未来是由他们自己掌控的，而不是大人为他们设计的，未来的确不是现在大人理解的那样，未来是由孩子们自己创造的。

王逸的钢琴考级没有过，而和他一起学的几个孩子都考过了，其中就有蔡慧香同事的孩子。蔡慧香的同事在单位里十分得意，夸她的孩子厉害，这还不算，还在她背后说王逸的怪话。怪话传到蔡慧香耳朵里，气得半死。她觉得王逸丢了自己的脸，回到家里，她忘记了王逸跳楼的事情，再次发作了，抓住王逸又打又骂。要不是王九月拦住，王逸又会吃不少苦头。打和骂，王逸已经习惯，妈妈这不过是故伎重演。让他不能接受的是，蔡慧香在他的书包里发现了一个ipad，里面有很多游戏。蔡慧香一怒之下，把ipad给砸坏了。这可是许成林借给王逸玩的，三千多块钱呢。王逸吓坏了，这可如何是好。明天怎么把ipad还给许成林，王逸怎么赔得起。

那个深夜，九岁的王逸偷偷溜出了家门，出走了。

他听过一些人需要买孩子的事情，就想把自己卖了，卖自己的目的十分简单：赔许成林一个新的ipad。

他怕在长沙被父母找到，就想到一个父母找不到的地方，把自己卖了，然后将钱寄回给许成林。于是，他偷偷地混上了K1251次列车。

7

李妙让张森稳住王逸，她和朱文远到车门那边商量对策。李妙说："这个孩子十分危险，要是被人贩子拐走，把他卖给一些利用孩子犯罪的团伙，比如卖给黑煤窑、黑砖厂做童工，或是卖给那些非法倒卖人体器官者，那这个孩子就完了。"朱文远说："李警官，你说怎么办？"李妙想了想，说："最好是，想办法从孩子那里得到他父母的联系方式，尽快和他父母亲联系上，然后让他们把孩子领回家。"朱文远点了点头。

他们回到了座位。

王逸眼神里充满了渴望。

他对朱文远说："刚才张叔叔说了，你是好人，你就把我买了吧，一部 ipad 的钱就可以了，我不会多要的。"

朱文远认真地说："你真要我买你？"

王逸点了点头，说："真的。"

朱文远说："那我答应你，买你！"

他以为王逸会很兴奋什么的，没有想到，王逸听了他的话，低下头不说话了。

朱文远说："叔叔答应买你了，你怎么不高兴了？"

王逸低着头说："你会像我爸爸妈妈那样逼我学很多东西吗？"

朱文远说："我不逼你。"

王逸说："你会像他们那样动不动就打我吗？"

朱文远说："有什么事情，我们讲道理，绝对不会打骂。"

王逸抬起头，说："这还差不多，那就成交吧。"

接下来，朱文远、李妙和王逸有说有笑，他们仿佛成了一家人。他们想从王逸的口中得知王逸父母的联系方式，电话或家庭住址什么的，都被小家伙警惕地拒绝，他怎么也不肯说。最后，李妙想到了一个办法。

李妙说："我们怎么把钱给你的同学许成林呢？"

王逸说："寄给他吧。"

李妙说："你知道许成林的地址吗？"

王逸说："知道的。"

李妙说："那你把他的家庭地址告诉我们，我们一下火车就给他寄钱，你说怎么样？"

王逸说："好呀。"

李妙从包里取出一个小本子，从中撕下了一张纸，递给他，说："就写在上面吧。"

王逸在纸上写下了地址。

李妙说："寄钱要留联系电话的，你知道许成林家的联系电话吗？"

此时，王逸放松了警惕，在纸上写下了许成林家的电话号码。

李妙拿到那张纸，赶紧离开了座位，来到了车门边，掏出手机，拨王逸写在纸上的那个电话号码。拨了十几次，电话就是没有人接，这是大清早，应该有人接电话的呀。李妙心里有种莫名其妙的焦虑，要是联系不上孩子的家人，他们不可能带着孩子一起走。就在她觉得自己快绝望之际，电话通了。接电话的是个男孩，她问："你是许成林小朋友吗？"男孩说："是呀，你找谁？"李妙说："能让你爸爸或者妈妈来听电话吗？"许成林说："你告诉我有什么事情，现在广告电话可多了，爸爸妈妈都不愿意接这样的电话。"李妙说："你知道王逸吗？"许成林说："知道，知道，他是我同学，他失踪了，他爸爸妈妈急死了，大家都在找他，你知道他在哪里吗？快让他回家。你告诉他，我爸爸说了，ipad 就不要他赔了。"李妙说："你赶快让你爸爸接电话。"许成林说："好，好。"李妙就听到许成林在电话中高声喊他爸爸的声音。那声音充满了某种特殊的情味，李妙从来没有体验过的那种情味，或者王逸也没有体验过。她的脑海中父亲的面孔一闪而过。

李妙从许成林父亲那里得到了王九月的手机号码，李妙要他赶快赶到贵阳火车站，到站台上接王逸。可是，王九月根本就来不及赶到贵阳火车站，就是坐最近那个航班的飞机也赶不到贵阳，因为列车停靠的下一站，就是贵阳了，时间不会太久。李妙有了个主意，把王逸交给贵阳铁路警方，王九月赶到贵阳后，直接到贵阳铁路公安局去领人。

打完电话，李妙马不停蹄地找到列车长和乘警长。

李妙请求他们和贵阳铁路警方联系，让他们在贵阳站接走王逸，并代为保护，直到孩子父亲前来领人为止。列车长和乘警长特别配合，很快就联系上了贵阳铁路警方，对方也表示愿意插手并处理好此事。由此，李妙心里才安定了些。

很快地，列车到了贵阳站。

李妙对王逸说："走，姐姐带你下车买点东西吃。"

王逸说："我不饿。"

李妙说："不饿也得吃点东西。"

朱文远说，我们一起下去吧，就是不买东西，也可以呼吸一下新鲜空气。

奇怪的是，王逸特别听朱文远的话，不知道他是不是真的把朱文远当成父亲了。

他们一下车，就看到乘警长和列车长在和两个贵阳火车站的警察说着什么。朱文远和李妙带王逸下车后，乘警长对那两个警察说："他们来了。"乘警长把李妙介绍给了那两个警察，那两个警察说："把孩子交给我们，你就放心吧，不会有任何闪失的。"

王逸一看情况不妙，想跑，可是他被朱文远控制住了，无法逃脱。

朱文远将他交给了那两个警察，对他说："孩子，回家去吧，你爸爸妈妈很快就会来接你的。我答应你，ipad的钱，我会寄给许成林的，我替你赔，但是我不能买你，我不能犯法，原谅我，孩子。"

王逸的双手被警察抓住了，他怔怔地看着朱文远，那茫然的眼中，流下了泪水。

朱文远和李妙看不下去了，心里也特别难受，列车马上要开了，他们就上了车。

他们上车的那一刹那间，他们听到王逸哭喊道："我不要回家，不要回家，我不要做他们的儿子，我不要他们做我的爸爸妈妈，我不要回家，你们骗我，你们是骗子，骗子——"

李妙的心又沉重起来。

她不知道王逸回家后会怎么样，不知道他的父母会怎么样对待自己的儿子。

李妙担心王逸的未来，担心这个孩子的命运。

现世的中国，有多少像王逸这样的孩子呢？

他们的未来和命运，谁又真正关心过？

李妙的内心一阵阵悲凉。

第八章

失去童稚的迷惘之瞳

1

柳镇是闽西山区偌大的一个镇子，有好几万人口。这原来是个明清古镇，有长长的老街，还有很多古老的房子。现在，古老的小街已经破败，老房子拆的拆，毁的毁，剩下的一些也在风雨之中飘摇。在古镇的外围，有了新的街道，有了大批新建的楼房。尽管古镇有了很大的变化，看上去却凌乱不堪，没有很好的规划，而且到处都是垃圾堆，散发出古怪的臭味。柳镇人的生活相比前些年，虽然有了很大的改观，很多老观念却还存留在柳镇人的脑海，像旷日持久的疮疤，无法根除。

比如传宗接代的观念。

在柳镇，谁家要是没有儿孙，就会在镇人面前抬不起头来，因为这意味着断子绝孙，没有脸面面对祠堂里的列祖列宗。所以，在这个地方，没有儿孙的人家，想方设法都要弄个男孩回家，当成自己的亲生骨肉养大，以续香火。

没有人统计过，在这个偌大的镇子里，有多少人家买过孩子。

但是有一点，肯定有不少。

人贩子在这里有很好的市场，柳镇也成为各地人贩子青睐的地方。

在这个地方，没有人会指责买孩子的人家，因为没有后代才会被别人瞧不起，甚至连吵架，都会拿此事当成攻击对方的武器，让对方恨不得找个地洞钻下去。所以，六年前，当李文亮将三岁的男孩杨思奇从人贩子手中买来后，他终于在柳镇抬起了头，当天就带着眼泪汪汪的杨思奇走遍了柳镇的街巷，宣告自己有儿子了。大家都心照不宣，晓得他的用意。也有人会故意问他："哟，这个出众的细崽是谁呀？"李文亮大声说："是我儿子李效能。"他的声音里充满了骄傲和某种情绪。

杨思奇变成了李效能。

仿佛从一个王子变成了青蛙。

可是，名字虽然容易改变，要让杨思奇从杨光明的儿子真正转换成李文亮的儿子，却不是那么简单的事情。回到家里，李文亮让他喊自己爸爸。杨思奇可怜兮兮地看着他，说："你不是我爸爸。"听了他的话，李文亮赶快把家门关了起来，他怕邻居听到孩子的话，传出去不好听。

李文亮说："你以前不是我的儿子，但是从现在开始，就是我的儿子了；而且，你有了新的名字了，叫李效能，明白了吗？"

杨思奇委屈地说："我不是你的儿子，我是杨光明的儿子，我叫杨思奇，不是李效能。"

李文亮十分有耐心，有经验的人对他说过，孩子刚刚到家里的时候，还会有以前家庭的印记，要慢慢地将他思想上的印记磨灭掉，才能真正成为你的儿子。他记住了这话，所以才显得很有耐心。李文亮说："你爸爸杨光明死了，他不再是你爸爸了。你记住，现在我才是你爸爸，以后，我要供养你，让你上小学，上中学，一直到上大学。你是我的儿子了，所以你的名字也要改了，明白吗？你从今往后，就叫李效能了。"

杨思奇哭了，边哭边说："我爸爸没死，我爸爸没死，我要回家，我要回家。"

李文亮说："你爸爸真的死了，你再也见不到他了，你的家就在这里了，别哭，哭也没有用。"

杨思奇还是不停地哭。

他不相信爸爸会死，等待着爸爸来接他回家。

李文亮的老婆上官红云说："文亮，晚饭做好了，让孩子吃饭吧。"

李文亮的母亲黄玉姑走到杨思奇面前，蹲下来，用干枯的松树皮般的手，擦了擦他脸上的泪水，说："乖，不哭了，我们去吃饭，奶奶做了很多好吃的。"

杨思奇说："我不吃你们家的饭，我要回家，我要吃爸爸做的饭，我最喜欢吃爸爸做的饭了。"

黄玉姑说："这就是你的家，你要喜欢吃爸爸做的饭，明天让你爸爸烧给你吃。"

杨思奇瞥了李文亮一眼，说："他不是我爸爸，不是我爸爸。"

黄玉姑说："他就是你爸爸，现在你习惯不了，过段时间你就习惯了，走，奶奶带你吃饭去。"

这时，李文亮的两个女儿李珍珍和李宝宝站在饭桌前，看着哭泣的杨思奇，两个人在嘀嘀咕咕说着什么。李珍珍九岁，李宝宝七岁。李珍珍细声说："这个小鬼头真讨厌，我都饿死了，他还在哭，还不来吃饭。"李宝宝说："爸爸说了，他以后就是我们弟弟了，以后是不是家里有什么好吃的东西都要让给他吃了？"李珍珍说："他来了，我们就没有好日子过了。"李宝宝说："是不是爸爸妈妈和奶奶就不爱惜我们了？"李珍珍说："差不多。"李宝宝说："那怎么办？"李珍珍在妹妹的耳朵边上悄悄说了两句话，李宝宝点了点头。

李文亮把杨思奇抱起来，放在了饭桌前的凳子上。

上官红云盛了碗饭，放在他面前。

黄玉姑把鸡肉夹起来，放在他碗里。

李文亮看着他，说："效能，吃吧。"

李珍珍把筷子伸向盘子里的鸡块。

李文亮瞪了她一眼，说："那是给弟弟吃的，你也能吃？"

李珍珍拿着筷子的手缩了回去。

李宝宝本来也想吃块鸡肉，看到父亲训斥姐姐，就不敢轻举妄动了，和姐姐面面相觑。

杨思奇还是流着眼泪，一动不动。

后来黄玉姑喂他，他才吃了几口饭。

那个晚上，杨思奇是流着泪睡着的。他在梦中喊叫着爸爸妈妈。李文亮和上官红云一夜没有合眼。他们有个担心，这个孩子能不能够养熟，以后会不会和他们有感情。李文亮用这样的话安慰自己和老婆："当时，李文槐买来的儿子，闹腾了半年，现在不也很好吗？像亲生的一样，我们要对他好，我就不信会养不熟。"

上官红云说："但愿如此。"

2

李文亮是个泥水匠，杨思奇买来的第三天，他就出门做工去了，走时交代家人：一定要对孩子好，要照顾好他，看好他，这不仅关系到他们家传宗接代的问题，也是花了大钱买来的。不能对不起列祖列宗，也不能对不起那些血汗钱。

李文亮走后，上官红云心里十分忐忑，她怕带不好他，尽管她生过两个女儿，却没有信心让别人的孩子成为自己的儿子。黄玉姑老太太和她的想法不一样，她看出了儿媳妇心中的疑虑，笑着对她说："红云，你要晓得，再凶猛的狗都可以养熟，何况是人。只要我们待他好，他会忘了原来的家，会忘了他自己的父母。记住我的话，无论他现在怎么样，都要顺着他，我们只要做一件事情，就是对他好。"

上官红云点了点头，她的眼神还是游移不定。

李珍珍和李宝宝看着父亲走后，相视一笑，她们的笑意中，隐藏着什么阴谋。

她们去学校上学前，趁奶奶和母亲在厨房里洗碗，来到了父母的房间里，来到还在睡觉的杨思奇床边。杨思奇的脸上还有泪痕，脸色苍白，嘴唇寡淡，像只病态的小羊羔。她们一人一边趴在杨思奇的身边，李珍珍轻轻地"嘘"了一声，她们几乎同时伸出手，揪住他的耳朵，使劲地扯。

杨思奇在疼痛中醒来，惊恐地看着她们。

李珍珍和妹妹松开了揪住他耳朵的手，李珍珍的嘴巴凑近他的耳朵说："我爸爸骗你的，你爸爸根本就没有死，赶快去找你爸爸妈妈吧。"

李宝宝也说："你要是想走，我们送你到车站，给你买张车票，让你去找爸爸。"

杨思奇没有说话，奇怪地看着她们。

李珍珍说："我们说的都是真的，为了你好，我们决定帮你逃走。"

这时，黄玉姑走进来，说："你们怎么还不去上学，在这里干什么！"

李珍珍和妹妹赶紧翻下床，往房外走，边走边说："我们看弟弟，看弟弟。"

黄玉姑说："你们快去上学，一会要迟到了。"

她们就背着书包去上学了。

她们都在柳镇中心小学读书，姐姐读三年级，妹妹读一年级。

她们边走边说着话。

姐姐说："你说给他买车票让他走，你哪里来的钱呀？"

妹妹说："我存了些零花钱，应该够买一张到龙岩的汽车票，只要把他送上车，我们就不管了。"

姐姐说："你真想把他送走？"

妹妹说："真想，他要是不走，以后我们就倒霉了，好吃的都要让给他一个人吃，爸爸妈妈和奶奶都爱惜他，就不爱惜我们了。你反悔了？"

姐姐说："我没有反悔，就是怕爸爸晓得了，会打死我们的。"

妹妹说："我们是他亲女儿，不会打死我们的，最多打我们一顿，挨一顿打不要紧，长期受冷落才难熬呢。"

姐姐看着妹妹，不明白妹妹怎么会有如此多的想法。

妹妹说："我们要团结起来，找一个机会把他送上开往龙岩的车，他就不会再回来了。"

姐姐说："他要找不到自己的家，也回不来了，被坏人抓走了，怎么办？"

妹妹说："那和我们有什么关系？他就是死了，也和我没有关系。"

她的话让姐姐心惊胆战，姐姐不说话了，变了脸色，加快了脚步。

妹妹跟在她后面，也加快了脚步。

……

杨思奇起床后，黄玉姑带他到厅堂里吃饭。杨思奇饿了，的确饿了。他吃下了一碗稀饭和一个煎鸡蛋。吃饱后，他有了精神，又开始哭兮兮的了。他眼泪汪汪地说："老奶奶，你送我回家好吗？我爸爸没死，他在等我回家，我要上幼儿园，爸爸还要教我画画。"

黄玉姑慈眉善目，微笑着说："效能，你爸爸出去做工了，他要赚钱养家。效能，这里就是你的家，柳镇也有幼儿园，过段时间你安稳下来了，就送你去上幼儿园，幼儿园的老师也会教画画的。"

杨思奇泪水流了下来，说："这不是我的家，不是我的家，我要找爸爸，找爸爸。"

黄玉姑擦了擦他脸上的泪水，说："别闹了，效能，奶奶带你去玩。"

上官红云在厨房里洗完碗筷，走到厅堂里，看到孩子又在哭闹，脸色很难看，她说："哭什么哭，我们花那么多钱买你回家，就是让你哭的吗？"

黄玉姑赶紧哄他，细声说："你别再哭了喔，妈妈要是发起脾气来，不得了的喔。"

杨思奇说："我妈妈从来不发脾气，我妈妈从来不打我，不骂我，我妈妈是最好的妈妈。"

上官红云瞪了他一眼，对黄玉姑说："婆婆，我下地去给番薯秧除草了，再不除草，草就比番薯秧长了。你在家带效能，一定要看好他哟。"

黄玉姑说:"你放心去吧,孩子跑不了。"

上官红云扛起镢头,出门去了。

家里就剩下了黄玉姑和杨思奇。

杨思奇突然说出了这样的话:"老奶奶,你送我回家吧,你要是送我回家,我让我爸爸给你钱,你要多少钱都可以。"

黄玉姑微笑着说:"奶奶不要钱,钱给我再多,也没有用。"

杨思奇说:"奶奶,那你要什么?"

黄玉姑还是微笑地说:"奶奶什么也不要,只要你给我当孙子。"

杨思奇觉得黄玉姑的微笑很吓人,说:"你是狼外婆,你不是我奶奶。"

黄玉姑是真心喜欢这个孩子,她想,要是李文亮他爸没死,看到这个孩子该有多喜欢,没有见到孙子,他死不瞑目。黄玉姑想等清明节时,把孩子带去给死鬼丈夫扫墓,他一定会看得见,说不定还会托梦给她,梦里的他在坟墓里笑活过来了。

黄玉姑说:"你要是高兴,就叫我狼外婆吧,不,叫我狼奶奶。"

杨思奇十分绝望,大哭起来。

3

一连几天,杨思奇都是哭哭啼啼的,闹着要回家。李宝宝总是用怨毒的目光瞟他,她也不和姐姐说话了,因为李珍珍决定不和她一起帮杨思奇逃走了。上官红云心里也烦躁不安,要不是李文亮非要买这个孩子,她是不会想要的。她的想法和黄玉姑母子不一样,觉得生男生女都一样,有两个女儿了,还要什么儿子。看那些儿子多的人家,也没见得有多好,不见得对老人有多孝顺,有的甚至内斗得厉害,为了争个什么东西打得头破血流。反而有些女儿比儿子还好,既孝顺又通情达理。

李文亮买杨思奇的时候,根本就没有和她好好商量,只是说要买儿子了，容不得她的任何意见，就独断独行，根本就不把她当回事，上官红云心里很不舒服，几天来都疙疙瘩瘩的。让她心疼的是花几万块钱买个儿子，不光把这些年辛辛苦苦积攒下来准备建新屋的钱花光了，还借了不少外债，住在这随时都可能倒塌的老房子里，上官红云简直难以忍受。上官红云是个贤良的女人，尽管她对丈夫的行为心生恶感，但还是默认了这件事情，钱都花掉了，拿不回来了，还能怎么样。她只是想，尽量地对这个买来的儿子好点吧，至于以后他和自己有没有感情，那就看造化了。

不过上官红云有个毛病，就是听不得别人哭。

无论是大人、孩子、亲人还是邻居或者毫不相干的人，只要在她面前哭，上官红云就会烦躁不安，体内有种无名火往头顶冲。这一点，她的两个女儿十分清楚，就是受了再大的委屈，她们要哭也只能躲开母亲哭，不敢在母亲面前哭，否则她控制不住了会发狂，她发起狂来，声嘶力竭，张牙舞爪，虽然不会伤人，却十分骇人。

看着杨思奇哭哭啼啼的样子，上官红云忍耐着不让自己发作，看在那几万块钱的份上，她需要忍耐和克制。而且她也怕带不好孩子，李文亮回来收拾她，他要是发火了，直接就动手打人，没有什么前奏。上官红云挨过打，记忆深刻。她很清楚，这个孩子对李文亮意味着什么，如果这个孩子有什么问题，那李文亮可就不是打她那么简单了。

黄玉姑看出儿媳妇心烦，把她拉到一边，小声说："红云，你可要忍住哪，现在一定要稳住他，让他安下心来。如果这个时候你发急，对他的影响很不好。他这样子也是正常的，要是我们的孩子被卖到别人家里去，也会这样的，将心比心，对他好点，我们需要慢慢感化他，让他觉得在我们家比他自己家好，那样他就会服服帖帖地待在我们家了，感情也慢慢会好起来。你要是看不惯，就出去找人说说话吧，孩子我带他睡。"

上官红云说："我知道了，婆婆。"

她真的出门去了。踏出家门，听不见杨思奇的哭闹后，上官红云的心放松下来，不能让孩子这样哭闹下去了，她该想点有效的办法，让他老老实实的，不哭不闹。她来到姐姐上官翠云的家里。姐姐住的是新楼房，踏进姐姐家门时，她就在心里哀叹道："各人的命真不一样，还是姐姐的命好，嫁个老公会赚钱，有新楼住，还给老公生了儿子，在家地位也很高。"

姐姐一家在看电视。

姐姐见妹妹来了，赶紧让座。

姐夫给她倒茶。

姐姐拉着她的手，问："怎么愁眉苦脸的？"

她叹口气："唉，怎么说呢，怪难受的。"

姐夫笑了笑说："你们家不是买了个儿子吗？现在有传宗接代的了，还有什么可难受的。"

姐夫的话像是在损她。

上官红云什么话也说不出来，心里堵得慌。她霍地站起来，就往门外走。上官翠云捶了丈夫一下，说："你怎么能够这样说话，看把我妹妹气走了。"姐夫笑着说："我也没有说什么呀，我还不明白她为什么反应这么大呢。"上官翠云指着他的鼻子，说："看你这个鸟样，一会儿回来再收拾你。"

上官翠云追了出去。

她追上了妹妹，说："红云，到底怎么了？别理会你姐夫，他那张臭嘴，总是乱说话。"

上官红云说："我的心里很乱。"

这时，几个年轻人骑着摩托车呼啸而来，从她们的旁边呼啸而过，一辆摩托车差点刮到上官翠云。上官翠云骂道："开那么快，赶去投胎呀！"那几个年轻人哈哈大笑。一会，那几个年轻人骑着摩托车远去。

上官翠云说："红云，为什么愁？是不是还缺钱？缺钱的话要开口，姐姐会借给你的。"

上官红云把姐姐拉到小街边上，说："姐姐，我现在不需要钱，就是需要，也不好意思开口。前些日子买这个孩子，向你们家借了那么多钱，不晓得什么时候才能还上。"

上官翠云说："还不还又怎么样呢？我们又不差那点钱。红云，告诉姐姐，到底发生了什么事情？"

上官红云叹了口气，说："还不是因为那个孩子。"

上官翠云说："我看那孩子很好呀，身体健康，白白净净，长得蛮出众的，他怎么了？

上官红云说："姐姐，你晓得我的毛病，见不得人哭。这孩子是没有什么问题，可是就是成天哭哭啼啼的，闹着要找他亲爸爸。我看到他哭，心里就十分乱，老是想发脾气。我婆婆说得对，他这样也是正常的，将心比心。可是，可是我怎么才能忍得住，而且还要忍受多久？"

上官翠云说："老是闹着要找他亲爸爸，虽说是人之常情，可也不是好事，他要是没完没了地闹下去，那还怎么过日子？我看不能让他这样下去，得想点办法，制止住他的哭闹，只要他不哭不闹了，一切都好办了。"

上官红云说："我又不能打他，又不能骂他，哄他也哄不好，什么好话都说尽了，他还是又哭又闹。"

上官翠云说："虽说不能打，不能骂，我看可以吓唬。"

上官红云说："怎么吓唬？"

上官翠云在她耳边轻轻地说了一串话。

上官红云说："这样有用吗？"

上官翠云说："你回去试试不就晓得了。"

上官红云说："好吧，我回去就试，如果这个方法没有用，你要帮我想别的办法。"

上官翠云说："没有问题。"

上官红云回到家里时，两个女儿已经睡了。她来到婆婆的房间，看到婆婆还在哄杨思奇。那孩子其实挺可怜的，这世间最残忍的事情就是骨肉分离，孩子想念父母，远方的父母也同样活在水深火热之中。她叹了口气。婆婆见她进来，笑着说："红云，你累了一天了，去睡吧，孩子放我这里，把他哄睡就好了。"

上官红云说："婆婆，你带了他一天更辛苦，我还是把他抱回去睡吧。刚才文亮打来了电话，强调要我带孩子睡，说是这样以后感情深。我要是不把孩子带回去和我一起睡，文亮回来会打死我的。"

黄玉姑说："他的脾气是不好，唉，我和你公公都是没有火气的人，怎么生了这么一个火暴性子的人。你放心去睡吧，等他不哭不闹了，再让他和你一起睡，我不和他说，他不会晓得的。"

上官红云说："婆婆，别说了，我还是抱孩子到我房间里去吧，你好好休息。"

黄玉姑见她如此执著，也不拦她了，只是说："红云，要忍耐，不要对孩子发急，急也没有用。"

上官红云抱起还在叽叽歪歪的杨思奇，说："我不发急，我忍耐。"

上官红云抱着孩子离开后，黄玉姑长长地叹了口气，拉灭了电灯，躺在了床上。

上官红云把孩子放在床上，反插上了门，回到床跟前，强装笑脸说："效能，你能不能不哭不闹了？你好好的，我们一家人都会把你当祖宗般供着，给你吃好穿好。"

杨思奇根本就不理会她的话，哭着说："我要回家，我要爸爸——"

她又说了些好话，孩子还是不理会。

他还哭得更厉害了。

上官红云拉下了脸，其实她还真不想用姐姐出的招，她想如果孩子好好听自己的话，那该多好，大家都相安无事，好好过日子。问题是，杨思奇还是个三岁的孩子，根本就不可能和她讲道理。既然道理讲不通，上官红云就要按姐姐的方法去做了。

她咬了咬牙，压制着内心的烦躁和不安，自言自语道："我让你哭，让你哭。"

上官红云从抽屉里找出一根缝被子用的长针，走到孩子的跟前。

她愣愣地注视着孩子满是泪水的脸，浑身颤抖。

孩子根本就没想到她会用一种极其残忍的方法迫使自己不哭，还是由着性子哭闹。

上官红云突然抓起杨思奇的手，把针扎进了他白嫩的手臂。孩子惨叫了一声，张大了嘴巴，疼痛得叫不出来了。上官红云拔出了针，杨思奇手臂上的针眼马上冒出了血。孩子惊恐地望着她，嘴巴还是没有合上，他喉咙里发出"呃呃"的声音，那是痛苦绝望的声音。

上官红云咬着牙，低声说："你以后要是再哭再闹，我就用针扎你。"

孩子泪水扑簌簌淌落。

上官红云说："还哭！"

说着她又抓住了孩子的手臂，举起针，要扎下去的样子。

孩子这才说出了话："我不哭了，不哭了，你别扎我了。"

上官红云说："把泪水憋回去。"

孩子哽咽着说："我不哭了，我不哭了。"

……

这一招还真的管用，从那以后，杨思奇就不哭不闹了。但是他沉默寡言，用迷惘的目光看着这个家庭的成员，就是黄玉姑带他出去玩，他也极少说话，用迷惘的目光审视着这个地方以及这个地方的人们。有时，他想爸爸妈妈了，想哭或者不想吃饭，上官红云就拿出针，比画出扎人的姿势，杨思奇就心惊胆战，真的把眼泪憋回去了，也不敢想爸爸妈妈了。从那以后，针埋在了孩子的心里，成了他恐惧的根源。

4

杨思奇不哭不闹了，按理说这家人的生活应该正常起来了，却还不能平静。这个家庭里的人，除了李宝宝之外，都对杨思奇挺好的。白天，上官红云下地劳作，黄玉姑背着他在柳镇四处游走。走到李家祠堂，她就背着他进去看，告诉他，这是祠堂，族里祭祖、敬老、结婚、生子都要在这里搞活动，等清明节的时候，你爸爸就要在这里摆酒席，请族人吃酒，因为我们家有了你这个新丁。黄玉姑背着孩子，来到妈祖庙，对他说："这是妈祖庙，神坛上供奉的是妈祖娘娘，她护佑一方水土一方人。奶奶初一十五都要来烧香，妈祖娘娘会保佑我们一家人平安的。"黄玉姑背着他，在古街上行走，给他讲述着这条街上发生的故事。她背着沉默寡言的杨思奇去看村外的汀江，面对汀江，她说："这条江一直通到广东汕头，你的曾祖父原来是个艄公，在这条江上撑船，往还于汀州府和汕头之间，把山货运到汕头，又把汕头的盐巴运到汀州府。他最后也死在这条江上，在一次运货时，碰到土匪，被土匪杀死，推到江里，尸体都没有找到。每年清明节，我们一家都要到江边祭奠他。"

杨思奇有时会趴在黄玉姑的肩膀上沉睡，就是他睡着了，黄玉姑还是背着他到处游走，给他讲着各种稀奇古怪的事情。黄玉姑觉得，他是柳镇人了，以后要在柳镇长大成人，必须要让他了解这片乡土。

其实，杨思奇最喜欢的还是来到江边。

就是在路上睡着了，只要一到江边，他就会神奇地醒来。

江边有大片的野河滩，野河滩上长满了凄凄芳草，有各种各样的野花，还有翩翩飞舞的蝴蝶，最吸引他的是蝈蝈。

黄玉姑给他编了个小蝈蝈笼子，然后就带他到野河滩的草地上去捉蝈蝈。

把捉到的蝈蝈放进笼子里，他开心地笑了。

可是，很快地，他又不开心了。

他把蝈蝈放回了草丛，然后把蝈蝈笼子扔进了江里。

江风拂起了他的头发，也拂起了黄玉姑的头发。

黄玉姑说："效能，你为什么把蝈蝈放了？"

杨思奇小声地说："我把蝈蝈关进了笼子，它就不能和爸爸妈妈在一起了。"

他的眼神迷惘而忧伤，那时，他一定对自己亲生父母充满了思念。

黄玉姑背过身，不停地抹眼睛。

杨思奇拉着她的衣角，说："狼奶奶，你怎么哭了。"

黄玉姑说："奶奶没有哭。"

杨思奇说："那你怎么流泪了？"

黄玉姑说："风大，沙子迷了眼。"

杨思奇不说话了，他坐在江边，望着沉缓流动的江水，目光痴迷。

黄玉姑站在他后面，也望着沉缓流动的江水，眼睛红红的，十分凄凉。

江水在呜咽。

他们的心也在呜咽。

……

杨思奇在这个家里落下了脚，渐渐地，对父母的想念也淡了，因为每天都有新鲜的事情填满他的脑海；另外，他还害怕那根针，那根随时都有可能扎入他肉体的针。

李宝宝一直想买张车票，把他送上车，让他再也不要回来了。

的确，自从杨思奇到了这个穷家之后，李宝宝就没有人疼爱了，一家人都围着男孩子转。李宝宝充满了失落感和对杨思奇的怨恨。她对姐姐的倒戈也十分不满。姐姐每天放学回家，就帮奶奶带杨思奇玩，还和他一起画画。杨思奇在纸上画出蝴蝶、青草、蝈蝈、江水、蓝天白云，还有人物，那些人物有男有女，脸部模糊，看不清是谁，杨思奇心里一定知道是谁，只不过，他不说。

李宝宝不和姐姐说话了，她变得孤独。

她没有想到，姐姐会在爸爸面前告她的黑状。

那是个雨天，工地停工，李文亮回家休息两天。他一回家，就拿出了糖果饼干什么的，给杨思奇吃。

李宝宝看在眼里，恨在心里。

杨思奇把糖果和饼干分给两个姐姐吃，也给奶奶吃。

他拿着糖果，走到李宝宝跟前，将糖果递给她。

李宝宝阴沉着脸，恶狠狠地瞪着他。

李文亮笑着说："宝宝，弟弟给你吃，你就吃吧。"

李宝宝接过糖果，使劲地扔在地上，一跺脚就冲出家门去了。

李文亮说："这鬼妹子疯了？"

李珍珍嘴巴里含着糖，说："爸爸，妹妹生弟弟的气。"

李文亮说："她为什么要生弟弟的气？"

李珍珍把父亲拉到她们的房间里，说："爸爸，妹妹不喜欢弟弟，说他来了后，她就没有好日子过了。爸爸，我告诉你一个秘密。"

李文亮说："什么秘密？"

李珍珍说："妹妹想买张车票，把弟弟送走。"

李文亮一听这话，就像着火的爆仗，马上就暴跳如雷。他吼叫道："这天杀的，造反了她，小小年纪，心肠如此歹毒。"

李宝宝这下可遭殃了，李文亮把她捉回家，用竹子使劲抽打她，把她打得遍体鳞伤。要不是黄玉姑舍命护住孙女，李宝宝真要被他打死了。黄玉姑凄声喊叫："你怎么能对自己的孩子下毒手？她就是有什么错，也不能这样打她。"李文亮说："妈，你走开，不关你事。"黄玉姑说："我就不走开，你先打死我吧。"

李文亮不打了，用竹子指着黄玉姑身后的李宝宝说："要是效能不见了，我就打死你，没用的东西！"

李宝宝哭得上气不接下气。

杨思奇默默地看着他们，什么也没有说。

李文亮以为这次暴打，会让小女儿老实。表面上看，她的确老实了不少，有时也和杨思奇一起玩。没有想到，在四个月后的一天，李宝宝险些酿出大祸。

那是个阴天，李文亮在外面做工，没有在家。上官红云去田里挖地瓜，因为挖地瓜是很累的活，所以李家两姐妹放学后，黄玉姑就让李宝宝在家看管杨思奇，自己带着李珍珍去帮忙把地瓜挑回家。

她们走后，李宝宝就对杨思奇说："效能弟弟，我带你去一个地方玩，怎么样？"

杨思奇有点怕她，说："不去了。"

李宝宝学着母亲的样子，拿出了一根针，杨思奇心惊肉跳，只好跟她去了。李宝宝怎么会知道杨思奇怕针的呢？原来那天晚上，李宝宝根本就没有睡着，她听到杨思奇的惨叫后，偷偷来到母亲卧房门口，从门缝里偷窥到了母亲用针威胁杨思奇。

李宝宝把他带到了附近的五公岭上。

山上松林茂密，阴森森的，十分吓人。

杨思奇说："宝宝姐姐，你带我到这里干什么？"

李宝宝说："我带你到一个山洞里看好玩的东西。"

杨思奇跟她走进了山洞。

山洞里很黑，伸手不见五指。

李宝宝拉着他的手，进入山洞后，说："效能弟弟，你在这里等我，我去捡点干柴来，点着火，就可以看到好玩的东西了。"杨思奇不想待在这里，也不想看什么好玩的东西，只想回家。可是，他怕针，针就藏在李宝宝的口袋里。他只好站在山洞里，等待李宝宝回来点火。他等了很久，没有见到李宝宝再返回山洞。山洞外面，天渐渐黑了下来，山林中有风在鼓荡，声音凄厉。

黄玉姑、上官红云和李珍珍挑着地瓜回家时，天已经黑了。

她们看到李宝宝一个人在写作业。

黄玉姑问道："效能呢？"

李宝宝头也不抬，说："好像在房间里吧。"

黄玉姑找遍了家里的所有房间，也没有找到杨思奇。她们着急了。李珍珍说："一定是妹妹搞的鬼。"李宝宝说："我没有搞鬼，我在写作业，他自己在玩，谁知道他跑哪里去了。"黄玉姑说："我让你看好他的，你怎么不听话？"

上官红云质问李宝宝："你到底把效能弄到哪里去了？你要不说，我马上打电话，让你爸爸回来，看他不打死你。"

听了母亲话，李宝宝紧张了，只好把事情真相都说了出来。

原来，她只是想报复一下杨思奇，让他在山洞里呆一会儿，吓吓他。结果，她在树林里等着杨思奇惊叫的时候，看到一条乌梢蛇从草丛里游过来。她可怕蛇了，吓得跑出了树林，天快黑了，她不敢进去带弟弟出来，竟然就自己跑回了家。

她们举着火把，到五公岭上寻找杨思奇。

她们在一棵松树下找到了他。

他坐在树下，脸色铁青，奄奄一息。杨思奇见姐姐没有再来找他，就摸出了山洞，他在林子里迷路了，怎么也走不出林子，结果被乌梢蛇咬了脚。如果她们晚来一步，杨思奇也许就死于蛇毒了。上官红云脱掉外衣，撕出布条，扎在杨思奇的腿上，然后俯下身，用嘴巴吸着他脚脖子上被蛇咬的伤口，吸一口吐一口。吸了一会后，上官红云背起他，疯狂地往镇医院跑。她把杨思奇放到医院急救室里后，两腿一软，瘫倒在地。

5

杨光明在上海年复一年、持之以恒地蹲守人贩子陆大安，而杨思奇一年一年地在柳镇长大。

杨思奇在柳镇成长的过程中，一直沉默寡言，就是有人骂他，他也默默地走开，不作任何回应。在李文亮那个穷家里，杨思奇是受保护的对象，全家人都对他蛮好的。就是李宝宝，也对他客气了，最起码不会用怨恨的目光仇视他了。

尽管柳镇人对买孩子的事情不以为意，可是那些被拐卖到柳镇的孩子却常常被歧视。比如一个叫吴狗子的孩子。吴狗子是他的小名，大名叫什么，杨思奇不清楚，就像柳镇人只晓得他叫李效能，不清楚他真名叫杨思奇一样。

吴狗子还是个婴儿的时候，就被卖到一个姓吴的人家当儿子。刚开始，吴家人也十分呵护他，把他当成宝贝。吴姓人家原来以为自己老婆生不出孩子，才买他来当儿子，可是在吴狗子四岁的时候，他老婆突然怀孕了，还给他生下了一个儿子。从那以后，吴狗子就从宝贝变成了石头，后来就狗屎都不如了。

吴家也没有让吴狗子上学，养父母在他很小的时候就让他下地劳动。

吴狗子十岁那年，已经是柳镇出名的老油条了。

柳镇人经常会看到十岁的吴狗子叼着一根烟，在镇街上遛来遛去。吴家只要他干活，其他时间都不管他，他就是死在外面，吴家也不会在乎。抽烟要钱，吴狗子没有钱，吴家人从来也不给他钱。于是，他就在柳镇干起了小偷小摸的营生，比如把人家的鸡鸭偷到集市上去卖，换了钱就拿去买烟抽。偷东西可以卖钱，不仅可以让他抽烟，还可以下馆子吃好吃的东西，他尝到了甜头，就收不住手了。

因为他偷东西，经常被人打，像过街老鼠一样，柳镇很多人，见到他就朝他身上吐口水，骂他是杂种。打皮了，他也不怕了，反正只要有吃有喝有抽，打一顿骂几句又算得了什么。人家打他时，他还在笑，嬉皮笑脸地问打他的人打累了没有。他的无赖让人们毫无办法，他的存在也变成了合情合理的事情了。

杨思奇上小学一年级的时候，被吴狗子盯上了，那时的吴狗子已经十三岁了。

那天放学后，杨思奇在回家的路上，被一个同学追着说："李效能，你是买来的，你是买来的。"还有几个同学也跟在后面嘲笑他，那同学在前面喊一句，他们就在后面一齐喊道："李效能，你是买来的，你是买来的。"

被同学嘲笑已经不是第一次了，杨思奇根本就不理会他们，回家也不会和家里人说。那些嘲笑他的同学都以为他好欺负，不光嘲笑他，还要他干这干那，他当然不干，可越是不干，那些同学就越是嘲笑他。

杨思奇仿佛没有听见他们的话，默默地往家走。

就在这时，吴狗子不知道从什么地方冒了出来，挡住了前面那个嘲笑杨思奇的同学。虽然吴狗子经常挨打挨骂，但那是大人们干的，这些小学生吴狗子根本就不放在眼里；而且，小学生们很害怕他，都说他是个不要命的人，心狠手辣。吴狗子一脚把那同学踢倒在地后，后面的那些同学作鸟兽散，都害怕地逃了。吴狗子对倒在地上的同学说："我也是买来的，你敢说我吗？"那同学说："不敢，不敢，我们不敢说你。"吴狗子骂了句脏话，说："以后不许你再骂李效能了，要是被我发现，我就打死你。你去和那些骂李效能的人说，他们敢再骂他，我就打死你们，反正我连鸡巴一起算上也只有两条命。"

他替杨思奇出头时，杨思奇头都没回，自顾自回家去了。

一连几天，吴狗子都在路上堵住那些嘲笑杨思奇的同学，威胁他们，还要他们给钱。

无论他怎么样为杨思奇抱不平，杨思奇都不搭理他。

杨思奇的同学也不敢当面嘲笑他了，只是在背地里说他杂种，还说是他让吴狗子欺负他们的。

那是个周末，杨思奇一个人来到了汀江边，把折叠好的小纸船放到江水上。

他十分孤独，养父母要做工和劳动，很少管他；两个姐姐，一个上初一了，一个上小学五年级，小姑娘长大后，不像小时候那样和他玩了。杨思奇跟她们也很少说话，放学也不和李宝宝一起回家。只有奶奶，有时会陪着他，说会话。

他看着纸船被江水冲走，目光迷离。

这时，吴狗子突然出现在他旁边。

吴狗子说："李效能，你把纸船放到江里干什么？"

杨思奇说："让它去找我爸爸。"

吴狗子说："你还知道找你爸爸，我连我爸爸是谁都不清楚，也从来没有见过他们，他们还记得有我这样一个儿子吗？"

杨思奇不理他了，转身就往回走。

吴狗子在后面大声说："你给我站住！"

杨思奇还是不理他，继续往回走。

吴狗子从河滩上捡起一块鹅卵石，说："你要再不站住，我就用石头砸你了，我可什么事情都干得出来的。"

杨思奇明白他什么事情都干得出来，就站住了，他心里有点害怕。他转过身说："你要干什么？"

吴狗子说："你神气什么，我帮你收拾那些嘲笑你的同学，你也从来没有对我表示过感谢，狗屁都不放一个。今天我本来是找你玩的，你又对我爱理不理，你算什么东西，你和我有什么两样，都是买来的！"

杨思奇站在哪里，不知道说什么好。

吴狗子被他的沉默激怒了。

他跑过来，用脚踢杨思奇，边踢边说："你神气什么，你有什么了不起的，不就是他们送你去读书了，你和我有什么两样，等他们有了亲生儿子，你的下场就和我一模一样。"

吴狗子朝他脸上吐了口唾沫，然后哈哈大笑，说："别人把唾沫吐在我脸上，现在我把唾沫吐在你脸上。你说，我们是不是没有什么两样，你还不理我，你有什么资格不理我。本来我想我们会成为好朋友，看来我是想错了，既然不是朋友，你和柳镇人是一样的，都是我的敌人。"

吴狗子举起石头，脸上露出邪恶的笑容，不紧不慢地说："他们用这样的石头砸过我的头，说我是杂种，现在我也要用石头砸你的头，骂你是杂种。"

就在这时，黄玉姑摇摇晃晃地跑过来，挡在杨思奇面前，上气不接下气地说："吴狗子，不要欺负我孙子。"

吴狗子说："笑话，他哪里是你孙子，他和我一样，是买来的。"

黄玉姑说："我求求你了，以后别缠着我孙子了，要是再被我发现你欺负效能，我和你拼了这条老命。"

吴狗子气急败坏地说："你们柳镇人欺负我一个人就可以，我怎么就不能欺负他，他也是买来的，凭什么和柳镇人一样！"

黄玉姑说："吴狗子，你太不讲道理了，你这条癞皮狗，离我们远点。"

吴狗子突然一扬手，手中的鹅卵石朝黄玉姑飞过来，"噗"的一声砸在了她的额头上。黄玉姑脑袋一阵昏眩，摇摇晃晃地要倒下。杨思奇扶住了她，说："奶奶，奶奶，你没事吧？"黄玉姑说："没事，没事，我们回家，不要理他这条癞皮狗，以后他来找你，你就跑，今天要不是有人看到他欺负你，赶来告诉我，他不一定会把你欺负成什么样呢。"

杨思奇看到她额头上淌下了鲜血，说："奶奶，奶奶，你额头上流血了。"

黄玉姑用手捂住了伤口，说："没事，扶我回家上点药就好了，只要你好就好了，你要学好，以后千万不能像吴狗子一样。"

杨思奇流下了泪水，很久，他都没有流泪了。

他扶着她往回走。

突然，杨思奇听到了吴狗子号叫的声音。

杨思奇回头看了一眼，发现吴狗子抱着头，蹲在河滩上。

他边哭边号："我的命好苦呀，吴家人全都是王八蛋，把我买来了也不好好对待我。我那该死的父母亲，你们在哪里，在哪里，为什么不把我带回家，为什么！嗷……嗷……嗷……我的命好苦哇，为什么大家都不把我当人，都骂我是癞皮狗——"

后来，杨思奇就再也没有见到吴狗子了。

他也不在柳镇出现了。

柳镇人也再也没有见到过吴狗子了。吴狗子失踪后，吴家人也没有去找，吴狗子是一条落寞的丧家之犬，不知道流落何方了。想起他来，杨思奇心里就会有种说不出的落寞和忧伤。黄玉姑被吴狗子用石头砸伤额头半年后，得了老年痴呆，每天坐在家门口的竹椅子上，傻傻地望着路上的人来人往，看着太阳从东面升起来，等着太阳从西边落下去，等待着生命的枯萎。

6

2012年3月12日晌午，杨光明、胡敏和李游来到了柳镇，和他们一起来的还有当地打拐办的两个警察。他们先来到了柳镇派出所，派出所长洪秋生接待了他们。在柳镇派出所，他们开了个会，分析一些在解救孩子中会碰到的具体情况：比如说当地的宗族观念很强，如果强行把孩子带走的话，也许会遭到宗族势力的阻挠，引起不必要的麻烦。所以他们决定，直接到柳镇中心小学，把已经上小学二年级的杨思奇悄悄带走，等杨光明他们把人带离柳镇后，再由派出所通知李文亮。

这应该是最好的办法，要是杨光明和李文亮正面冲突，事态的发展很难预料。

事不宜迟，他们开完简短的会后，坐上警车，直扑柳镇中心小学。

两辆警车悄悄地停在了学校的门口，洪秋生带着他们走了进去。

他们来到了校长办公室。

校长听了他们说的情况，表示支持。

他吩咐一个老师去把二年级三班那个叫李效能的学生找来。

心急如焚的杨光明要跟那老师去，洪秋明制止了他，说人多过去，容易打草惊蛇。胡敏也劝杨光明："杨大哥，少安毋躁，你很快就可以见到思奇了。其实，我也很想马上就见到他，不知道他现在长成什么样了，还记不记得我。"

杨光明按捺住自己激动的情绪，坐在那里，不停地擦额头上冒出的汗珠。

过了十多分钟，校长办公室里等待的人听到了脚步声。

杨光明霍地站起来，焦虑地迎了出去。

来的是老师一个人，没有孩子。

杨光明心里一凉，声音颤抖地问道："我儿子呢？"

老师说，李效能回家去了，上第二节课的时候，他家人说家里出了什么事情，将他接回家去了。

啊——

杨光明的心一下子又陷入了黑暗之中，他浑身颤抖，说："现在怎么办，现在怎么办？"

李游说："杨先生不要着急，只要孩子还在柳镇，肯定是跑不了的。"

胡敏也安慰他："杨大哥，你千万要稳住，我们会有办法的。"

派出所长洪秋生说："先回派出所吧，再商量一下怎么办。"

县打拐办的两个警察也说回派出所再商量对策。

他们就回到了派出所。

李游说："是不是走漏了风声，李家在他们到达学校之前先把孩子带离了学校。如果他们把孩子转移到外地或者藏起来，无疑我们的解救行动会受到很大的影响，会增加难度。几年来，杨先生一家活在水深火热之中，真希望他马上就能够把孩子带回上海家中。"

打拐办的一个警察说："走漏风声应该不可能，也许他们家的确碰到了什么事情。"

洪秋生也说："我们这里不可能走漏风声，孩子是在第二节课的时候被接走的。那时，你们还没有到达派出所。因为我们到过学校，这事情很快就会传开，我们管不住学校老师的嘴巴，所以要尽快考虑一个万全之策，把孩子带走。不过，孩子自己愿不愿意和你们一起走，还是一回事；毕竟那么多年了，孩子和他养父母一家应该是会有感情的。"

杨光明说："思奇一定会跟我走的，他不会忘了爸爸的，就像我不可能忘了他。"

打拐办的警察说："杨先生，你别急，无论孩子愿不愿意跟你走，都必须跟你走。"

他们商量好了，等入夜后，再去他们家，想办法带走孩子。白天去的话，影响面太大，如果李文亮发动宗族的势力阻挠和抵抗他们，事情会搞得很糟，这个地方同宗族的人十分团结，要是伤害到了他们其中一人的利益，整个宗族的人都会一起前来帮忙，暴力阻挠和抵抗也是可能发生的。

杨光明真想马上就直奔李文亮家，把孩子带走，他不知道自己见到儿子会怎么样；同时，他也担心带不走儿子，所以还是按照他们的意见，入夜后再去李文亮家里。等待的过程十分煎熬，整个白天，他坐在柳镇小旅馆的房间里，不停地抽烟。李游和县打拐办的警察在另外一间房间里斗地主，打发时间。时间一分一秒显得无比漫长，胡敏看着杨光明不停抽烟，心里也忐忑不安。

这一天，杨光明似乎苍老了十岁，是儿子被拐五年来最煎熬的一天。

好不容易熬到了晚上。

他们草草地吃了点饭，就直奔李文亮家。因为李文亮住的是老房子，那块地方很多人都搬出去住了，大部分人都在新街那边建了新房。李文亮周边没有几户人家了，那些老房子倒的倒，还住人的房子也一片破败。派出所所长洪秋生选择晚上来，是正确的，不会引起很大的注意，可以避免不少麻烦。

他们出现在李文亮家门口时，他们有点吃惊。

李文亮家里很多人，有两三桌人，在喝酒，猜拳行令，闹哄哄的。

洪秋生目测了一下，李文亮家里至少有三十多人，而且大都是壮汉。看来，李文亮有了防备，今天晚上要带走杨思奇有很大的难度。

洪秋生对他们说："我们在外面等着，我让人进去，把李文亮叫出来。"县打拐办的警察比较冲动，说："直接进去带走人不就行了，我就不信他们胆敢抗法。"洪秋生说："你还是太年轻，不晓得这里人的厉害。兄弟，还是听我的吧，否则你们很难带走孩子。"

李游说："我们还是听洪所长的吧，他毕竟是地头蛇。"

杨光明浑身发抖。

他真想冲进去，找到儿子，抱着他就走。

胡敏的心一直提着，紧张得身上一阵阵发冷。

洪秋生让一个穿便服的民警进去把李文亮叫出来。

那民警很快就把喝得脸红耳赤的李文亮叫出来了，他身后还跟着几个酒气熏天的壮汉。李文亮见到洪所长，说："洪所长，今天我给我妈做七十大寿，要不要进去喝两杯？"洪秋生笑了笑，说："祝贺，祝贺。"李文亮说："洪所长客气了。"洪秋生说："今天我们来，主要是——"

李文亮打断他的话："我晓得你们来做什么，晓得。你们不就是要把我儿子带走嘛，我上午就晓得了。不巧的是，效能和他姑姑去深圳了，下午走的。"

洪秋生说："他们什么时候回来？"

李文亮说："那就说不准了，少则半年，多则到他大学毕业，他姑姑喜欢他，要带他到深圳读书，这样也减轻一些我的负担。我三个孩子，供不起呀，两个女儿也不能不让她们读书。"

李游在杨光明耳边说："这家伙在说谎。"

杨光明突然站在李文亮面前，哀声苦求道："兄弟，你就把儿子还给我吧。为了他，我已经找了五年了，花光了一套房子的钱，孩子他妈妈也疯了，你就可怜可怜我们，把儿子还给我吧。"

李文亮见到他，十分紧张，吞吞吐吐地说："我……我可怜你，谁……谁可怜我？为了这个孩子，我也……也花光了所……所有的积蓄，现……现在还没有缓……缓过劲来。况且，孩……孩子已经不……不在柳镇了，我……我怎么还……还你？"

杨光明说："你把你妹妹的地址给我，我们自己去找。"

打拐办的警察说："是呀，你把你妹妹的地址告诉他，他们自己去找。"

李文亮突然暴怒了，吼叫道："你们都给老子滚，滚！要想带走我儿子，除非老子死，老子辛辛苦苦把他养大，你们要把他带走，有天理吗！滚，都给我滚！"

打拐办的警察也恼火了，说："你这个人好不讲理，买卖儿童是非法的，你晓得吗？这个案子是公安部督办的，你好好地把孩子交出来，什么事情都没有，否则——"

李文亮豁出去，大吼道："否则怎么样？有本事抓我去枪毙哪！"

这时，屋里的汉子们都涌了出来，愤怒地吼叫着。

洪秋生见情况不妙，就说："大家别吵了，别吵了。"

那些人都喝了酒，很难控制自己的情绪，乱吼乱叫。

洪秋生对李游他们说："不行，还是先撤吧，回派出所再想办法。"

李游也怕闹出大事情，同意洪秋生的意见。

可是杨光明不想走，他"扑通"一声跪在李文亮面前，哭喊道："兄弟，可怜可怜我吧，把儿子还给我吧，求求你了，兄弟……"

胡敏也跪下了，哭着说："求求你，把孩子还给杨大哥吧。这些年，他吃了多少苦哪，你们行行好，把孩子还给他吧。"

李文亮无动于衷。

他转身对那些人说："不管他们，回去喝酒，喝痛快了，一醉方休！"

那些人跟着他进了屋，他们把大门关上了。

杨光明跪在那里，泣不成声。

胡敏也泪流满面。

……

回到派出所，洪秋生说："孩子肯定还在柳镇，不可能和李文亮妹妹去了深圳。因为据他了解，李文亮从小就和妹妹不和，他妹妹考上大学后，就很少回来，怎么可能把杨思奇带出去；而且，根本就没有人看到她回柳镇，一个大活人，又不是隐形人，怎么会没有人发现。李文亮是想让我们知难而退。不过，孩子是肯定不在他家里的，李文亮不会那么傻，他肯定把孩子藏起来了。现在要搞清楚的是，他到底把孩子藏到哪里去了？关键是要找到孩子，找到了孩子，就由不得他。"洪秋生让他们回去休息，他连夜和派出所的民警，对孩子的躲藏处进行调查。

这个晚上，杨光明发烧了。

他躺在床上，觉得浑身冰冷，头痛欲裂，直打哆嗦。

他没有告诉胡敏和李游自己病了。杨光明忍受着肉体和精神的双重折磨，口里喃喃地叫唤着儿子的名字，躺在床上，冷汗淋淋。他想，要是带不回儿子，他就死在柳镇，不会活着回上海。

临行前，杨光明去精神病院看望了叶芝。她看上去比以前好了些，脸上有了点血色，她独自抱着那个洋娃娃，坐在精神病院院子里的长椅上，目光迷离地看着杨光明。杨光明说："芝，我们的儿子有着落了，我马上就要去把他找回来，你要等着我们回来，儿子回来，就会带他来看你。"叶芝把脸贴在洋娃娃的脸上，眼里是无助的小动物那样的眼神，她没有正视丈夫。杨光明心里一阵阵抽紧，他伸出手，轻轻地抚摸妻子冰凉的脸，说："芝，你放心，我一定会把儿子带回来，要是带不回儿子，我就死在那里！"叶芝站起来，口里喃喃地说着什么，到另外一边去了。杨光明望着她弱不禁风摇摇欲坠的背影，长叹了一声。

是的，要是带不回儿子，他就死在此地！

杨光明从来没有如此决绝。

一夜的痛苦折磨，让他的头发白了一半。

以前，他不相信头发一夜花白，以为那是文学作品的夸张描写，亲身的经历，让他相信了。

天蒙蒙亮，他就挣扎着起来，走出了小旅馆的门，打了辆拉客的摩托车，直奔李文亮家。

那一片老屋区，破败而散发出浓郁的腥臭味。

他顾不得许多，走到李文亮的家门口，双膝下跪。

杨光明希望用这种方式感动李文亮，让他把儿子还给自己。

他的头很沉，随时都有可能昏倒在地，但是他已经不顾一切了。他多么希望儿子从里面走出来，抱着他说："爸爸，我跟你回家。"他仿佛还能够记起儿子的气味，那是像牛奶一样的气息，那种气息令他迷醉。那时，每天晚上，儿子就躺在他们夫妻中间睡觉，他的小手会放在杨光明的脸上，他的小手也是那样的气息，浑身都散发出那样的气息。儿子三岁前的样子，他还记忆犹新，可他不知道现在的儿子长成什么样子了，身上是不是有了新的气味。但是无论儿子长成什么样子，无论儿子身上的气味如何变化，杨光明都不会放弃，而且一定要带他回家。

太阳出来了，对于身体冰凉的杨光明而言，起不到一点温暖的作用，他的脑袋越来越昏糊。

门开了，走出来一个十四五岁的女孩子，女孩子穿着难看的校服，圆圆的脸蛋有点黑，那双眼睛却大而明亮。她看到杨光明跪在那里，吓了一跳，慌乱地喊叫道："妈妈，妈妈，快来——"

上官红云走出来，说："珍珍，发生什么事情了？"

李珍珍指了指杨光明，没有说话。

上官红云看着跪在门口的杨光明，也不知所措了。面对这个上门来跪着要儿子的男人，上官红云从来没有碰到过这种情况，她无法处理。上官红云说："珍珍，赶快去把你爸叫醒，告诉他，要孩子的人又来了，让他赶快出来。"

李珍珍跑着进屋去了。

上官红云使劲地搓着双手，喃喃地说："这可如何是好，如何是好，当时我就说不买的，不要买的，到头来竹篮打水一场空，一场空。"

杨光明无力地抬起沉重的头，轻声说："求求你，把儿子还给我，你们要是不把儿子还给我，我就死在这里。"

他的话仿佛是颗子弹，击中了上官红云的心脏，她吓得跳进了屋，喊叫道："文亮，快出来，快出来。"

李文亮没有出来，黄玉姑却颤颤巍巍地走出来。

上官红云扶着婆婆，说："婆婆，你怎么不再睡会儿，这么早起做什么？"

236

黄玉姑没有说话，在她的搀扶下跨出了门槛，走到大门边，坐在了她一直坐的竹椅子上。上官红云说："婆婆，你在这里坐着，不要乱跑哟。"说完，她就跑进屋里，来到卧房。李珍珍站在床边，对还在沉睡不醒的父亲无计可施。她愁眉苦脸地对母亲说："爸爸昨天晚上喝多了，叫不醒他。"上官红云扑过去，使劲地摇晃他的脑袋，说："死猪，快醒醒，快醒醒！"李文亮还是无动于衷。李珍珍说："妈妈，弟弟会走吗？"上官红云说："不晓得，不晓得。"李珍珍幽幽地说："其实，弟弟心里很苦的。"上官红云说："最苦的是我，是我！"李珍珍不说话了，默默地走出了父母卧房的门，她有一个预感，这个家将有一场暴风骤雨，她无法预料被暴风骤雨洗劫过的穷家，会变成什么样子。

黄玉姑痴痴地望着跪在门前的杨光明，什么也没有说，她松树皮般的老脸不时抽搐，她的内心是否也痛苦不堪？

杨光明终于体力不支，昏倒在地。

李珍珍吓坏了，以为他死了。

她喊叫着："妈妈，妈妈，他死了，他死了——"

上官红云跑出来，吓得脸色铁青，浑身发抖，更加不知所措了。

好在这个时候，李游他们赶来，把杨光明送去了医院。

李珍珍看着他们七手八脚把杨光明抬走，流下了眼泪。

黄玉姑嘴唇嚅动着，想说什么，还是没有说出口，只是用衣袖抹了抹浑浊的眼睛。阳光照着她，她额头上的一块伤疤闪闪发亮，那是她在保护杨思奇时留下的伤疤。

......

在镇医院挂了一天的吊瓶，杨光明的烧退了，也恢复了一些体力。胡敏一直陪着他，凝视着被折磨得不成人样的杨光明，她心里十分难过，这些年来，她从来没有停止过自责，觉得杨思奇的被拐，她有不可推卸的责任。傍晚时分，他们离开了医院，回到了小旅馆。李游来叫他们去吃饭，杨光明说没有食欲，让胡敏和他们去吃。

他们走后，杨光明躺在床上，脑袋里一片糨糊，没有清晰的思维。

派出所到现在没有查出杨思奇被藏在哪里。

天黑后，胡敏他们还没有回来。

就在他万念俱灰的时候，响起了敲门声。

他挣扎着从床上爬起来，开了门。

门口站着三个人。

两个女孩子和一个瘦弱文静的男孩子，他的眼中充满了迷雾。

他呆立了一会，喃喃地说："思，思奇——"

是的，那男孩子就是杨思奇。父子相见的场面没有想象中那样感人，或者惊心动魄。杨思奇只是轻轻地说了声："我跟你回家。"

他甚至连爸爸都没有叫一声。

杨光明也没有抱着他大哭，或者激动得要死要活，他只是感觉身上突然有了力量，说："快进来，快进来。"

李珍珍说："弟弟，去吧。"

李宝宝说："弟弟，想着我们。"

杨思奇说："你们快走吧，要是被爸爸知道了，他会打死你们的。"

李珍珍说："你们也赶快走吧，要是爸爸知道了，你们就很难走脱了，他们叫好了很多人，随时准备拼命的。"

李宝宝说："是呀，你们快走吧，快走吧。"

杨思奇看着亲生父亲，说："我们走吧。"

李珍珍和妹妹期期艾艾地离开了小旅馆。

她们会不会被李文亮打死，杨思奇不得而知，是她们把他从上官红云的姐姐家里弄出来，并且直接把他带到了杨光明面前。

她们走后，杨光明顾不得和儿子说什么话，赶紧电话李游他们，说："孩子找到了，就在我身边，你们赶紧回来，我们赶快离开柳镇。"

过了不一会，县打拐办的警察开车把他们带过来，取了行李退了房，迅速地坐上警车，离开了柳镇。

……

在回上海的火车上，胡敏和李游有说有笑的。

杨光明脸上也出现了幸福而宽慰的笑容。他想和儿子说话，可是儿子却面无表情，双眼凝视着窗外，沉默。忍了很久，杨光明还是开了口，说："思奇，你受苦了。"杨思奇挤牙膏般挤出一句话，他说："我不辛苦。"杨光明说："他们对你好吗？"杨思奇沉默了一会儿，说："他们都是好人，对我都很好。爸爸妈妈、两个姐姐对我都很好，对我最好的是奶奶，以前，我都叫她狼奶奶；因为刚来时，我觉得她像狼外婆。奶奶是天下最善良的人，她还救过我的命，妈妈也救过我的命，爸爸脾气暴躁，却从来没有打过我，从来没有骂过我。他们没钱，却总给我买好吃的，他们是我亲人，最亲的人。"

他说完这些话后，又沉默了。

李游和胡敏听了他的话，不说笑了，愣愣地看着他。

杨光明脸上掠过一丝阴霾。

不一会，他还是笑着说："这样就好，这样就好。"

他心中准备了很多话，很多动情的话，想对儿子说，最后还是没有说出口。儿子回上海后会怎么样，杨光明心里没有底，无论如何，儿子回到了自己的身边，和那些还在寻找的路途中苦苦挣扎的被拐孩童家长相比，他无疑是幸运的。

为这种幸运，他也该好好活着，不管未来有多难，有多苦。

人生就是如此，悲喜交加，路途坎坷。

第九章

邪恶的她注定无路可逃

1

李妙、朱文远和张森到达遵义，已经是晚上八点多了。出了火车站，他们发现有个女人在呼天抢地，说她的儿子被人抱走了。很多人围观。围观者有的幸灾乐祸，说些风凉话；有的同情这个女人，劝她不要哭叫了，赶紧去报案。

李妙走过去，问了问情况，知道又是人贩子干下的恶事。

她对女人说："大嫂，别哭了，赶快报警，越早报警越好！"

女人抽泣道："到哪里去报警？"

李妙说："走吧，我带你去火车站派出所。"

女人跟在她后面。朱文远和张森也跟了上去。

在遵义火车站派出所，女人讲述了她的遭遇。

女人叫秦桂兰，丈夫在贵阳工作，平时都住在贵阳。母亲病了，要她回遵义来照顾一段时间，她就带着两岁的儿子坐火车回遵义。上车后，她抱着儿子坐在靠窗的位置，旁边坐着个富态的老太婆，带着个七八岁的小姑娘，小姑娘长得十分漂亮，穿着打扮也很得体。车开出一会儿，小姑娘就对老太婆说："奶奶，我要吃苹果。"老太婆说："好的，我给你削。"

她削苹果时，脸上带着笑意。秦桂兰觉得，这是个和善的老太婆。

小姑娘吃着苹果，不停地朝秦桂兰的儿子笑。

秦桂兰的儿子眼睛盯着她手中的苹果，口水都流出来了。

小姑娘对老太婆说："奶奶，小弟弟也想吃苹果，你削个给他吃吧。"

老太婆笑眯眯地看着秦桂兰的儿子，说："小乖乖，奶奶给你削苹果吃，好吗？"

秦桂兰说："他不要吃的，谢谢你们了。"

老太婆说："小孩子想吃就吃，不要客气，能够一起乘坐火车，也是缘分。"

秦桂兰说："真的很感谢。"

老太婆说："你儿子长得虎头虎脑的，很可爱呀。"

秦桂兰说："看你把他夸的，他可淘气了。现在和你们不熟悉，一会熟悉了，那就要疯了。平常在家，就像个小疯子，把家里搞得乱糟糟的。"

老太婆笑着说："孩子活泼好动好呀，长大了聪明。"

秦桂兰说："你们去哪里呀？"

老太婆说："带我孙女去遵义玩。"

秦桂兰说："你真是个好奶奶。"

老太婆把削好的苹果递给孩子，说："小乖乖，吃吧。"

孩子接过苹果，用力地咬了口。

老太婆说："慢慢吃，别噎着了。"

秦桂兰也对儿子说："听奶奶的话，慢慢吃。"

一个苹果，把她们的距离拉近了。老太婆和她拉起了家常。老太婆说："你儿子叫什么名字呀？"秦桂兰是个实在人，没有考虑什么就脱口而出："他小名叫顺顺，大名叫张西顺。"老太婆笑笑说："顺顺，挺好叫的。"秦桂兰也笑了："是挺顺口的。"老太婆说："孩子是在贵阳生的吧？"秦桂兰说："是的，在贵阳生的。"老太婆又说："是在贵阳市妇幼保健院生的吗？"秦桂兰说："不是，听说妇幼保健院贵，就没有去那里，孩

244

子是在第二人民医院生的。"老太婆说:"其实在哪里生都一样。看孩子的样子,生下来的时候最起码有七斤。"秦桂兰说:"是六斤八两,不过你的眼光还是很厉害的。"老太婆咧开嘴笑,露出雪白整齐的牙齿,她说:"瞎猜的,对了,顺顺是什么时候生的呀?"秦桂兰说:"前年3月7日生的,我记得生产时间是下午2点40分。"

老太婆看了看她放在行李架上的箱子,提醒她说:"列车中途停靠时,要注意看好东西,不要被小偷拎下车去了。"

秦桂兰觉得这个老太婆人好,心也细。

她抱着孩子站了起来,说:"老人家,请让一下,我去上个厕所。"

老太婆说:"来来,孩子给我。我给你看着,把孩子带到厕所里去多难受呀,他还在吃苹果呢。"

秦桂兰说:"那太麻烦你了。"

老太婆说:"出门在外,大家应该相互帮助。"

秦桂兰把孩子交给了她。

上厕所时,秦桂兰还提心吊胆,生怕孩子会不会被老太婆抱走了,甚至有点后悔把孩子交给了她。上完厕所,她匆匆忙忙地回到了座位,看到儿子已经吃完了苹果,正和小姑娘玩得不亦乐乎,心上的一块石头落了地。她觉得自己是小人之心了。于是,又和老太婆攀谈起来,她们俩在聊着天,孩子们在玩着,看上去挺和谐的。秦桂兰没有想到,麻烦就在前面等着她。

列车到了遵义,下车时,老太婆看她抱着孩子,还要提那么大的一个箱子,就说:"我给你拿箱子吧。我们没有什么行李,就一个双肩包,让我孙女背好了。"秦桂兰说:"我怎么好意思让你拿箱子呀。"

老太婆微笑着说:"没有关系,没有关系。"于是,她抱着顺顺,老太婆替她拖着箱子,老太婆孙女背着双肩包,一起出了站。

她们来到了站前广场。

秦桂兰笑着说:"箱子给我吧,我坐公共汽车回我妈家,谢谢你了。"

就在这时,老太婆把箱子放在地上,过来要抱秦桂兰手中的孩子。她微笑着说："谢谢你帮我把孙子抱出站，把孩子还给我吧。"

秦桂兰听了她的话，觉得不对劲，说："老人家，你说什么？"

老太婆还是微笑着说："请你把我孙儿还给我，谢谢你帮我抱他出站。"

秦桂兰说："这分明是我自己的儿子，怎么是你的孙子呢？"

小姑娘突然指着秦桂兰，大声喊叫："你是坏人，干什么不把我弟弟还给我奶奶？坏人，快把弟弟还给我奶奶！"

秦桂兰一听她的话，顿时懵了，她一头雾水，自己的儿子怎么变成了别人的孙子和弟弟。她什么话都说不出来，只是紧紧地抱着儿子。就在这时，一个衣着时髦的女人走过来，说："顺顺，顺顺，妈妈想死你了。"她过来就要抱秦桂兰手中的孩子，而且很客气地说："请把我儿子还给我。"秦桂兰急了，大声说："这是我的儿子，怎么成了你们的孩子了？"

有些路人围过来看热闹。

有几个人对秦桂兰指指点点，他们说秦桂兰想拐人家的孩子。其中一个人还提醒那个衣着时髦的女人要小心人贩子。秦桂兰见势不妙，箱子也不想要了，抱着孩子想逃，她后悔没有让弟弟来接自己。但是那几个指指点点的人拦住了她，秦桂兰无法走脱。衣着时髦的女人冲上来，企图从她手中抢走孩子。秦桂兰死死抱住孩子，大声喊叫："别抢我的儿子！"此时，许多围观者都以为秦桂兰是人贩子，要拐那一家人的儿子，都在看热闹。老太婆说："求你了，快把孩子还给我们吧。"小姑娘也说："快把弟弟还给我们，我们要回家了，弟弟还没有吃晚饭呢。"衣着时髦的女人过来又要抢孩子，秦桂兰吓坏了，还是死死抱着孩子，不让孩子被那女人抢走。

老太婆对围观的人说："这个女人看我带着孙女，还拿着行李，说帮我抱孩子出站。我们以为碰到活雷锋了，没有想到，她竟然不想把孩子还给我们了。我儿媳妇来接我们，也要不回我孙子了。"

那几个挡住秦桂兰去路的人也纷纷在围观者面前说秦桂兰是人贩子，还说秦桂兰神经有问题等等，围观者都以为秦桂兰有问题，谁也没有过来帮她。女人抢了会儿，没有抢走孩子，就装模作样地哭了，还拿起手机给她丈夫打电话。老太婆也哭了，说："我孙子小名叫顺顺，大名叫张西顺……"
她竟然把在火车上秦桂兰告诉她关于儿子的情况都说出来了，说得头头是
道，围观者都相信老太婆的话了。

不一会，一个男人冲过来，说："谁要抱走我儿子？"

小姑娘指着秦桂兰说："爸爸，就是这个女人。"

那人扑过去抢秦桂兰的儿子，他的力气很大，秦桂兰根本就无法和他
抗衡，儿子很快就被他抢走了。他们抱着孩子扬长而去，老太婆还把她的
行李箱也拖走了。秦桂兰喊叫着要冲过去抢回儿子，结果被那几个人死死
拦住了，老太婆他们坐上一辆车走后，那几个人才放开她，很快就跑得无
影无踪了。

秦桂兰的儿子就这样被人抢走了，她站在那里，撕心裂肺地哭喊。

2

兰妹从噩梦中醒来，窗外的雨声和吴四喜的呼噜声交织在一起，她睁
大眼睛，在黑暗中寻找着什么。黑暗中仿佛有一张狰狞的脸，在朝她冷笑。
兰妹浑身发抖，伸出手，抓住了吴四喜的手臂。吴四喜的体温让她感觉到
些许的安慰，心里有了点安全感。

她这回不是梦见被扔到山崖下的婴儿，而是一个如花少女变成的厉鬼。
在梦中，披头散发浑身血污的女鬼伸出双手，紧紧地掐住她的脖子，号叫：
"我要报仇，我要报仇！"她喊叫不出来，四肢无力，无法挣扎。

兰妹摸了摸手腕上的木珠手链，嘴巴里念叨着六字真言："唵嘛呢叭
咪吽，唵嘛呢叭咪吽，唵嘛呢叭咪吽……"她一遍一遍地念着六字真言，
祈祷佛祖保佑自己平安。念了会儿六字真言，她的内心平静了许多，这个
恶魔还真以为佛祖会保她平安。尽管心里平静了些，她还是在吴四喜的呼
噜声和窗外的雨声中，想起了那个叫丘琳的 15 岁少女。

那年，她和陆大安来到了河南商丘。

他们准备在这里拐带几个十五六岁的女生到温州去，温州有买家出大价钱给他们，要他们办货。他们住在商丘最好的宾馆里，每次和陆大安出来，几乎都是住好宾馆，她自己一个人单干时，不会如此奢侈，浪费钱财。

她和陆大安有分工，陆大安负责骗那些女生，她负责望风，得手后，一起带着女生坐火车离开。

那天，陆大安守在商丘二中的校门外。

下午放学后，他的目光鹰隼般盯着从校门走出来的女生们。陆大安从那些女生中寻找着目标，他可以看出来，哪些女生是会上钩的。他看到三个女生一起走出了校门。这三个女生看上去就和那些平常的女生不一样，她们的神情有些叛逆，有点屌，而且她们有个共同的特点：都长得特别漂亮，脸蛋和身材都一流。她们走出校门后，陆大安就跟了上去。陆大安戴着一副墨镜，穿着很多口袋的休闲裤，上身穿一件耐克牌的红色 T 恤，看上去，很有派头。那三个叛逆的漂亮女生来到一条无人的小巷，站在那里，其中一个女生拿出香烟，分发给另外两位，然后吞云吐雾起来，很享受的样子。

站在不远处的陆大安脸上露出了邪恶而得意的笑容，他的判断是正确的。

他马上打电话给不远处望风的她，让她看好，如果有可疑的人出现，赶紧通知他，他要开始行动了。

打完电话，陆大安就大摇大摆地朝小巷里的三个女生走过去。

三个女生见他走过来，都警惕地看着他，有一个女生还有些紧张，赶紧扔掉了手中的香烟。

陆大安走到她们面前，笑着用港台腔说："美女们，你们好啦。"

一个女生瞪了他一眼，说："你是谁呀？无缘无故的套什么瓷呀。"

另外一个女生笑着说："李丽，他想泡我们吧。"

扔掉烟的那个女生说："赵小樱，他真的想泡我们呀？没意思，我先走了。"

赵小樱装出一副老油条的样子，说："丘琳，走什么走呀，看他有什么花招。"

李丽吐了口烟，说："是呀，看他要耍什么花招。"

丘琳不说话了，站在一边，眼神有些迷离。

陆大安笑着说："我为什么要泡你们？你们太小啦，有什么好泡的。"

李丽说："你不是想泡我们，那你想干什么，不要说是问路哟。"

赵小樱笑了说："问路的桥段也太老套了吧。"

陆大安突然拉下了脸，严肃地说："你们太不尊重人啦，好像在你们眼中，都是坏人。我告诉你们，我不是来泡妞的，也不是来问路的。你们不要想歪啦，没有想到大陆的小姑娘素质如此之差。"

赵小樱她们被他说得面面相觑。

李丽说："那你到底是干什么的？"

陆大安说："长话短说吧，我很忙的，说完就走。"

他的话已经吊足了她们的胃口。

赵小樱说："那你说，你是干什么的。"

陆大安说："我是香港电影公司的星探，你们知道什么叫星探吗？"

赵小樱说："知道，知道。"

李丽说："你真的是星探？"

陆大安从包里掏出皮夹子，从皮夹子里拿出三张名片，分发给她们。她们看了看，名片上写着香港电影公司的名称、他的姓名、电话、手机、传真、电子邮箱、公司的香港地址等等，而且，那家香港电影公司还是很有名气的，拍过很多有名的电影和电视剧。

陆大安见她们神色有些兴奋，马上说："我现在的任务就是要找三个像你们一样的少女，到浙江横店影视城去拍一部当代中学生题材的电视剧。经过这些天在商丘几所中学的观察，我发现你们三个人是最佳人选，人长得漂亮，气质也不错，所以就跟过来，和你们商量商量啦。"

赵小樱真的兴奋了："你说的是真的吗？"

陆大安说："哪能有假？如果你们要是答应，马上就可以签约；签完约，立刻付给你们定金，尽快起程，剧组正等着我带人过去呢。你们考虑考虑啦，闲话不说啦，我先回宾馆了，同事还在宾馆等我，她那里也说找到了合适的女生，让我过去看看。对了，无论我们合作能不能成功，我都要奉劝你们一句，抽烟有害健康，特别是对女孩子很不好。我多嘴啦，那就告辞啦，你们要是愿意去当演员，就打我手机啦。"

说完，陆大安头也不回地走了。

她们拿着他的名片，热烈地探讨起来。

她们真相信了陆大安的鬼话。

陆大安和她汇合在一起，得意地说："搞掂！"她说："你真有把握？"陆大安说："我们就回宾馆等着吧，鱼已经上钩了。"她说："别高兴得太早了。"陆大安说："你他妈的真扫兴，你就等着瞧吧。"

她也不说什么了。

她们刚刚回到宾馆，陆大安的手机铃声就响了起来。

果然是她们打来的电话。她们显得十分迫切，要求马上来见他们。陆大安还要吊她们的胃口，告诉他们现在还在面试几个演员，让她们等他的电话。挂了电话后，陆大安抱着她说："我是不是高兴得太早了？"她笑了笑说："人送到买家手里。"他们等到晚上九点多，才通知她们前来。她们来到了宾馆。陆大安显得忧虑的样子，说："我是觉得你们合适，那三个演员非你们莫属，可是你们家长同意吗？学校怎么办？"

李丽说："这都没有问题，我们早就想离开这里，远走高飞了。我们三个人的家庭都是有问题的，我爸和我妈一直在闹离婚，根本就不管我；赵小樱的父母亲出国去了，她寄养在叔叔家里，她叔叔是个混蛋，总是打骂她，她根本就不想再待在叔叔家了；丘琳更惨，她是个孤儿，从小被一对夫妻收养，那对夫妻根本就不把她当人，好像她是菲佣，在家干的全是保姆的活，你说，她有什么理由不离开？"

陆大安说："这样，我们就放心了。"

他拿出假合同，装模作样地和她们签约，签完后马上付给了每人五千元钱的定金。拿到钱的她们，兴高采烈，仿佛看到了美好的未来。陆大安对她们说："合同签了，我们要尽快启程，剧组等米下锅呢。"她们表示，随时都可以跟他们走。陆大安考虑了一会说："如果你们现在就跟我们走，可以吗？"

她们表示可以。

陆大安和她马上就收拾东西，退房，带着她们直奔火车站，乘最早的一趟火车，南下。陆大安和她并没有把她们带到横店，而是把她们带到了温州。到温州后，一下火车，陆大安就把她们送上了一辆面包车，进入面包车后，三个少女就被里面的三个大汉控制了。陆大安从她们的包里搜出给她们的定金和合同，放进自己的包里，然后拿了卖人的钱，连夜就和她离开了温州。那三个少女，一上车就知道被骗了，但是已经晚了。要不是丘琳出事，谁也不会知道她们在哪里，也不可能那么快就得到解救。那是个强迫妇女卖淫的团伙，他们从人贩子手中买来少女，这些少女大都是处女，然后让那些无良老板花大价钱受用。丘琳第一次被安排在一个宾馆房间里的时候十分恐惧。一个肥胖的男人进入房间后，扑过来就要强暴她。她吓坏了，爬上了窗户，说："你要是过来，我就跳下去。"胖子淫笑着朝她逼过来，说："小雏儿，乖乖下来，只要你顺从我，让我满足了，钱算个屁，来吧，下来吧。"他扑过去，要拖她下来。她在挣扎时，从25楼的窗口掉落下去，当场就死了。她是在报纸上得知这个消息的，当时，她就心惊肉跳，觉得自己欠下了一条人命，也就是因为这件事，她成了公安部的 A 级通缉犯，开始了逃亡生涯。

……

窗外的雨还在沙沙地下。

吴四喜的呼噜声也还在有节奏地响。

兰妹想起了自己的儿子，他现在是不是也像自己一样噩梦缠身，是不是也在想念她？

兰妹叹了口气，今晚又将是一个失眠夜。

明天会怎么样，她不得而知。

3

李妙、朱文远和张森三人以背包客的身份进入了金牛村。

他们是在黄昏时分进入金牛村的。他们从遵义坐公共汽车到金沙县城，又从金沙县城坐公共汽车到水头镇，然后从水头镇走了二十多里的山路，来到了金牛村。这个小村子没有可以到达的公共汽车，尽管有一条可以通车的沙土路经过村外。他们原来准备在水头镇租辆车进村，但是他们怕走漏消息，就选择了徒步。徒步对张森来说，一点问题都没有，李妙也没有什么问题，朱文远就遭罪了，到金牛村后，他的脚底已经磨出了几个大水泡，而且小腿肿胀，疼痛难忍。

他们找到了钱七婆的家，走进了钱七婆家的院子。

钱七婆正把一群土鸡关进鸡笼门，看见三个背着背包的异乡人进来，心想，这段时间怎么了，从来没有游客来的金牛村热闹起来了，才走一个，又来了三个，要是他们每人每天给我一百块钱，我又要发笔小财了。

钱七婆关好鸡笼们，对他们笑脸相迎，说："你们是来借宿的吧？"

朱文远说："前几天，我一个朋友说，这里风光好，人也好，就来了。他说，来金牛村，找钱七婆就可以了，您就是钱七婆吧？"

钱七婆笑着说："我就是钱七婆，哈哈，你那个朋友人也很好的。我真希望有更多的人来我这里住，我平时一个人守着这么大的房子，连个讲话的人都没有，闷得慌哪，你们来了，我心里别提多开心了。"

李妙说："阿婆真是个开朗的人，我喜欢的。"

钱七婆说："喜欢就好。"

说着，她把他们领到了厅堂里。她说："你们先在这里喝喝茶，说说话。我知道你们饿了，先给你们做饭吃，然后给你们铺床。"不一会，她泡了一大壶茶放在桌上，让他们自己倒着喝。那铜茶壶真的很大，可以装好几斤茶水，朱文远说他从来没有见过这么大的茶壶。朱文远坐在凳子上，脱掉了鞋和袜子，足底的水泡都磨破了。李妙不忍看，说："我去问问七婆，有什么办法。"说完，她跑厨房去了。

张森坐在那里，心里想着女儿，他真想马上去找人贩子钟秀珍，问她到底把自己的女儿卖到哪里去了。张森表面上波澜不惊，内心却波涛汹涌。他喝着茶，想着钟秀珍会不会逃跑。她要是逃跑了，那么这一趟就白跑了，还耽误寻找女儿；所以，不能让她逃出金牛村，非要捉到他不可。

张森内心蠢蠢欲动，要不是李妙交代过，要听她指挥，他早就去找那个天杀的女人贩子了。

李妙走进厨房，笑嘻嘻地说："阿婆，需要我帮忙吗？"

钱七婆说："不要，不要，你出去喝茶休息，很快就可以吃饭的。"

李妙坐在灶膛前，往里面塞干柴。

钱七婆说："柴不要塞太满，要有空间，火才旺。"

李妙说："我知道，以前在乡下亲戚那里烧过火。"

钱七婆说："姑娘，你是哪里人呀？"

李妙说："我是江西人，那个戴眼镜的是上海人，另外一个是安徽人。"

钱七婆说："你们不是一个地方的人，怎么走到一起了？"

李妙说："在路上碰到了，就聚在一起了。"

钱七婆说："你们现在的年轻人真好，可以到处游山逛水。我这一辈子，最远的地方才到过金沙县城。一辈子都窝在金牛村，没有见过什么世面，有照顾不周的地方，你们不要见怪呀。"

李妙说："怎么会呢？我们来打扰你，你不嫌我们麻烦就很不错了。"

钱七婆说："我巴不得有人来，这样不就有人陪我说话了吗？村里人都晓得，我是多嘴多舌的女人，就是喜欢说话，可能整个村里的人一年说的话，还没有我一个人说的多。他们都说我是老母鸭，成天呱呱呱叫个不停。"

李妙哈哈大笑，说："他们这样说你，你不生气？"

钱七婆说："生什么气，这样都要生气，那早就被气死了。我嫁到金牛村时，他们就这样说我，说了一辈子了。人长着嘴巴，就是用来吃饭和说话的，我们这里穷，吃的少还吃不好，我要是不多说点话，那不是白活了。"

李妙说："阿婆这样的心态真好。"

钱七婆说："不好是自寻烦恼，人哪，怎么都是过一辈子，不要自己和自己过意不去。"

李妙说："有道理。对了，我想问阿婆一个人。"

钱七婆说："如果是金牛村的人，我都知道，你随便问。每个人干过什么好事坏事，我清清楚楚。要是问金牛村以外的人，你就不要问了，问也白问。"

李妙说："吴四喜知道吗？"

钱七婆说："怎么不知道？这个人原来是个光棍，好吃懒做，快五十岁了，才讨了个老婆，这个人毛病很多，人却还可以，不会害人；不过我不喜欢他，看到他，我就不舒服。可能是因为我从小就看不惯好吃懒做之人的缘故吧。半年前，这家伙从镇上带回来一个女人，就住在一起了，好像结婚证都没有扯，不过扯不扯也没所谓，不会有人来管。他带回来的女人，看上去还不错，人不丑，见到人笑眯眯的，礼节上过得去，人也勤快，家里家外，都是好手。我想不明白的是，这样一个不错的女人，怎么会嫁给吴四喜呢？他家里穷得叮当响，人长得又丑，他真的是走了狗屎运了，眼看都土埋半截的人了，还拣捡了个宝，成了家，要是女人给他生个儿子，那就圆满了，他这一辈子也算没有白过。"

李妙说："那个女人叫什么名字？"

钱七婆说："叫兰妹。"

李妙说："知道她是哪里人吗？"

钱七婆说："这个我没有问过，她很少串门。有次到我家来，想问问她的，

254

她站了会儿就走了，没来得及问。有时路过吴四喜家门口，想进去说说话，结果看到他家门关上了，也不好打扰他们。他们干柴烈火的，就是白天关起门来干什么，也不奇怪。问题是，他们家的门总是关着，不管有没有人在家。这点让我很奇怪，其实我们金牛村，就十几户人家，都是一个祖宗传下来的人，而且还没有出五服，外面几乎没有人来，关不关家门也没有关系，家里不会少什么东西。我就想不明白，他们家怎么老是关着门。"

李妙听到这里，心想，兰妹或许真的就是钟秀珍。

她说："兰妹是哪里人，村里有谁会知道？"

钱七婆想了想，说："吴四喜应该知道，还有吴开真也可能知道。他们俩比较好，平日里来往多。兰妹和吴四喜能够在一起，还多亏了吴开真，那天要不是吴开真叫他到镇上去，他也不会碰到兰妹。"

李妙想，要找到吴开真，问问他，兰妹是哪里人。如果是江西人，那就有百分之三十的把握，她就是钟秀珍了。如果可以，晚上就让钱七婆带自己去找吴开真，或者到吴四喜家里去看看。

她想起了一件事，便对钱七婆说："阿婆，我想问问，走路时脚底磨出了水泡怎么办呀？"

钱七婆说："是你的脚底磨出了水泡？"

李妙说："不是，是我那个戴眼镜的朋友。"

钱七婆说："他看上去就是个文弱书生。没有关系的，睡觉前，我给他熬点草药，泡泡脚，明天早上就没事了。"

……

这顿饭不算丰盛，却很可口，一荤两素，蒸腊肉、清炒小白菜和干煸豆角，外加一碗蛋花汤。吃完饭，钱七婆就出门去了。他们商量着怎么开展调查。李妙说："要查明她的身份，就要先搞清楚她是哪里人。如果能够搞到她的身份证，就会好办得多。我想，等一会儿钱七婆回来后，我和她去趟吴开真家里，问明一些情况；还有，为了防止钟秀珍逃走，我们三人要轮流监视她，但是不要被她发现。钱七婆已经把吴四喜家指给我看了，一会儿我们出去，我告诉你们。我观察了一下地形，在吴四喜家的对面，有一片树林，可以埋伏在里面监视那女人。你们说说，有什么思路提出来，一起商量。"张森说："我同意李警官说的监视，分分钟都要有人监视，要她真的是钟秀珍，让她跑掉了，那就前功尽弃。"朱文远说："你们说的都有道理，也应该这么做。我有个想法，要是我们证实了她就是钟秀珍，凭我们三个手无寸铁之人，要把她从金牛村带走，还是有难度的。我的意思是，能不能先联系金沙县打拐办，让他们也派些人过来，这样就有把握一点。"李妙笑了笑，说："我已经和他们联系过了，我们这里一有眉目，他们就马上派人过来，协助我们将她带离金牛村。"

他们正说着话，钱七婆回来了。

她把李妙拉到一边，说："我去给你问了吴开真，吴开真说兰妹是江西人。开始时，他问我，她是哪里人，很重要吗？我说很重要。我磨了一会儿，他就告诉我，兰妹是江西人。"

李妙说："谢谢你，谢谢你。"

4

今夜无雨，兰妹有种不祥之感。

天擦黑时，她到小河的下游洗马桶，洗完马桶回家，路过钱七婆家门口，听到里面有人说话的声音，还不止一人。她的心提了起来，蹑手蹑脚地走近前，透过门缝，往里张望。她看到钱七婆家的厅堂里，有两个男人在喝茶，说话。她看不清他们的脸，但是感觉到了不妙。兰妹匆匆回家。

宁静的金牛村在兰妹心中变得不安宁了。

她感觉到空气中波动着惊恐的情绪，那是她内心的情绪。

一进家门，她就用力把门关上，背靠在门上，大口地喘着粗气。

吴四喜刚刚吃完饭，嘴角还留有一粒饭粒，他说："兰妹，你这是怎么了？"

兰妹没有说话，她努力使自己的心情平静了些，然后去收拾碗筷。

吴四喜站在一边，说："你到底怎么了，是不是谁欺负你了？"

兰妹还是没有说话，她心里在想着问题，顾不上这个男人。金牛村前几天来了个外乡人，走后不久，现在又来人了，而且不止一个人，这里面一定有蹊跷。她在江湖上行走多年，什么事情都会留个心眼。她把碗筷拿进厨房，开始洗碗，她边洗碗边想，要是警察发现了她，来抓她的话，也没有必要偷偷摸摸的，直接把村子控制起来，进村抓人就可以了，还要偷偷摸摸地抓她？兰妹又想，她把眼角那颗黑痣做掉了，是不是警察不能确定她就是钟秀珍，先派人进来摸清情况，然后再抓她。这也不现实，警察要是怀疑上了，直接过来带到派出所去调查了，还搞得如此神秘做什么，他们吃饱了撑了？兰妹用她自己的想法分析着，要是他们真的是来调查的，那她就要想办法对付他们了，千万不能让他们得逞，否则她白白躲到这里来了，白白让吴四喜睡了那么长时间。

吴四喜是真希望兰妹给他生个儿子。

他不知道她已经做了绝育手术，根本就不可能再生孩子了，她也没有向他说明。

吴四喜以为自己没有用，那么长时间，天天晚上都做那事，她怎么就怀不上呢？于是，他偷偷跑到镇上，去找镇上的土医生王半仙。王半仙装模作样地给他把脉，然后问些情况，接着就给他开了中药。吴四喜说："是不是这些中药吃完后，我就有用了，我老婆就可以怀上孩子了？"王半仙神秘兮兮地说："这要看你的吸收能力了，要是你的身体和我开的药合，那很快就可以。不要说让你老婆怀孕了，就是让母猪也可以怀上你的孩子。话说回来，如果不合，那就有问题了，可能见效慢，也可能没有用。反正，用药后两个月，如果你老婆还是没有怀上，你再来找我，我再给你配别的中药，继续调理。"吴四喜说："好，好。"王半仙又说："还有一点至关重要，那就是信，你要相信我的药是有奇效的，那么起的作用就比较大；

你要是不相信，再好的药给你用，说不定也没有用，记住，心诚则灵。"

吴四喜点头哈腰，说："记住了，记住了，我相信，我相信！"

吴四喜走进了厨房，对洗碗的她说："中药已经吃了两个月了，怎么还没有动静？"

兰妹在想着对策，没有听清他在说什么。

吴四喜用手捅了捅她的腰，说："兰妹，我和你说话你听见没有？"

兰妹一下子缓过神来，回过头说："你说什么？"

吴四喜揉着疼痛的腰，说："中药已经吃了两个多月了，怎么还没有动静？"

兰妹说："才两个多月，还早呢。"

吴四喜说："不会吧，那要吃多久呀？"

兰妹说："吃到我怀上你的骨肉了，那你就可以停止吃药了。"

吴四喜说："那你一辈子怀不上孩子，那我就要吃一辈子药？"

兰妹心里骂道，傻逼！你还配有孩子！吃死你，你也不会有孩子！

她装出笑脸，放柔了声音，说："不要一辈子，我会给你生个孩子的。到时，我们和孩子一起，享尽天伦之乐。"

吴四喜十分感动，说："你真好。"

兰妹说："四喜，如果有人欺负我，你会怎么样？"

吴四喜紧张了，说："谁要欺负你？我看你洗完马桶回来就不对劲，是谁欺负你了？"

兰妹说："没有人欺负我，我只是随便说说。"

吴四喜说："真的没有人欺负你？"

兰妹说："没有人欺负我，你放心吧。该吃药就吃药，该睡觉就睡觉，不要担心。"

吴四喜说："要是真有人欺负你，我会和他拼命！"

兰妹笑笑，说："有你这话，我就心满意足了，给你当牛作马也甘心了。去吧，出去喝茶，我洗完碗筷，收拾好厨房就出来陪你。"

吴四喜眼睛里闪动着欲望的亮光，连声说："好，好，我出去喝茶，等着你出来。"

吴四喜出去后，兰妹叹了口气，她心里还是忐忑不安，好像有什么事情要发生。她想逃，可是，该逃到哪里？

5

天蒙蒙亮，村庄里的公鸡开始打鸣，偶尔还有几声狗叫，村外树林子里的鸟儿开始叫唤，叽叽喳喳，开始一天的劳碌。张森趴在小树林的草丛里，目不转睛地盯着吴四喜的家门。他已经在这里蹲守一夜了。李妙半夜时要来换他，被他拒绝了，怎么能够让一个女人在黑夜里蹲守。朱文远吃不了这个苦头，张森也没有准备让他替换自己，只要能够找到女儿，这点苦又算得了什么？这两年多的时间里，什么苦没有吃过？

蹲守了一夜，他觉得肚子有点饿，要是有个馒头垫垫肚子，该有多好。

张森咽了口口水，伸了伸脖子，缓解一下饥饿和疲惫。突然，他看到吴四喜的家门开了，从里面走出来一个女人，她轻轻地把门带上，然后匆匆朝村外走去。张森什么也没有想，就跟了上去。女人不时向后面张望，张森不敢走在路上，只是在路边的山林中穿行，眼睛一直盯着女人，他不会让她从自己的视线中消失。

她是不是要逃？

张森想，她今天无论如何是逃不掉了，看她往哪里走。

6

李妙被鸟儿吵杂的叫唤声吵醒。

醒过来，她就发现天亮了。晨光从窗户透进来，李妙想到了张森，他还在那里蹲守吗？她赶紧起床，穿好衣服就出了门。她来到吴四喜家对面的小树林里，没有找到张森。这是个清新的、充满露水味儿的早晨，如果李妙是来此地度假，那么，她会十分惬意地享受山野自然的空气和美景。可是，她不是来度假的，而是带着某种使命。发现张森不见后，李妙着急了。他会不会支撑不住，回去睡觉了？李妙回到了钱七婆家，来到张森住的那个房间，房间门是开着的，钱七婆铺好的床干干净净，不像有人躺过，房间里根本就没有张森。他会跑哪里去呢？李妙想到了钟秀珍，难道是钟秀珍发现了张森，然后和吴四喜合伙暗害了他？这事情不是没有可能。想到这里，李妙紧张了。

　　这时，钱七婆刚刚起床，她看到了李妙。

　　钱七婆笑着说："李姑娘，早哇，怎么不多睡会？"

　　李妙说："睡不着了。"

　　钱七婆说："李姑娘，你的脸色不好，是不是没有睡好？"

　　李妙的确没有睡好，一夜尽是噩梦，梦见钟秀珍逃脱，继续拐带孩子，把孩子送到很远的地方，孩子凄惨的哭声让她从梦中惊醒；她还梦见了父亲，父亲死了，她没有满足他最后一个愿望，妈妈带她到殡仪馆，她见到了他的仪容，化妆过的仪容，脸上还涂了脂粉，看上去怪瘆人的。这还不算可怕的，可怕的是，躺在冷藏箱里的父亲突然坐起来，从冷藏箱里爬出来，朝她扑过来，口里喊叫着："小妙，你好残忍，连我最后一面都不肯相见，我饶不了你，饶不了你！"她又一次惊醒过来，睁着大眼睛，在黑暗之中，倾听自己沉重的心跳和呼吸。她脑海里全是父亲粗暴的形象。不知过了多久，她才再次入睡，醒来后天已经亮了。她的脸色不好，和睡眠有关系，重要的原因是张森不见了。

　　李妙说："睡得还好。"

　　钱七婆说："那你是怎么了？身体不舒服？"

　　李妙想了想，说："阿婆，我实话告诉你吧。我是警察，我们怀疑吴四喜的老婆兰妹是我们通缉已久的人贩子钟秀珍。"

钱七婆十分吃惊："啊，啊，这是真的吗？"

李妙说："我们现在还不能确定她就是钟秀珍，但是种种迹象表明，很可能就是她。我很需要阿婆的配合，不知阿婆愿不愿意帮助我们。"

钱七婆说："愿意，愿意，人贩子最可恶了，他们干的是伤天害理的事情。"

李妙说："那太好了。刚才我到吴四喜家对面的小树林子里找张森，发现他不见了，我很担心他的安危，他整个夜晚在那里监视钟秀珍，不知是不是被钟秀珍发现了，然后加害于他。如果张森被害，我会负罪一辈子。他的女儿被钟秀珍拐走，他一直不放弃，到处寻找女儿，现在好不容易有点眉目了，真不希望他碰到什么问题。"

钱七婆说："李姑娘，你需要我怎么配合你，你尽管说。"

李妙说："事不宜迟，我们赶紧去吴四喜家，先把兰妹控制起来，不管她是不是钟秀珍。我们叫门，会打草惊蛇，我想让你叫开他家的门，然后我再进去。"

钱七婆说："好，没有问题。"

李妙叫醒了朱文远，他们来到了吴四喜的家门外。

钱七婆有点紧张，人贩子在她的想象之中，犹如恶鬼。她站在吴四喜家门口，心惊胆战，浑身发抖。李妙轻声说："阿婆，别害怕，有我呢。"朱文远还是睡眼惺忪的样子，什么也没有说，站在那里揉眼睛。钱七婆敲了敲门，过了好大会儿都没有人回应。她再次敲门时，发现门是掩虚的，她推开了门。

李妙敏捷地冲了进去。

钱七婆和朱文远跟在后面，也进入了吴四喜的家。

吴四喜被钱阿婆叫醒，说："死老太婆，大清早到我家来干什么？"

钱阿婆说："你老婆呢？"

吴四喜这才发现兰妹不见了，说："可能去浇菜地了吧。"

钱七婆说："她不在你家菜地，你知道她会去哪里吗？"

吴四喜起床，穿上衣服，他和钱七婆走到厅堂里，看到了李妙和朱文远，吃惊地说："你们是谁？"

钱七婆说："李姑娘是警察，朱先生是记者。"

吴四喜十分紧张，说："我没有犯法，警察来干什么？"

李妙说："我们是来调查你老婆兰妹的。"

钱七婆说："你老婆可能是人贩子。"

吴四喜有点哆嗦，说："怎么可能，怎么可能，她和我那么长时间，从来没有离开过，我也没有发现她拐骗过哪个小孩，她还对我们村里的孩子都很好，孩子们都喜欢和她玩，她怎么会是人贩子呢？"

李妙说："和你老婆相貌特征很相似的人贩子叫钟秀珍，她是在逃犯。如果真是她，她藏在这里当然不可能让人发现她是人贩子，对孩子好，也是她伪装的手段。况且，她骗孩子时，都会对孩子好，说不准哪天，她不需要在这里藏身了，顺便就把你们村里的孩子拐走了，到时，痛苦的是你们村里的兄弟姐妹，而不是她。"

吴四喜说："她不可能是人贩子，不可能是人贩子，她还说要给我生孩子，还说要和我过一辈子。"

李妙说："我们也没有确定她就是钟秀珍，所以，希望你能够配合我们查清她的真实面貌。如果她不是钟秀珍，那你们就可以安心过日子了；要真的是钟秀珍，对你们也是好事情，免得日后伤心。"

钱七婆说："我看李姑娘说得有道理，本来我就怀疑，这样来历不明的女人，怎么会嫁给你，不符合常情。现在搞清楚问题是最重要的事情，这样对你、对全村人都是好事。四喜，你听我一句劝，赶快帮助李姑娘把兰妹找出来，不然，要是她真是逃犯，你窝藏罪犯，也是大罪。"

吴四喜说："我怎么是窝藏罪犯，我怎么知道她是罪犯？"

李妙说："你在不知情的情况下，收留了她，有情可原。现在我已经把情况向你说明，你配不配合看你自己的态度，我们也不会强求你配合，由你自己选择。"

吴四喜说:"她要真的是逃犯,我带你们把她找出来,是不是我就没事?"

李妙笑了笑,说:"应该没事。"

吴四喜说:"好吧,我带你去找她。"

钱七婆说:"这才像个样子。"

李妙说:"你知道她会到哪里去吗?"

吴四喜说:"知道,一般情况,除了在田里劳动和在村里,她经常一个人去个地方,隔几天就要去那里呆上一会儿的。走吧,我带你们去。不过,她要是逃犯,要是逃走了,不在那里了,你们可不能怪罪于我。"

李妙说:"放心吧,她要是逃走了,和你没有任何关系。"

吴四喜说:"走吧。"

吴四喜此时的心情十分复杂,甜酸苦辣一古脑涌上心头,不知如何是好。走在通往山上的小路上,吴四喜想,兰妹要真是人贩子,那自己的美梦也将残酷结束,他不但会失去恩爱的老婆,也不可能有后了。那么他这些日子以来的中药也白喝了,中药的滋味可不好受,不光苦,就连放出来的屁都是中药的味道。想到再也不会有女人给他做饭,给他洗衣服,给他快活……他心里无比酸涩,一个人的日子清冷、无奈、痛苦、凄凉……这个世界很大,很多女人,可除了兰妹,没有人会委身于他。他又想,兰妹哪怕是罪犯,他也没有理由嫌弃她。

想到这里,他停住了脚步,回过头,对身后的李妙说:"李警察,我想问你个问题。"

李妙说:"什么问题?"

吴四喜说:"兰妹如果要是罪犯,会枪毙吗?"

李妙说:"我说了不算,法律说了算,要看她的罪行有多大,才能定多大的罪。"

吴四喜说:"要是不会枪毙,我可以去监狱里看她吗?"

李妙说："当然可以。"

吴四喜又说："要是她出狱了，我还可以和她在一起吗？"

李妙说："当然可以，但是要看她想不想和你在一起。"

吴四喜说："我明白了。"

他转过头，继续在山路上行走。

山路不好走，李妙和钱七婆紧紧地跟着吴四喜，朱文远落在后面，离他们有十几米远，而且有拉开更大距离的可能，因为朱文远脚底又开始疼痛，还有两条腿，又胀又疼痛。李妙不时回头说："朱记者，你能行吗？"朱文远咬着牙说："没有问题，没有问题。"李妙说："要是不行的话，你先回村里等我们吧。"朱文远说："放心吧，我会跟上的。"朱文远想，自己不能退缩，要是吴四喜和钟秀珍串通好了，把他们骗到山上去，自己又先回村里了，李妙岂不很危险，自己在场，多一个人，多一份力量，多一点安全感。

7

张森紧紧地盯着兰妹，她快走时，他也加快脚步；她走慢了，他也放慢脚步。张森真想快速追上去，把她按倒在地，逼问她，到底把自己的女儿卖到什么地方去了。他想要知道她究竟要到哪里去，而且李妙也和他交代过，必须证实她的身份后，才能抓人。张森答应了李妙不会乱来，他是个守信的汉子。兰妹还是不停地回头张望，看有没有人跟踪她。张森想，她是不是发现了他们是来调查她的。

兰妹钻进了林子。

此时，太阳已经出来了。

林子里淡淡的青雾在阳光中缭绕。

如果不是心中有事，这可是仙境般的地方，值得流连和玩味。可张森完全顾不上奇妙的自然风光，紧紧地盯住她，还是不让她离开自己的视线。

兰妹钻出了山林，来到一个山坳，这个山坳十分偏僻，估计平常很少会有人来这里。山坳里长满了野草。张森盯着她。她绕到一片山壁前，把厚厚的一层褥草拿开，露出了山洞的口子，然后，她钻进了山洞。

张森突然想到了李妙，心里咯噔了一下，要是李妙发现他不见了，一定会很着急的。现在兰妹进入山洞了，应该不会逃脱了，趁这个机会，应该给李妙打个电话，告诉她情况。他掏出手机，拨李妙的手机号码。李妙的手机无法接通。打了几次都无法接通，原来是这里没有信号。

兰妹好大一阵没有出来。

张森怀疑是不是山洞还有别的出口，她要是从另外一个出口逃走，那就前功尽弃了。张森心里一阵抽紧，想到女儿还不知道在什么地方受苦受难，他就无法控制自己的情绪，内心烦躁不安。他必须过去看看。他没有像兰妹那样绕着小心翼翼地走到山洞口，而是径直走了过去。

在离山洞两米远的地方，张森突然一脚踩在了松软的褥草上，他来不及收回脚，整个人就跌落下去，掉进了一个深深的陷阱里。他惨叫了一声，掉落陷阱后，褥草和泥土把他覆盖住了。他不知道自己的身体有没有摔伤，右脚踝十分疼痛。他动了动脖子，发现脖子没有问题，又动了动双手，双手也没有问题，他又扭了扭腰，腰也没有问题。要真有问题，那也是右脚踝的问题了。他把那些盖住身体的褥草和泥土从身上扒拉掉，长长地吐出了一口气。他艰难地站起来，动了动右脚踝，一阵钻心的疼痛，他不知道是骨头断了，还是只是扭伤。管不了那么多了，此时，他只想逃出这个陷阱，继续追踪兰妹。她要是逃跑了，他会懊悔死的。陷阱有好几米深，爬上去有一定的难度。再大的难度，他也要努力爬上去。他正要开始攀爬，一阵怪异的笑声传入了他的耳朵。那是女人的笑声，笑声中藏着嘲弄和邪恶。他抬起头，看到了一张俯视他的女人的脸。

那是钟秀珍的脸，虽然她眼角的黑痣已经不见了，他还是自然地想起从东莞到广州的大巴车上，总是回过头来和自己搭讪的女人的脸，就是这张脸，就是再过几年，这张脸也会清晰地浮现在张森脑海。

张森说："你是钟秀珍？"

兰妹的确就是钟秀珍。

她笑着说："是，我就是钟秀珍。"

张森说："是你和陆大安在广州火车站拐走了我女儿？"

钟秀珍说："没错，是我们带走了她，当天就卖给了长沙的一个买主。不过，女孩子不值钱，才卖了五千块钱。"

张森浑身发抖，气得说不出话来。

钟秀珍十分镇静的样子："你想知道我们是怎么带走你女儿的吗？到了这个时候了，就告诉你吧，让你死个明白。我们在东莞卖掉了两个孩子，没有想到在到广州的车上，碰见了你们。当时，我们就觉得应该再顺手牵羊做一单生意。我们很清楚，一定能够找到机会带走你女儿的。果然，你给了我们一个机会。我们趁你买东西的时候，走到你女儿跟前，很快地用麻醉喷剂在你女儿鼻子上喷了一下，抱起她就跑了。那是我们最成功的一次拐卖。"

张森大声吼道："还我女儿——"

钟秀珍说："你命都马上要没有了，要女儿干什么？"

张森的泪水涌出了眼眶，继续吼叫："还我女儿，还我女儿——"

钟秀珍说："我从来都只图钱，不想要人性命。今天，我是要开杀戒了。一切都是你自找的，我在金牛村活得好好的，你们却要来破坏我的平静生活，你们不给我活路，我也不会放过你们。其实，上次那个外乡人来，我就提高了警惕，我在这里挖好了陷阱，只要有人来找我，我就把他引到这里来，等他掉到陷阱里后，我就用石头砸死他，然后埋起来，神不知鬼不觉。我以为你们会一起来的，没有想到只来了你一个人，是你自己的运气不好，别怪我心狠手辣，我也需要保护自己；要是换了你，你或许也会这样做，人不为己，天诛地灭。"

张森什么话也说不出来了，只是奋力地往上爬，他恨死了陷阱上面这

266

个邪恶的女人，他要杀了她。

钟秀珍冷笑道："别爬了，你爬不上来了，永远也爬不上来了，你死在这里也不错，这里山清水秀的，多好呀。"

说着，她举起了一块石头，朝张森砸了下去。

张森头一偏，石头砸在他肩膀上，他惨叫了一声，掉回了陷阱之中。

钟秀珍冷笑着说："我说的没有错吧，你爬不上来的。"

她又拿起一块石头，用双手举过头顶，朝陷阱里砸下去，石头落下去的同时，因为用力过猛，她手腕上的木珠手链也掉落陷阱之中。张森的头颅又躲过了沉重的一击，他的身体却没有躲得过，石头砸在了他的后背上，他的心脏剧烈颤动了一下，一口咸腥的鲜血从口里飘出。

就在钟秀珍第三次举起石头的时候，李妙他们赶到了。李妙飞奔过去，飞起一脚，把她踢翻在地，石头落在了她自己身上。没有等她翻身起来，李妙就扑上去按住了她。钟秀珍虽然被按倒在地，她还是看到了带李妙他们前来的吴四喜。

钟秀珍喊道："老公，救我——"

吴四喜两眼茫然，呐呐地说："你，你真的是钟秀珍？"

钟秀珍说："我是钟秀珍，我也是你老婆，快救我。"

吴四喜瘫倒在地，说："你不应该骗我的，不应该的。"

钟秀珍说："一夜夫妻百日恩，看在我和你睡了半年多的份上，救我。"

钱七婆说："四喜，你可不能听她的话做傻事呀。"

吴四喜说："我怎么能帮她呢？我怎么能帮她呢？我只想等她出狱后，让她和我一起过日子，她要不是逃犯的话，是多么好的一个女人哪。"

钟秀珍不说话了。

她知道自己再也无法逃脱。

她有一点想不明白的是，吴四喜怎么知道她会在这个地方。

其实，吴四喜一直怕她跑了，他发现她总会消失一阵，不在田里，也不在村里，就暗暗地盯上了她，发现她只是到这个山洞里，也就心安了。

他想，也许她喜欢这个山洞，其他没有多想什么。只要她不走，她到山洞里来干什么，吴四喜都不会干涉。

尾声

沉痛故事远没有结束

将要犯钟秀珍押解回赣南后，李妙没有告诉母亲自己回来了。她很清楚，母亲在医院里陪伴着将要死去的父亲。她的思想激烈地斗争着，纠结着要不要去医院送父亲最后一程。这些天，母亲一直告诉她，父亲随时都会离去，已经进入昏迷状态了，希望她早日回来，看父亲最后一眼。这次出去，两个父亲让她感动，一个是杨光明，一个是张森。特别是张森，虽然没有找到女儿，他还是那么执著。因为钟秀珍无法提供当时买家的信息，张森的女儿还是石沉大海，就是有那买主的信息，也不一定能够找到他女儿，也许他女儿已经被转手卖了许多次了。就是这样，张森还是没有绝望，带着伤痕累累的身体，重新上路。他和李妙分别时，说了这样的一句话："只要我活着一天，我就会寻找女儿一天，女儿是我的命，天下父母，没有不心疼自己儿女的，只是心疼的方式不一样。"

　　天下父母，没有不心疼自己儿女的。

　　她记住了这句话，也想着那个上海之夜母亲在电话里说的那些话，最终，她决定去看父亲最后一眼。

　　李妙没有回家，而是直接去了医院。

　　来到医院，在重症病房，她找到了父亲的那间病房。

　　她心里还是有疙瘩，走到病房门口时，她又犹豫了。

李妙徘徊在病房门口，心里充满了矛盾。

病房门突然开了。

她听到了母亲的叫唤："阿妙——"

母亲怎么知道自己来了？原来，昏迷了多日的父亲就在刚才突然睁开了眼，对母亲露出了一个笑脸，他艰难地说："阿……阿妙来了。"

母亲说："她在哪里？"

母亲以为他是在说梦话。

父亲说："她真的来了，就在外面。"

母亲马上站起来，走出了病房，果然看见了女儿。

母亲说："阿妙，你爸和你心有灵犀呀，他知道你来了，快进去吧。"

阿妙只好跟着母亲进了病房。站在父亲的病床边，阿妙心潮起伏，不知道说什么。父亲躺在病床上，身上插着许多管子，他的脸色死灰，没有一丝血色，那双眼睛也黯淡无光。他看着女儿，眼角落下了两行泪水，他的嘴唇嗫动着，说出了一句话："阿……阿妙……爸爸……爸爸对不住你——"

母亲说："阿妙，快喊一声爸爸，快喊呀，阿妙。"

李妙终于喊出了一声："爸——"

那声音尽管很微弱，父亲还是听见了。他的脸上漾起满足的笑容，黯淡无光的眼中突然闪烁出火花。那闪烁的火花很短暂，但是就那么一瞬间。父亲眼中的火花很快熄灭下去，他终于闭上了双眼，咽了气，再也不会醒来，再也不会听到女儿的呼唤。父亲就这样满足地走了，带着他一生的痛苦和艰难。李妙的泪水模糊了双眼，心中飘起了哀歌，像绵绵细雨一般的哀歌。

送走父亲后的一天，李妙知道了一件事情，龙西县河田乡牛蛋村的余水水被抓了。是他杀了钟秀珍的儿子。余水水承认，钟秀珍儿子不是从树上掉下来摔死的，而是自己杀了他。那天傍晚，钟秀珍儿子在河边玩耍，扛着锄头从田里回来的余水水看见了他。想起自己的儿子，余水水心里十分恼火。余水水走过去，对他说："你晓得你妈在哪里吗？"钟秀珍儿子说："我不晓得，你问我有什么用，我也不晓得她在哪里。"余水水说："你一定晓得她在哪里，你要不晓得，那谁晓得？"钟秀珍儿子说："我真的不晓得，你别逼我了，你每次碰到我，都这样问我，烦死人了，我要晓得她在哪里，早就告诉你了。"余水水说："妈的，你还烦了，你妈把我儿子拐走了，你还敢说烦我！"钟秀珍儿子说："又不是我拐走你儿子的，你冲我喊什么呀！你以为我好受吗？谁都瞧不起我，就连学校里的同学都欺负我，说我是人贩子的儿子。"余水水说："你难道不是人贩子的儿子吗，活该！"钟秀珍儿子说："你们太不讲道理了！"余水水特别生气："你说我不讲道理？"钟秀珍儿子说："就是不讲道理。"余水水突然抓住他的头发，使劲地把他甩了出去。瘦弱的钟秀珍儿子摔到在河滩上，后脑重重地磕在一块石头上。余水水没有见他爬起来，只看到他闭上了双眼，血从他的后脑上流出来，越流越多……余水水见他断气了，吓得半死。缓过劲来后，余水水把他弄到了一棵树下，然后进村对人说，钟秀珍的儿子从树上掉下来摔死了。

李妙去了一趟看守所。

余水水的眼神痴呆。

他无力地说："我不是故意杀死他的，真的不是故意的。"

李妙说："不管怎么样，你不应该那样对待孩子。"

余水水说："我晓得错了，真的错了。"

李妙说："唉，现在说错已经晚了，你必须为你的行为负责，就像钟秀珍要为她犯下的罪承担法律的制裁一样。"

余水水说："钟秀珍抓到了吗？"

李妙点了点头。

余水水的眼中出现了亮光，激动地说："那，那我儿子找到了吗？"

李妙摇了摇头，说："因为你儿子被拐后，转过好几次手，我们现在还在调查，找到后会告诉你的。"

余水水泪水流下来，哽咽地说："我的儿子哪，你在哪里？"

......

这个夜里，彭琼注定无眠。

朱文远回来了，他们一起吃了顿晚饭。他给彭琼讲述了这次到贵州的经历。当他讲到张森还是没有找到女儿消息时，彭琼对这个同病相怜的人流下了泪水，那泪水也是为了她自己而流，因为她的儿子同样也没有消息。吃完饭，朱文远把她带回了家。他抱着她，要亲吻她，彭琼推开了他，说："等我儿子找到了再来，好吗？"朱文远控制着自己的情绪，说："好，我听你的。"彭琼说："谢谢你的谅解，谢谢你的陪伴。"

朱文远在她的要求下，将她送回了家。

彭琼洗完澡，抱着小狗点点上了床。

她拉灭了灯，把小狗点点搂在怀里，喃喃地说："小毛，我的乖儿子，妈妈爱你，永远爱你。"

彭琼经常在夜里，把小狗点点当成儿子宗小毛。

每次她在噩梦中醒来，发现搂着的不是儿子，而是小狗点点时，她就以泪洗面，无法再安睡。在痛苦的折磨中，她就会想到朱文远，然后给他打电话，在电话中倾诉内心的思念和痛苦。朱文远的确是她最忠实的听众，也是他最信任的听众。如果找到儿子，她会答应嫁给他；但是在没有找到儿子之前，她不可能和他有什么实质性的爱恋，因为儿子是她不可逾越的障碍。

本来，宗小毛的父亲应该听她倾诉的，应该在一个个暗夜搂着她，安抚她受伤的心灵的。可是，他却抛弃了她，在她最需要温暖和关怀的时候抛弃了她。他的无情让她不寒而栗。

那天，她碰到了他。

他孑然一身。

他们都停住了脚步，面对面地站着。

她先开了口，说："你好吗？"

他不耐烦地说："好个屁。"

她笑了笑说："怎么说？"

他说："我和她分手了。"

她说："这是我意料之中的事情。"

他说："为什么这么说？"

她说："因为你是个自私的人，你想到的永远是你自己。"

他说："你不理解我的内心。"

她说："以前也许不理解，现在理解了，和你说了那么多，你连问都没有问一句儿子的情况，也许你心中早就没有了他。"

他无语。

她说："你知道我还在找儿子吗？"

他说："不知道，我为什么要知道？又不是我弄丢的。我看你也不要再找了，你找不到的，天下有多少失踪的人无法找到，没有目标的寻找，都是做无用功。"

她说："你是个冷血的人，不，是动物。"

他说："你还年轻，放弃寻找吧，找个人重新开始。"

她说："你不会明白我对儿子的感情，也不会明白我内心的痛苦。我希望你某一天会真正爱上一个人，然后我祈祷你真正爱的人永远离开你。"

他说："为什么这样说？"

她说："这样，你才会明白思念的痛苦，失去至爱的痛苦，那是一种什么样的感受。"

他无语了。

彭琼的痛苦还在继续，无边无际撕心裂肺的思念还在继续，哪天能够结束刻骨铭心的痛苦和思念，她无法预知。

……

张森的父亲病危了，他只能停止一段时间去寻找女儿，回去陪陪父亲。他要乘火车到合肥，然后换车回家。这天，他走出合肥火车站。突然看到一个小女孩，那个小女孩很像张小丽，那脸蛋，那迷离的大眼睛。他跟在了她身后。这个小女孩怎么一个人在火车站游荡？她是不是自己的女儿？他必须跟上她，问个究竟。小女孩走进了售票大厅，售票大厅很多人在排队买票。小女孩靠近了一个买票的人，那人屁股上的裤袋里放着鼓鼓囊囊的东西。小女孩贴上她，轻轻地揭开的裤袋的扣子，然后用食指和中指夹住了里面的东西，她很娴熟地夹出了一个钱包，快速地塞进了自己的裤兜里，然后溜走。小女孩走到一个没有人的角落，取出钱包里的钱，然后把钱包扔掉了。她正要走，张森出现在她面前，喊了声："小丽。"小女孩抬起头，愣愣地望着他。张森浑身颤抖，这不是小丽那是谁？她虽然长大了些，可是样子没有变，那双眼睛也没有变。小女孩突然喊了声："爸爸。"张森抱住了她，喃喃地说："你怎么会在这里？"张小丽说："他们让我卖报，让我去偷东西，后来我逃出来了。可是，我不知道到哪里去找爸爸妈妈，但是我知道爸爸的老家在安徽，我就来到了合肥，我想找到爸爸的老家，我记得爷爷奶奶的模样。"张森悲喜交加，说："孩子，你怎么能够偷东西呀？"张小丽说："我已经习惯了，一天不偷，心里就不舒服。"张森心里想，女儿已经被毁掉了。可是无论如何，他找到了女儿，这是不是上天可怜他？让他在历尽千辛万苦之后在家乡的省城和心爱的女儿相遇。他说："小丽，我带你回家，爸爸带你回家。"他心里很明白，自己的女儿在未来的日子也许会让自己更加痛苦，但是，他需要承受。如果说寻找女儿是一场旷日持久的战争，那么，未来教育女儿成为一个正常的人，同样也是一场旷日持久的战争。

……

这是一个阳光灿烂的早晨。

朱文远走出小区的大门，保安朝他打招呼，他也朝保安问好。朱文远要去乘地铁上班。在地铁站入口处的墙壁上，他看到了一张《寻人启事》。

《寻人启事》这样写道：

王帅（小名帅帅），男，6岁，家住上海市漕河泾枫林小区，于

2012 年 3 月 10 日上午 8 点在漕河泾地段医院丢失，穿蓝格夹克衫，牛仔裤，有见到者请与家长王春联系，有提供线索者家属必有酬。联系电话：137405XXXXX。

　　《寻人启事》后面还附了孩子清晰的生活照。

　　孩子长得十分秀气，眼睛里也透出种灵气，如此一个聪慧的孩子，最终的命运会怎么样，无人知晓。

　　朱文远心里突然蒙上了阴影，又有一家人在阳光下走进了黑暗之中。他拿出手机，控制住不让自己的手颤抖，拍下了这则寻人启事，他马上要将这则寻人启事发上微博，让更多的人看到，帮助寻找。朱文远抬头望了望天空，阳光炫目，他希望阳光能够荡涤人间的罪恶，让天下良善之人能够免于痛苦和折磨，让邪恶者伏法，进入地狱。这是他最淳朴的愿望，也是他现在做"让孩子回家"微博公益活动的出发点。

　　沉痛的故事远没有结束，路还很长，还有很多孩子需要解救。

　　朱文远长叹了一口气，走下了地铁通道，消失在拥挤的人群之中。

2012 年 7 月 22 日完稿于上海家中

如何防止子孩子走失？

1/ 不要让孩子离开家长视线范围；

2/ 不要将孩子单独留在家中或店铺里；不要把孩子交给陌生人或身份不明的人看管或带走。无暇照顾孩子时，把孩子交给可信赖的亲朋好友；

3/ 不要让孩子独自在门外玩耍；要让孩子在没有大人看护的情况下跟随其他孩子外出玩耍；

4/ 与邻居和睦相处，遇事彼此照应；

5/ 带孩子外出时，留意四周情况，注意是否有人、车跟随；给孩子佩戴有家庭相关信息的物品；

6/ 不要带小孩到偏僻人少的地方，带孩子在马路上行走时，尽量靠里走，注意防范后面来的摩托车、面包车；

7/ 如您的小孩不足 1 岁，外出时请尽量使用婴儿专用背带，将孩子挂在胸前；坐手推车的孩子要系好安全带；

8/ 将孩子放在自行车后座时，注意系好安全带，或让一名家长在后面看着；

9/ 教会孩子背诵家庭电话号码、所住城市和小区名、家庭成员的名字；

10/ 教孩子不要跟随不熟悉的人外出；教孩子不要接受陌生人馈赠的食物、礼物；

11/ 教会孩子遇事打110电话求助；教会孩子辨认警察、军人、保安等穿制服的人员；

12/ 教育孩子一旦在商场、超市、公园等公共场所与父母走失，马上找穿制服的工作人员；

13/ 注意孩子身上一些明显的体表特征，如黑痣、胎记、伤疤等；

14/ 如需聘请保姆，请到正规保姆介绍机构聘请保姆，保留好保姆的身份证复印件和清晰的生活近照，证实其家庭电话、地址、家人等信息，留意经常与保姆来往的人员，一旦发生保姆拐卖孩子，警方可以利用这些信息尽快找到犯罪人，解救孩子。这些方法同样适用于有机会单独接触孩子的雇工。在医院不要把新生儿交给不认识的医护人员，睡觉时确保大门随时锁好，防止人贩子入室抢孩子；时常提醒教育保姆和家人提高防范意识；

15/ 如果您为外来务工人员，您的孩子小于 3 岁，居住在城郊结合部等人员流动比较密集的地方，孩子没有固定人员看管，那么您更应对此予以重视。

* 节假日期间带孩子外出时，要注意以下几点：

1/ 一定要随时关注自己身边的孩子，不要让孩子脱离你的视线范围，以免孩子走失。拒绝陌生人抱孩子，公园、小区、商场、超市、医院、幼儿园门口经常出现的样子和蔼的中年妇女，千万不能轻信；

2/ 购物时，家长可以用带子将孩子的衣服牢牢系在手推车上，给人贩子增加难度，不会很容易就抢走孩子。在人多的地方，不要让孩子走离自己的视线范围，发现陌生人抱孩子，不要犹豫，马上呼救，冲上去抢过孩子并请周围的人抓住人贩子，然后打 110 报警；

3/ 和孩子走与机动车道逆向的人行道时，尽量让孩子靠里走，防止人贩子利用摩托车、面包车等方式飞车抢夺。尽量使用婴儿专用背带，将孩子挂在胸前，坐手推车的孩子要系好安全带；

4/ 事先教育孩子走失后，不要慌张，应及时向穿制服、戴红袖套、挂工作牌的相关人员求助；如果被强行带走，要马上大声哭喊："救命呀，人贩子要拐我！"引起周围群众的注意。一旦被拐，抓住每一个机会像好心人求救；

5/ 不妨给孩子特别是外来的小孩口袋里放置写有家庭住址或联系电话的小卡片；

6/ 如果是在公园、游乐园、商场等人员密集的场所走失，应该及时采取向工作人员要求"广播寻人"等有效措施；人贩子一般用虚假的身份在经济欠发达地区、城乡结合部作案，在马路边、集贸市场、车站等人流量特别多和人流量特别少的地方物色对象，以带小孩游玩、买零食、买玩具、找妈妈为诱饵对孩子进行拐骗。

* 孩子走失后家长应该怎么办?

1/ 马上报警，寻求警方的帮助，同时组织人到车站、码头、交通要道进行堵截。

2/ 立即张贴寻人启事，同时到电台、电视台、当地网站发寻人启事。

3/ 到当地救助站与福利院进行寻找，因为有些孩子走失后被人送到救助站，经过一定时间没有人寻找，孩子就可能被转送到福利院。

4/ 到自己家附近有监控录相的地方或是火车站、汽车站等调取监控录相寻找线索。

5/ 联络当地的其它失踪儿童家长沟通信息，因为拐走孩子的可能是一伙人贩子，如果找到一个孩子的线索，很可能就找到其它的孩子。

儿童防拐攻略

＊常见伎俩攻防

1/ 借跑逃离

地点：小区、公园、绿地、医院等地方。

伎俩：相貌和蔼的人贩子（妇女居多）上前搭讪，夸孩子长得聪明漂亮，伸手要抱孩子，抱起孩子就跑。有的则几人合作，有人负责引开家长注意，另一人则趁家长不备，抱着孩子消失在人群中，或者跳上路边同伙的汽车逃走。

破解：拒绝陌生人抱自己的孩子，在遇到问路等各种搭讪时，一定要牵好自己的孩子。

2/ 乘忙带离

地点：大商场、超市、长途汽车站和火车站、地铁站、电影院等地方。

伎俩：混在人群中的人贩子会以极快的速度，趁家长挑选商品、购买车票等时机，抱起孩子消失在人群中。

破解：牵着孩子的手，不要让孩子走离自己的视线，不要拥挤，婴儿尽量使用专用背带挂在胸前，坐手推车的孩子要系好安全带，必要时可以用备用带状物将孩子和自己系连。

3/ 强行拖离

地点：校门口和上学途中及偏僻处等地方。

伎俩：人贩子驾驶面包车等车辆，在孩子上下学的时候，强行将孩子拖上车，快速驶离。

破解：要制定孩子上下学的安全路线，不要行经偏僻处，尽量走在人行道远离机动车道的一侧，年龄小的孩子上下学，家长必须接送。

4/ 托管骗离

地点：公厕、售票窗口、医院等地方。

伎俩：面容和善的人贩子蹲点在公厕、售票窗口和医院等处，主动搭讪、热情帮忙，趁家长上厕所、购票拥挤等不方便带孩子托为看管之机，将孩子骗走；也有人贩子冒充医护人员将婴幼儿从家长手中抱走。

破解：千万不要把孩子交给陌生人看管，包括自称为老乡、护士等人，以及自称是某个家人或亲朋的朋友和同事。不要以为抢夺孩子的人都是恶狠狠的，有些人贩子笑脸相对，却是披着羊皮的狼。

5/ 保姆拐离

地点："最安全"的家里，警惕性最低，往往也可能是最危险的地方。

伎俩：不少人贩子放长线，以保姆或钟点工的身份潜伏进雇主家中，然后实行拐带。

破解：在正规保姆介绍所聘请保姆，保留好保姆的身份证复印件和清晰的生活近照，证实其家庭电话、地址、家人等信息，留意经常与保姆来往的人员。一旦发生保姆拐卖孩子的情况，警方可以根据这些信息尽快找到犯罪嫌疑人，解救孩子。（同样适用于有机会单独接触孩子的雇工。）

儿童防拐谣

在外大人要跟牢

公共场所不乱跑

放学要跟熟人走

安全同行把家到

他人东西绝不要

独自在家门守好

给家长

户外孩子带身边，莫因旁骛未看紧；

不让生人来托管，再短时间也不行；

保姆雇工身份清，邻里和睦相照应；

教会儿童安全谣，防拐攻略记心上。

国家打拐政策

*《刑法》关于拐卖妇女儿童犯罪的规定

第二百四十条 拐卖妇女、儿童的，处五年以上十年以下有期徒刑，并处罚金；有下列情形之一的，处十年以上有期徒刑或者无期徒刑，并处罚金或者没收财产；情节特别严重的，处死刑，并处没收财产：

（一）拐卖妇女、儿童集团的首要分子；（二）拐卖妇女、儿童三人以上的；（三）奸淫被拐卖的妇女的；（四）诱骗、强迫被拐卖的妇女卖淫或者将被拐卖的妇女卖给他人迫使其卖淫的；（五）以出卖为目的，使用暴力、胁迫或者麻醉方法绑架妇女、儿童的；（六）以出卖为目的，偷盗婴幼儿的；（七）造成被拐卖的妇女、儿童或者其亲属重伤、死亡或者其他严重后果的；（八）将妇女、儿童卖往境外的。

拐卖妇女、儿童是指以出卖为目的，有拐骗、绑架、收买、贩卖、接送、中转妇女、儿童的行为之一的。

第二百四十一条 收买被拐卖的妇女、儿童的，处三年以下有期徒刑、拘役或者管制。

收买被拐卖的妇女，强行与其发生性关系的，依照本法第二百三十六条的规定定罪处罚。

收买被拐卖的妇女、儿童，非法剥夺、限制其人身自由或者有伤害、侮辱等犯罪行为的，依照本法的有关规定定罪处罚。

收买被拐卖的妇女、儿童，并有第二款、第三款规定的犯罪行为的，依照数罪并罚的规定处罚。

收买被拐卖的妇女、儿童又出卖的，依照本法第二百四十条的规定定罪处罚。

收买被拐卖的妇女、儿童，按照被买妇女的意愿，不阻碍其返回原居住地的，对被买儿童没有虐待行为，不阻碍对其进行解救的，可以不追究刑事责任。

第二百四十二条 以暴力、威胁方法阻碍国家机关工作人员解救被收买的妇女、儿童的，依照本法第二百七十七条的规定定罪处罚。

聚众阻碍国家机关工作人员解救被收买的妇女、儿童的首要分子，处五年以下有期徒刑或者拘役；其他参与者使用暴力、威胁方法的，依照前款的规定处罚。

*中国反对拐卖妇女儿童计划

依据相关法律，2007 年 12 月 13 日，国务院制定发布了《中国反对拐卖妇女儿童行动计划（2008—2012 年）》，并发出通知要求各省、自治区、直辖市人民政府和国务院各部委、各直属机构认真贯彻执行。这是中国首个国家反拐行动计划。

指导思想 以邓小平理论和"三个代表"重要思想为指导，深入贯彻落实科学发展观，坚持"预防为主、打防结合、以人为本、综合治理"的工作方针，标本兼治，切实维护妇女儿童合法权益，促进社会主义和谐社会建设。

总体目标 健全反拐工作协调、保障机制，明确相关部门职责任务，加强合作，建立集预防、打击、救助和康复为一体的反拐工作长效机制，提高工作效率，最大限度地减少拐卖妇女儿童犯罪活动的发生，最大限度地减轻被拐卖妇女儿童遭受的身心伤害。

战略措施 加强部门协调配合，完善工作机制，整合资源，完善以政府部门为主导、全社会参与的反拐合作机制，保障《行动计划》顺利实施；采取政府投入、社会捐赠等多渠道筹资办法，为实施《行动计划》提供经费保障；强化对拐卖拐骗流动人口、强迫流动人口劳动，以及针对农村留守儿童和流动残疾人的各类犯罪活动的打击力度，做好善后安置工作；坚持点面结合、突出重点、全面治理的原则，在全国范围开展日常性反拐工作的同时，强化对重点地区的治理；在挖掘现有机构和人员潜力基础上，加强反拐工作队伍专业化建设；建立全国反拐信息系统，为加强反拐工作提供信息和技术支持；加大宣传力度，树立并提高尊重和保护妇女儿童权益意识，营造良好的反拐工作氛围；加强国际合作，有效打击跨国拐卖妇女儿童犯罪活动。

主要职能 组织制定、实施、监督、评估《行动计划》，组织和协调跨地区、跨部门、跨机构、跨国界的反拐工作；协调和推动政府有关部门的反拐工作；指导和督促各省、自治区、直辖市的反拐工作；协调和推动反拐国际合作；组织各地区、各有关部门总结和交流反拐工作经验及相关成果。

公安部打击拐卖妇女儿童犯罪办公室
（简称：公安部打拐办）

如有线索，请联系公安部打拐办主任陈士渠的微博：

@ 陈士渠　　新浪微博（http://weibo.com/chenshiqu）

腾讯微博（http://t.qq.com/chenshiquga）

为落实国家反拐行动计划，成立国务院反对拐卖妇女儿童行动工作部际联席会议，由公安部、中央宣传部、中央综治办等26个部门和单位组成。公安部为牵头单位。联席会议召集人由公安部负责同志担任，联席会议成员为有关部门和单位负责同志。联席会议办公室设在公安部刑事侦查局，承担联席会议日常工作。

2007年12月，公安部打拐办正式成立，在公安部刑事侦查局加挂"打击拐卖妇女儿童犯罪办公室"的牌子，属于正处级单位，陈士渠任办公室主任。公安部刑事侦查局承担国务院反拐行动工作部际联席会议办公室职能，负责牵头落实国家反拐行动计划，协调有关部门开展反拐工作，推动反拐国际合作，具体工作由打拐办承担。打拐办的职责是掌握拐卖犯罪动态，组织、指导和监督各地的打击拐卖妇女儿童犯罪工作，直接侦办跨国拐卖犯罪。

＊全国打拐专项行动"零容忍"

2009年4月开始，公安部组织开展了全国打拐专项行动，坚决贯彻"零容忍"政策，主动出击、高压严打，有效地打击了拐卖儿童犯罪，拐卖犯罪得到了有效的遏制。目前，这个专项行动仍在进行中。

＊两类父母、三类儿童应进行 DNA 采血

为了解决儿童被拐多年后身源识别确认难的问题，2009年4月公安部建立了

全国打拐DNA信息库，要求采集失踪被拐儿童家长和来历不明儿童血样检测入库，信息库能够自动比对。有了这个比对库，只要将所有丢失孩子的父母的血样以及失踪儿童的血样采集到，就可以在全国范围内迅速准确查找。

公安部要求包括两类父母、三类儿童在内的五类人员必须采集血样进行检验，并将数据录入全国数据库。两类父母即：已经确认被拐卖儿童的亲生父母；自己要求采血的失踪儿童亲生父母。三类儿童包括：被解救的被拐卖儿童，来历不明、疑似被拐卖的儿童和来历不明的流浪、乞讨儿童。公安部强调，在报案、查找、侦查调查和采血、检验、比对工作中，不得以任何理由收取费用。

从2009年4月到2011年9月，全国公安部门通过全国打拐DNA信息库比对，已经解救了1400余名来历不明儿童。目前，拐卖儿童犯罪已经得到有效遏制。

* 彻底堵住拐卖儿童源头 国家出重拳严惩买主

2010年发布了《关于依法惩治拐卖妇女儿童犯罪的意见》，意见要求，对收买被拐儿童的行为，在特定情形下要追究刑事责任。2012年5月30日，最高人民法院公布了一个典型案例，有一对夫妇，收买儿童之后既没有虐待也没有阻挠解救，依然被追究了刑事责任，这个案例清楚的表明，对买主要从严打击。

* 被拐儿童一经解救，不得由买主继续抚养

2011年7月份以来，公安部要求各地公安机关，凡是被解救的孩子，如果一时找不到亲生父母，则交由民政部门下属的福利机构代为抚养，不允许买主继续抚养。

* 打击拐卖犯罪 实行"一长三包"

2011年召开了全国深化"打拐"专项行动电视电话会议，会议上指出：今后凡是发生拐卖儿童案件，公安机关将实行"一长三包制"，即由县市区公安机关主要领导或主管领导担任专案组长，并对案件侦办、查找解救被拐卖人员、安抚被害人家庭等三项工作全程负责到底。案件不破，受害人没有找回，专案组不得撤销，"一长三包"的责任不能免除。

＊儿童失踪快速查找机制

2011 年 6 月 1 日起，全国公安机关实行儿童失踪快速查找机制。其基本要求是：县、市公安机关接到儿童失踪警情后，要立即启动查找工作，打破警种界限和常规做法，充分调动警务资源，快速查找失踪儿童。力争在最短时间内抓获犯罪嫌疑人，解救拐卖受害人。这一机制的实行，使大量失踪儿童得以被公安机关及时找回，大大减少了失踪被拐儿童数量。

＊来历不明儿童摸排比对机制

公安部建立了来历不明儿童摸排比对机制，要求各地加强实有人口管理，密切与人口计生、妇联组织等部门协作配合，及时摸排发现来历不明儿童并采血入库比对。13 类重点摸排对象为：1、未办理户籍登记的儿童；2、非亲属关系申报办理户口的儿童；3、与家庭成员户籍地址不在同一地市的儿童；4、落户时间与出生时间相差较长的儿童；5、街头流浪、乞讨、卖花、卖艺的儿童；6、被强迫违法犯罪的未成年人；7、民政部门福利、救助机构内的儿童；8、办理收养登记的儿童；9、无出生记录或涉嫌伪造、变造出生记录的儿童；10、卫生部门有防疫登记但无户籍登记的儿童；11、计生部门掌握的非亲生儿童；12、教育部门有入学登记但无户籍登记的儿童；13、群众检举的来历不明儿童。

＊打拐是一场"人民战争"

2011 年公安部打拐办主任陈士渠在接受新华社采访时表示，打拐反拐工作离不开社会各界和广大人民群众的大力支持。公安机关将继续通过刊播新闻、公益广告、警情提示等多种形式，不断提高群众反拐意识。同时，坚持紧紧依靠人民群众开展打拐"人民战争"。把专业打拐警力与民间反拐力量有机结合起来，充分运用微博、QQ 等互联网平台，广泛发动群众举报犯罪线索。

来自《南方人物周刊》2011年第44期的一篇报道
记者 张蕾
2011-12-16

陈士渠 待天下无拐

2007年底，公安部打拐办成立，当时还是二级警督的陈士渠被任命为打拐办主任。4年来，这个单位成为全国被拐妇女儿童家属的希望寄托

微博头像照片上，陈士渠胸前戴着一朵大红花，怀抱"全国实施发展妇女儿童纲要先进集体"的金色匾额。这是11月27日的第五次全国妇女儿童工作会议上，温家宝总理亲手颁发的。

38岁，玉面，戴眼镜，一级警督，公安部打击拐卖犯罪办公室主任。

这副模样今年亮相媒体的次数多得数不过来。自从2009年4月全国开展第五次打拐专项行动以来，全国共破获拐卖妇女案件16137起，拐卖儿童案件11777起，共打掉7025个犯罪团伙，刑事拘留49007人，解救被拐儿童18518人、妇女34813人。

对陈士渠来说，11月生日那天在微博上收到的两千多人次的转发和评论祝福让他感动。

那个周末他加班，回家已经午夜，没时间过生日，但依然很高兴，因为案件有重大突破。粉丝们钦佩陈士渠的敬业和执著，纷纷在深夜为他送上生日祝福。

入行

到打拐办这个新机构赴任之前，陈士渠在公安部办公厅工作。之前是在刑侦局犯罪对策处工作。他的硕士专业是刑事诉讼法，博士专业是证据学。

2000年，被抽调参加第四次全国打拐专项行动后，陈士渠写了一篇论文——《打击拐卖妇女儿童犯罪的形势与对策》。文中他提出当时打拐工作存在的两大困难：一是"基层公安机关打拐经费困难"，二是"安置、遣返工作难度大"。

他在这篇文章中总结道："公安部在全国开展的'打拐'专项斗争……取得

了辉煌的战果……但专项斗争只是权宜之计，如何建立健全科技含量高、信息传递快、责任落实、协作有效，能够及时发现和打击人贩子，迅速解救被拐卖妇女儿童的'打拐'新机制，已成为全国公安机关的一项重要任务。"

那时他大概没有想到，自己会成为"新机制"的责任人。

上任后，他的第一项工作是半年时间的调研。结论是妇女儿童被拐对一个家庭的打击是毁灭性的，是社会不稳定因素，公安部门必须创新机制，不断加大打击防范力度，保障老百姓安居乐业。

在对打击和防范中存在的问题逐条梳理后，陈士渠主持起草了《中国反对拐卖妇女儿童行动计划（2008-2012）》草案。这个计划从政策层面上解决了反拐的治本问题，即综合治理。

计划于2007年底对外发布，2008年元旦生效。这份国家级反拐工作指导文件，确定了此后5年中国反拐核心内容，涵盖预防、打击、受害人救助、遣返及康复、国际合作等反拐工作的各个领域，并首次提出"建立集预防、打击、救助和康复为一体的反拐工作长效机制"。

建章立制

在国家计划推进的4年过程中，打拐反拐长效机制在逐步完善。

突出的表现是，当年需要民警掏腰包给被害人买车票回家的尴尬不再出现。后续安置的工作也交由民政、妇联等部门处理，警方可专心于抓捕犯罪嫌疑人和解救被拐对象。

今年10月，经过近半年侦查，中国警方远赴非洲安哥拉，在当地警方协助下，摧毁一特大拐骗中国妇女强迫卖淫犯罪团伙，解救中国受害妇女19人，将11名犯罪嫌疑人从安哥拉押解回国。这是近年来中国警方侦破规模最大的一起跨国拐骗强迫妇女卖淫案。这些被害人解救回国后的临时安置、救助等工作是由民政部门承担的。

在外部机制理顺的同时，公安机关的打拐工作也进行了机制创新。比如"儿童、少女失踪即立案"保证了案件侦办及时。每当有人在微博上对陈士渠爆料说发现孩子失踪，陈士渠都会不厌其烦地告知："请马上拨打110报警。"接到报警后，警方将启动"儿童失踪快速查找机制"。

在儿童或少女失踪的第一时间，往往无法确定其是否遭到拐卖。经过事后核查发现有的失踪其实与拐卖无关。陈士渠说，这种情况下，"撤销案件就可以了。"

为了更大限度地调动警方内部资源侦破拐卖案件，公安部提出侦办拐卖儿童案件"一长三包责任制"，即由县市区公安机关主要领导或者主管领导担任专案组组长，"由专案组长承担破案、解救孩子、安抚被害人家属三项工作，案件不破，责任不能撤销"。

迄今公安部已分3批发布30个A级通缉令，追捕重大拐卖在逃犯罪嫌疑人。"A级通缉令"一直被视为公安系统追逃的"最高手段"，将此规格运用到打拐工作上，"表明了公安机关严打拐卖犯罪和追捕拐卖犯罪嫌疑人的决心"。

事实证明，有犯罪嫌疑人在通缉令发布当天晚上就被举报并抓获，30个A级嫌犯已全部归案，有力地震慑了犯罪分子。

长效机制也正在形成，比如建立了"全国打拐DNA信息库"，解决了儿童失踪被拐多年后身源识别确认难的问题。对于群众举报和警方摸排中发现的来历不明儿童，可以借助这一信息库查找亲生父母。

"从2009年到现在已经比中了1500多名孩子。"陈士渠说。

这一系列新措施成效显著，提高了打拐反拐工作水平，有力地遏制了拐卖犯罪的蔓延势头。

全身心，得民心

从事打拐工作的几年中，陈士渠亲眼目睹了无数的悲欢离合。

他清晰地记得在福建山村里解救一个被拐孩子的一幕。

"当时只有四五岁，是两岁被买来的。我们到他家里去的时候，他养母抱着他，民警要带他走，孩子哭得一塌糊涂。"

民警跟孩子的养父交代，孩子是被拐来的，必须解救送还。养父拿出一张字条，上书"家庭困难"，"自愿将孩子交由这家抚养"，"永不反悔"，落款还按有手印。

"人贩子出卖孩子时编造了虚假信息。孩子很无辜，被拐时哭了好几天，好不容易适应了，以为养父母是父母。这回又被解救回去，又得哭几天，对他来说心理上受尽伤害。"

拐卖一旦发生，这样的伤害便难以避免。今年，为了惩戒买方市场，公安部要求，凡是被解救的孩子，如果一时找不到亲生父母，则交由民政部门下属的福利机构代为抚养，不允许买主继续抚养。

还有一次座谈会的经历也让陈士渠印象深刻。当时他询问一位高中毕业后被人贩子高薪诱惑而被拐卖到山村里的女青年："你不知道有拐卖这回事吗？"女青年回答："在被拐之前，我根本不知道世界上有人贩子。"

这一令人惊悚的案例，让陈士渠觉得，预防应该走在破案前面。

除了大力宣传，他也花力气维护自己的微博，觉得这个渠道既可以搜集线索，与公众及时沟通、通报情况，又可以提醒大家注意防范。

开通微博一年，陈士渠搜集的有效线索超过 1600 条，每天他的微博动态尽是对转发给他的案件情况进行回复，尽管回复往往简洁："已告当地公安机关核查"，"已告当地公安机关立案侦查"，"已督办此案"。

网上寻亲的人在这些简短的话语中看到了希望。

此外，他与民间组织"宝贝回家"网站开展合作，也时常现身寻子 QQ 群与大家交流，很多寻找失踪儿童的家长有他的手机号，有些人长期与他保持联系而成为朋友。

目前陈士渠微博粉丝已经突破 113 万。

有寻子家长在微博上问陈，"（打拐办主任一职）一般可以连任吗？大家知道了会很舍不得您的，对您熟悉了习惯了有感情了。"陈答："打拐办主任不涉及任期。请你放心，在任一天，必定恪尽职守。"

"从我的微博上看得很清楚，哪个地方有新发案件了，马上就有人转给我看，我就马上安排查，成效很明显。"不过，陈士渠倒是挺期待自己这个打拐办主任有朝一日没活干。那时，就真"天下无拐"了。

失踪儿童寻找手册

如果您有线索，请联系我们：
010-89516861（随手公益）0435-3338090（宝贝回家）

沈俊哲

性别：男
出生日期：2006.6.7
失踪日期：2008.10.7
失踪地址：江苏省无锡市新区春丰村

鼻梁跟眉心间有横向血管，呈青色；腿上有夏天生疮留下来的疤痕；两边额头比中间高而且凸处不长头发！大腿内侧有灰色胎记！走失时穿蓝马甲、牛仔裤和蓝色拖鞋。

伍文轩

性别：男
出生日期：2009.11
失踪日期：2012.2.28
失踪地址：长沙市黎托乡谭阳村17组

身高约95厘米，身体结实，头大，眼睛大，右嘴下有一颗明显黑痣。失踪时还不太会说话。最喜欢笑。

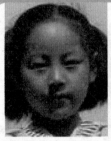

李婧溦

性别：女
出生日期：2001.4.25
失踪日期：2008.7.31
失踪地址：山西省太原市马道坡街63号长欣源小区

左胳膊有铜钱大黑痣。当时已经上完小学一年级，放假在家，知道爸爸、妈妈电话及工作单位，知道接送她上学的爷爷的车号。

杨伟鑫

性别：男
出生日期：2004.11.20
失踪日期：2009.7.20
失踪地址：福建省泉州市鲤城区成礼西路55号

头顶旋有伤疤不长头发，左额头角有疤痕，下唇有两个牙齿印，身体有烫伤。

感谢于建嵘先生、张宝艳女士及所有志愿者对本书的支持与帮助，愿宝贝早日回家。

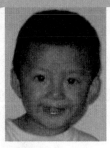

曹可

性别：男
出生日期：1998.12.11
失踪日期：2001.11.26
失踪地址：鄂州市鄂城
区凤凰街办百子畈

右锁骨上面2厘米处有一块拇指大的褐色胎记，右小腿有一缝了四针的疤痕瘤状伤痕。

杜后棋

性别：男
出生日期：2005.4.6
失踪日期：2011.3.6
失踪地址：内蒙古包头
市青山区一机厂后顶独
龙贵村

体型偏瘦，脸型稍长，双眼皮，眼偏小，淡眉毛，鼻梁上有旧伤疤，右眼角有新伤疤。

郑楚泽

性别：男
出生日期：1998
失踪日期：2005.1.21
失踪地址：广东省汕头
市潮南区井都镇神山市
场

一字眉，眉毛角向上翘，鼻尖稍扁。失踪时身高1.2米左右，身穿咖啡色衫，咖啡色裤，脚穿球鞋。

胡锦杨

性别：男
出生日期：1998
失踪日期：2002.3.5
失踪地址：江苏省无锡
市

皮肤白，大耳朵，圆眼睛，右耳垂后有一黑色小痣。当时手上戴有圆手镯，其中一只上有一只小桃核雕刻的桃篮。

陈勇

性别：男
出生日期：1992.1.1
失踪日期：1993.11.3
失踪地址：贵州正安县
小雅镇

（由于条件有限，没有照片只有其弟弟的照片。）

黄志起

性别：男
出生日期：1991.2
失踪日期：2005.12
失踪地址：广州市黄埔
区茅岗新村（刚从茂名
来广州几天）

头顶有两个相距较近的旋；大眼睛，双眼皮；左脸颊有颗黑色小痣；右手曾摔断过，因家乡的医生接得不好，复原之后右手臂有点向外弯曲；茂名口音。

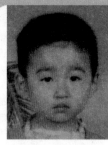

石晓玉

性别：男
出生日期：不详
失踪日期：2007.4.9
失踪地址：山西省大同市矿区永定庄矿大南湾

上身穿粉色毛衣，下身穿黑色棉裤，脚穿粉色旅游鞋。

周宵岳

性别：男
出生日期：1997.11.13
失踪日期：2003.5.1
失踪地址：广东省珠海市唐家警备区船运大队家属大院

讲普通话，会听湖南方言，前额中心有一伤疤。失踪时身高 1.13 米。

周诗恩

性别：男
出生日期：2008.10
失踪日期：2010.6.10
失踪地址：江西省抚州市临川区唱凯镇横周村61 号门口

头中间留有一簇短头发，左肩膀靠近左下腋部分有一个胎记，头上两个旋，肚皮上烫过一个小疤。失踪时身穿红色上衣、粉红色条纹裤子。

秦志豪

性别：男
出生日期：1995.9.15
失踪日期：2003.1.28
失踪地址：重庆市石柱县南滨镇农机大厦

瓜子脸，鼻子中间有一颗小黑痣，眼睛不大，单眼皮，眼皮上面有一道很小的伤痕。身上没有胎记和伤疤。失踪时穿咖啡色棉袄、牛仔裤和浅口靴子。

莫鸿涛

性别：男
出生日期：2005
失踪日期：2008.2.17
失踪地址：广西省藤县西厚街

皮肤白皙，嘴唇比一般孩子的红润，头发有点偏黄，额头宽鼻梁稍扁。

王烁鑫

性别：男
出生日期：2004.10.14
失踪日期：2009.1.15
失踪地址：双峰县甘棠镇电信门口

门牙掉了一颗；一字眉，国字脸。失踪时身高 1.1 米。穿灰蓝色里面是白毛的连帽牛仔衣，内穿一件手织桃子花毛线毛衣，以及黑色裤子和黑色皮鞋。

何宇豪

性别：男
出生日期：2008.4.20
失踪日期：2010.1.20
失踪地址：广东省惠州市陈江镇金湖路

失踪时穿红色外套、蓝色背带裤和黄灰色运动鞋。

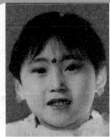

王敏

性别：女
出生日期：1990.10.7
失踪日期：1997.3.15
失踪地址：山西省大同市矿务局同家梁矿大商店

失踪时身高1.2米。穿红底黑条夹克、下穿蓝色裤子和红雨鞋（上有两条白道儿）。头梳短发，额头正中留有小时候出水痘的疤痕。

肖晓松

性别：男
出生日期：2002.10.18
失踪日期：2007.2.14
失踪地址：广东省惠州市大亚弯区响水河工业区

小孩很乖巧，说普通话。

刘慧明

性别：女
出生日期：1981.12.21
失踪日期：1990.4.10
失踪地址：内蒙古包头市昆区第二小学

椭圆脸，大眼睛，双眼皮，其中一只手小时有疤痕。

邓惠萍

性别：女
出生日期：1993.11.9
失踪日期：2007.3.30
失踪地址：贵州省修文县扎佐镇

皮肤黝黑，小眼睛，塌鼻梁。失踪时身高1.5米左右。

杜思思

性别：女
出生日期：1992.5.8
失踪日期：2007.1.19
失踪地址：宁夏省银川市第十三中学

失踪时扎马尾辫，梳偏刘海，长圆形脸，眉眼很黑，眼梢有点上翘，桃形嘴，喜欢笑，说普通话，会说宁夏方言。

刘远朝

性别：男
出生日期：2005.12.27
失踪日期：2011.4.9
失踪地址：山东省滨州市郭集大鹏街东

失踪时 6 岁，身穿浅蓝色保暖衣和牛仔裤，脸颊有冻伤痕迹。

李光慈

性别：女
出生日期：2008.2.22
失踪日期：2011.4.29
失踪地址：河北省邯郸市广平县平固店镇东王封村 457 号家门口

单眼皮，长四方脸，胆小怕见人，能说出自己及家人的名字和村庄名称。失踪时身高 1.1 米，身穿粉红色小秋衣、条纹褐色小毛裤和红色条绒小布鞋。

陈栩莹

性别：男
出生日期：2004.7
失踪日期：2006.12.30
失踪地址：广西省桂平市江口镇家门口附近

大眼睛，双眼皮，短发，圆脸型。记忆力较强，比较胆小，不敢与陌生人接触，说话时喜欢噘起嘴。失踪时身高 0.78 米，身穿黄色上衣、红色裤子和白色波鞋。

苟晓铭

性别：男
出生日期：2000.4.25
失踪日期：2008.9.15
失踪地址：四川省泸州市江阳区蓝田镇离家 15 米距离的公共厕所

门牙缺失两颗，背上腰部偏右的位置有一个 5x5mm 的黑痣。失踪时身穿白色短袖衬衫、白色长裤和黄色凉鞋。

林成冕

性别：男
出生日期：2001.11.21
失踪日期：2008.12.5
失踪地址：晋江市磁灶镇

会说普通话、莆仙话。头顶有两个旋窝，眼睛下面靠鼻子处有一小黑点。失踪时身穿黑兰色棉袄、红白横条毛衣、蓝黑色运动裤和咖啡色童鞋。

张源

性别：男
出生日期：1984.8.26
失踪日期：1990.4.18
失踪地址：湖南省常德津市

当时掉了一颗门牙，耳廓上部有一个天生针眼大的小洞，屁股上有烫伤疤痕，小臂上有天生的白色疤。知道父母及外婆姓名，知道家在一条名叫北大路的街边。

吴冉

性别：女
出生日期：2004
失踪日期：2010.4.4
失踪地址：山东省菏泽
市牡丹区小留镇吴油坊

圆脸，短发，右面颊有小黑痣，肉眼皮，眼外角下垂。

宋冰洁

性别：女
出生日期：1999.1.9
失踪日期：2010.6.16
失踪地址：湖北省洪湖
市曹市镇二桥（曹市车
站）

体型偏瘦、较黑，门牙齿较稀，脸上多痣。失踪时身高1.42米，扎马尾辫，穿一套白色戴帽短套装、前胸印有一排红色英文字母、白色齐膝短裤和红色凉鞋。

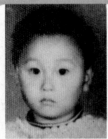

王华龙

性别：男
出生日期：1985.11
失踪日期：1989.1
失踪地址：四川省阆中
市双栅子街

双手是断掌，两耳垂下各有一小坑。知道家住阆中北街和父母姓名；去过重庆三峡。

袁思涵

性别：女
出生日期：2011.9.17
失踪日期：2012.1.5
失踪地址：河南省安阳
市滑县枣村乡西徐营村
家中

失踪时孩子三个月二十天大。身高70公分，体重20斤左右；较胖，圆脸，浓眉毛，两耳唇有点上翘。

马铭锐

性别：女
出生日期：2003.2.20
失踪日期：2007.7.12
失踪地址：陕西省西安
市

体型较瘦，皮肤较黑，头发稀少，圆脸大眼睛小嘴巴，性格内向，不爱说话，但好动，能说清爸妈的名字。

程颖

性别：女
出生日期：1999
失踪日期：2005.10.18
失踪地址：陕西省西安
市红庙坡小学

皮肤白，长辫子，身高1.2米。中午放学后失踪。

彭伟

性别：男
出生日期：1988.4
失踪日期：1993.11
失踪地址：福建省晋江市陈埭镇江头村

左臂内侧有伤疤。

程凯云

性别：女
出生日期：1995
失踪日期：2011.1.31
失踪地址：广东省东莞市

身材中等，肤色偏黄，两颊有点雀斑，福建口音。失踪时身高1.53米，头发黑色，长度大约在胸部下方。

代小弟

性别：男
出生日期：1993.3.26
失踪日期：1998.8.13
失踪地址：湖北省恩施市板桥镇穿洞乡大树村

左脸酒窝里有颗痣，右眼眼角有一条很小的瘤，胸部有三个乳头。

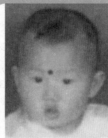

陈恩浩

性别：男
出生日期：2005.8.1
失踪日期：2006.3
失踪地址：河南省宝丰大营嘴陈村路口

失踪时7个月大。

郭磊磊

性别：男
出生日期：1992.5.16
失踪日期：1993.12.1
失踪地址：河南省洛阳市宜阳县

失踪时1岁半，左耳上长个耳仓，头顶有两个旋（上下相对）。

齐晓柯

性别：男
出生日期：2006.5.26
失踪日期：2009.1.9
失踪地址：河南省灵宝市桃林街

方脸，眉毛黑，粗，眼睛有神，头上有瓜子大小的疤痕，不长头发。左手食指处有水果刀割伤后的痕迹。

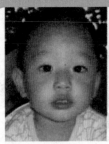

郑康德

性别：男
出生日期：2007.4.6
失踪日期：2011.4.22
失踪地址：河南省郑州市侯寨镇香林寺村

右额头有黄豆大小的黑色胎记，眼睫毛较长，眼睛看着较黑，额头宽，头顶尖，后脑勺有个鼓包。

段凯飞

性别：男
出生日期：2009
失踪日期：2011.10.7
失踪地址：河南省郑州市紫荆山路与陇海路北一街交叉口

失踪时穿粉黑色相间条纹连帽秋衣、黑色牛仔裤和白色运动鞋。

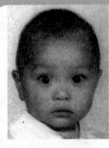

段一

性别：男
出生日期：2000.10.6
失踪日期：2003.1.3
失踪地址：河南省登封市大金店镇段村家门口

失踪时身高0.9米左右，圆脸较瘦，河南口音，穿蓝色上衣。

龙明明

性别：男
出生日期：1991.2
失踪日期：1994.8.1
失踪地址：贵州省晴隆县沙子镇街上

失踪时左嘴角有一个小指头大小的类似黑痣的胎记。

赵涵锐

性别：男
出生日期：1997.9.2
失踪日期：2006.9.8
失踪地址：陕西省西安市临潼区斜口镇柳树村小学路上

左耳垂有硬的小疙瘩，某只脚还有点烫伤，陕西口音。

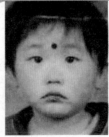

李佳怡

性别：男
出生日期：2005.2.25
失踪日期：2009.3.16
失踪地址：河南禹州顺店镇南袁庄村小学门口

圆脸，单眼皮，头后部右边比左边扁，额头上面有个小疤，皱眉头时最显。失踪时身高0.9米。

李静怡

性别：女
出生日期：2006.5.27
失踪日期：2009.12.4
失踪地址：河南邓州市
元庄乡罗坑村

失踪时下巴上有一块不明显的小疤，左脚后跟曾经被车子拧了一下，留下了很明显的大疤。

李临洪

性别：男
出生日期：2004.2
失踪日期：2009.9.5
失踪地址：河南洛阳新安县北冶镇

半圆脸，微黑，右手掌有一黑痣，脚趾微拱，右滚坡旋。

李智霖

性别：男
出生日期：2010.4.6
失踪日期：2010.9.5
失踪地址：河南省洛阳市邙山乡井沟村

两眉的中间有竖条状眼睛形状白色的胎记，需要仔细看。

丁晓培

性别：女
出生日期：2001.1.1
失踪日期：2007.6.15
失踪地址：河南省偃师市城关镇许庄村

圆脸大眼睛，眼角不明显处有黑色胎记，额头有一个小坑比较靠上，手脖儿有一对肉猴。

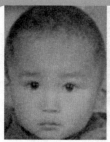

蒋武航

性别：男
出生日期：1988.9.10
失踪日期：1991.12.29
失踪地址：贵州六盘水百联电器一楼

平头，左脸耳角有块白色的胎记。失踪时身高 0.95 米。

李桂永

性别：男
出生日期：2001.5.1
失踪日期：2010.8.16
失踪地址：福建省福州长乐市两港工业区华源纺织有限公司生活区

左前耳棱有一天生的针刺状的小坑。

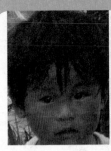

姚姿岐

性别：女
出生日期：2007
失踪日期：2010.9.21
失踪地址：河南省洛阳市栾川县栾川乡七里坪村委门口

右臀部有淡青色胎记，头顶有2个头发漩涡。

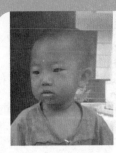

张开翔

性别：男
出生日期：2006.5.7
失踪日期：2007.12.6
失踪地址：河南省辉县市张村乡张村

右手脖有一伤疤，左眉上角有一竖伤疤。失踪时穿红色棉衣和棕色皮裤。

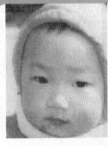

张青云

性别：男
出生日期：2007.7.16
失踪日期：2010.3.19
失踪地址：河南省南阳市卧龙区蒲山镇槐树湾关庄组

圆盘脸，单眼皮，平头，脸左下颚底部，有一核桃大的黑色胎记。

张宗正

性别：男
出生日期：2005.1.1
失踪日期：2009.3.4
失踪地址：河南省焦作市马村区演马矿

光头，脑门前有一小撮头发，小眼睛，肤色偏黑，右小腿部有明显胎记。

庄金柱

性别：男
出生日期：2004.4.27
失踪日期：2009.2.22
失踪地址：河南省南阳市卧龙区陆营镇

右脚脖有明显疤痕。知道父母姓名和自己村庄名字。

李显缘

性别：女
出生日期：2008
失踪日期：2011.5.4
失踪地址：贵州省贵阳市马王庙运输公司

失踪时身穿红色连帽小皮衣、红色裤子和白色小波鞋。

冯垚

性别：男
出生日期：2005.10.14
失踪日期：2008.9.23
失踪地址：河南省延津县位邱乡

右太阳穴上方有黄豆大小的地方不长头发；背部有一处葵花子大小的白斑，单眼皮，耳垂较大。

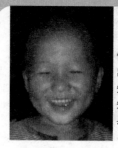

冯一坤

性别：男
出生日期：2005.1.1
失踪日期：2009.9.1
失踪地址：河南省长垣县芦岗乡冯楼村

皮肤白，圆四方脸，单眼皮，头发稍黄，耳朵小，左脸庞有一个挂疤，右脚裸有一个扭伤的伤疤。

刘凤临

性别：女
出生日期：1995
失踪日期：2009.9.4
失踪地址：河南省林州市开元区水车园村

失踪时身高 1.63 米。

何钟锦

性别：男
出生日期：2002
失踪日期：2009.1.15
失踪地址：江西省乐平市双田镇上河村

2009 年 1 月 15 日下午 2 点左右与另一个孩子何定涛同时同地失踪。

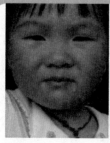

陈思瑶

性别：女
出生日期：不详
失踪日期：2012.1.16
失踪地址：湖南省湘潭县

失踪时 2 岁。上身穿粉红色围衣，下穿蓝色灯芯绒裤（有奥特曼标志），脚穿黑色皮鞋。

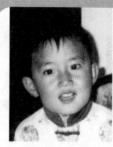

张腾飞

性别：男
出生日期：1999.8.28
失踪日期：2006.9.24
失踪地址：河北省衡水市武强县小范水利局

大眼睛，单眼皮，小嘴，薄嘴唇，双眉中间靠下有一颗小黑痣，有两颗很尖的小虎牙。失踪时身高 1.02 米左右。

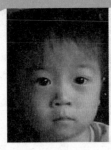

毛旦

性别：男
出生日期：2004
失踪日期：2008.10.30
失踪地址：河北省霸州
市东段乡小桃园村

失踪时穿红色小袄。左大拇指上有疤痕，脑后有个小辫。

王栋

性别：男
出生日期：1994.2.5
失踪日期：2006.12.25
失踪地址：河北省邢台
市苍南路

鼻子右边脸部有烟头大小伤疤，右胳膊肘后缝过几针。失踪时骑一辆26型自行车。

郑小伟

性别：男
出生日期：1991
失踪日期：2006.8.15
失踪地址：北京天坛南
门附近（永定门）

眼睛偏小，体型偏瘦，有点近视，精神正常，没有身份证。头顶有黄豆大小的地方没有头发。失踪时身高1.71米左右。

毛淘淘

性别：男
出生日期：1993
失踪日期：1998.8.5
失踪地址：贵州省龙里
县

耳朵大，脸部有酒窝。

张亚旭

性别：女
出生日期：2004.1.27
失踪日期：2008.7.28
失踪地址：河北省东光
县灯明寺镇前齐村

瓜子脸，大额头，小眼睛，双眼皮，塌鼻梁，右眼下有一道不太明显的疤痕，后背有（血管瘤）冷冻疤痕。

宋彦智

性别：男
出生日期：1988.9.10
失踪日期：1991.12.29
失踪地址：贵州省都匀
市匀城电影院门口

浓眉大眼，双眼皮，长眼睫毛，左手背外侧接近腕骨一厘米左右有一颗小黑痣。

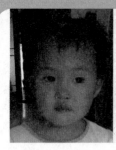

张紫轩

性别：女
出生日期：2006.4.2
失踪日期：2008.7.28
失踪地址：湖北武汉硚
口区民意 4 路武汉装饰
城中区 39 号

头发稀，发际线有点高，额头上有个漩涡，
单眼皮。

黄舟

性别：男
出生日期：2004
失踪日期：2010.7.15
失踪地址：江西樟树市
临江镇姚巷村委黄家村

皮肤较黑，眼睛较大，双手掌纹是断掌，
屁股上有一针眼大的小孔（靠近肛门）。
失踪时身高 1.1 米左右。

邵子翔

性别：男
出生日期：2005.10.30
失踪日期：2008.1.11
失踪地址：江西贵溪市
周坊镇

个子偏矮，圆脸，皮肤稍黑，右脚小腿外
侧中部有一个黄豆大小的青胎记。失踪时
身高 0.6 米左右。

熊嫚婷

性别：女
出生日期：2000
失踪日期：2011.6.13
失踪地址：江西省南昌
市桃花一村小学门口

失踪时穿白色短袖，胸前有蝴蝶图案，下
身穿黑色马裤、蓝色凉鞋，背着粉红色书包。

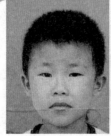

徐健涵

性别：男
出生日期：2001.2.25
失踪日期：2009.6.20
失踪地址：江西省丰城
拖船镇蛟湖街

比较偏瘦。失踪时身穿上黄下蓝右胸有三
颗星的校服。

邓起昌

性别：男
出生日期：2005
失踪日期：2009.1.2
失踪地址：广西防城港
市防城港东兴市

皮肤白皙，头发比较少，偏黄。有一个偏
左发旋。左眼眉毛处有一创伤缝针疤痕（不
是很明显）。失踪时身高 0.9 米左右。

麦意晴

性别：女
出生日期：2009
失踪日期：2010.7.24
失踪地址：广西省苍梧县

会叫爸妈，会用家乡话叫爷爷阿公，叫奶奶阿婆，见到大一点的男孩叫阿哥，见到女的叫阿姐。

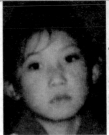

曹雪

性别：女
出生日期：1984
失踪日期：1994.5.15
失踪地址：黑龙江省北安市庆华二村

失踪时穿金黄色毛衣、墨绿色涤纶背带裤，裤兜镶白边，脚穿红色皮鞋，皮鞋带白边。

宁嘉岖

性别：男
出生日期：2006.11.5
失踪日期：2008.8.6
失踪地址：广西玉林市成均镇平威下村5队

双眼皮，右边眼睛比左边的眼睛大一点，额头有一边比另外一边凸一点。失踪时会走路，但不会讲话。

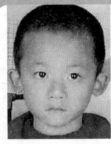

常懂懂

性别：男
出生日期：2002
失踪日期：2008.12.7
失踪地址：陕西榆林市佳县佳芦镇小会坪村

体形瘦小，大眼睛，元宝耳朵，脖子有烧伤疤痕，长3-4厘米，屁股有胎记。

洪晨希

性别：女
出生日期：1994.9
失踪日期：2010.2.28
失踪地址：浙江省台州市

中等身材，脸上有青春痘，鼻子比较大，鼻尖偏右下方有一颗绿豆大小的黄褐色痣，嘴唇较厚。

常佳慧

性别：女
出生日期：1996
失踪日期：2008.12.7
失踪地址：陕西榆林市佳县佳芦镇小会坪村

体形较瘦，扎根辫子。失踪时穿蓝色羽绒服、蓝色运动裤和白色运动鞋。

黄嘉铭

性别：男
出生日期：1997.1.17
失踪日期：2007.4.15
失踪地址：浙江宁波市
中山广场儿童乐园

右边眉尾有一颗痣，初次接触时孩子不会
搭理别人的问话，易被认为是聋哑儿童，
实际听力正常。失踪时身高 1.3 米。

侯婉萍

性别：女
出生日期：2006.9.29
失踪日期：2009.11.17
失踪地址：上海市嘉定
区金汤路 655 弄 83 号
302 室

圆脸微胖，说普通话，知道爸爸妈妈和哥
哥的名字。

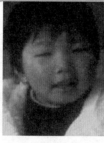

陈光莹

性别：女
出生日期：2003
失踪日期：2008.4.22
失踪地址：广东省

上唇缘右侧鼻沟下方有一暗痣，形似绿豆
大小，一侧脚后跟部上方有一桂圆大小的
伤疤，是被自行车轮子绞伤留下的疤痕。
失踪时身穿白色毛皮马甲。

林进峰

性别：男
出生日期：1994
失踪日期：2010.8.29
失踪地址：广东省

失踪时身穿一套黑色衣服，穿一双红色回
力鞋，神经有点失常。

孙卓

性别：男
出生日期：2003.12.7
失踪日期：2007.10.9
失踪地址：深圳市南山
区白石洲沙河中心幼儿
园隔壁沙河街自家门前

头发浓密，鼻梁不高，说普通话。

黎俊宏

性别：男
出生日期：2004.3.20
失踪日期：2008.10.9
失踪地址：广东省惠州
市博罗县石湾镇石湾北
路 131 号地铺

头大，眼大，锁骨间有一小痣，头发黄而稀，
竖着长，膝盖处有一疤痕。

邱宝欣

性别：女
出生日期：1998.1.5
失踪日期：2009.10.15
失踪地址：广东省惠州
市博罗县湖镇镇

长发，头发柔顺。

符建涛

性别：男
出生日期：2003.8.12
失踪日期：2007.12.28
失踪地址：广东省深圳
市南山区蛇口兰园小区
内

头发浓密，体型偏瘦，性格外向，不怕陌
生人，很调皮。眼角有一颗小痣。

钟昌沛

性别：男
出生日期：2009.3.26
失踪日期：2011.5.28
失踪地址：广东省广州
市白云区东平村

右边胯部与腰部处有一块大概 2 公分左右
大的咖啡色胎记，右边肩膀上有一条 0.5cm
的蓝色青筋。

蔡佳玲

性别：女
出生日期：2004.6.24
失踪日期：2008.6.27
失踪地址：广东省深圳
市龙岗龙东东联商场

头发稍黄，皮肤稍白，会说普通话和潮州话。
失踪时身高 0.8 米。

罗超凡

性别：男
出生日期：1998.9
失踪日期：2003.3.19
失踪地址：湖南省郴州
市某幼儿园内

大圆眼睛，脸色白净，长睫毛，高鼻梁，
左边屁股上有一小痣。爱笑，不爱说话，
体形偏瘦。当时身高 1.06 米，穿灰色大格
子棉衣、黑色棉裤和蓝色牛仔布鞋。

程明

性别：男
出生日期：2005
失踪日期：200611.24
失踪地址：广东省深圳
市宝安西乡镇

前额有一道凹痕，屁股后有一块黑胎记。
失踪时身高 0.7 米。